W9-DDV-960

Wustmann · Taowaki

Erich Wustmann

Taowaki

Illustrationen von
Willy Widmann

Loewe

CIP-Kurztitelaufnahme der Deutschen Bibliothek

Wustmann, Erich
Taowaki / Erich Wustmann.
Bayreuth: Loewe 1985
(Die Lese-Riesen)
ISBN 3-7855-2006-9

ISBN 3-7855 2006-9

Dieses Buch erschien erstmals 1957
im Ensslin & Laiblin Verlag, Reutlingen
Umschlag: Ulrike Heyne und Claudia Böhmer
Satz: VORO, Rödental
Druck und Bindung: Wiener Verlag, Himberg
Printed in Austria

Inhalt

Einbruch der Weißen

Durch das dichte Ufergestrüpp des Urwaldes huschte eine nackte braune Gestalt. Es war Taowaki*, die junge Indianerin vom Stamme der Chavantes. Blauschwarzes Haar umrahmte ihr mit roten Streifen überzogenes Gesicht. Rot bemalt waren auch Brust, Arme und Schenkel; die Mücken, die die Wildnis durchschwirrten, konnten nur durch die rote Farbe der Urucu-Frucht abgewehrt werden.

Voller Spannung spähte sie zum Fluß hinüber, wo das Wasser um die Steine sprang und in wilden Strudeln über das Gefälle stürzte. Von dort kamen Rufe, wie sie Taowaki in ihrem Leben nie vernommen hatte. Hinter ihr, von einer Stechpalme verdeckt, standen Vahanitu und Coniheru, die fast gleichaltrigen Freundinnen.

Zweifellos waren Männer dabei, mit einem Kanu die Stromschnellen zu überwinden. Chavantes konnten es nicht sein, denn die Männer befanden sich im Hinterland auf Jagd, und die beiden Einbäume, die sie zum Fischfang benützten, lagen verborgen in einer Lagune. Also waren es feindliche Indianer vom Stamme der Assuri oder jene sagenhaften Weißen, von denen die Männer ab und zu berichteten und die der Medizinmann ihres Stammes tödlich haßte. „Wer sie trifft, soll sie töten!“ pflegte er mit böse funkelnden Augen auszurufen. „Die Weißen schießen mit ihren Feuerwaffen auf jeden Indianer und verdienen den Tod.“

Taowaki brach ein langgefiedertes Palmblatt ab, hielt es vor sich hin und schob sich, unsichtbar für fremde Au-

* Taowaki, das i wird betont

gen, dem Ufer zu. Der grüne Wedel fiel im Grün der vielen Palmen und der anderen Büsche nicht auf, obwohl er jetzt hier und bald danach woanders stand. Oh, die Chavantes wußten sich zu tarnen! Sie waren die unsichtbaren und gefürchteten Indianer, die zwischen dem Rio Araguaia und dem Amazonas den Urwald unsicher machten und vor denen viele andere Stämme zitterten. Die Chavantes beherrschten das weite Land, denn sie hatten von alters her viele Kämpfe siegreich bestanden.

Schon wieder tönten von den Stromschnellen die Rufe herüber. Taowaki stand jetzt hinter einem Mimosengebüsch, hielt ihren Wedel vor sich und entdeckte drei Männer, die bis über die Knie im Wasser standen und ein Kanu über die Steine wuchteten. Sie waren bis auf die kurzen Hosen nackt wie Indianer und fast ebenso braun, doch trugen sie dunkle Bärte und kurzes Kopfhaar, während Indianer langes Haar tragen und fast bartlos sind.

Also sind es Weiße, dachte Taowaki und erschrak.

Vahanitu und Coniheru kamen nun auch vorsichtig heran und versteckten sich neben ihr im Mimosengebüsch. Vahanitus Gesicht glich einer Teufelsfratze. Rote Querstreifen liefen von der Nase ausgehend bis zu den Ohren, während zwei senkrechte schwarze Striche von der Stirn über die Augen hinweg auf die Wangen reichten.

„Wir sollten ins Dorf gehen und es den Männern sagen“, flüsterte Coniheru. „Dann kommen sie und werden sie töten.“

„Weshalb?“ wunderte sich Taowaki. „Noch haben sie uns nichts getan.“

„Der Medizinmann will es“, meinte Coniheru.

Über Taowakis Stirn legte sich eine Falte. Sie war die Tochter des Häuptlings und war gegen den Medizinmann, so wie auch der Vater nicht alles befolgte, was der Alte riet.

„Ich will, daß wir die Fremden beobachten!“ rief sie unwillig und sprang hinter den mächtigen Stamm einer Palmitopalme, um das Gespräch zu beenden.

Sie unterschied sich durch nichts von den anderen Mädchen ihres Stammes. Bald würde sie heiraten wie diese auch, denn die Indianerinnen heiraten früh.

Inzwischen hatten die fremden Männer eine starke Stromschnelle überwunden und sich auf einen Felsblock gesetzt, um auszuruhen. Schwerbeladen hing ihr Kanu in der Strömung. Wahrscheinlich glaubten sie allein zu sein, die Indianer schienen sie nicht zu fürchten.

Taowaki hatte Angst, aber ihre Neugier führte sie immer näher an die Weißen heran. Zum ersten Mal sah sie Weiße, die sie sich ganz anders vorgestellt hatte.

„Oder sind es Indianer?“ fragte sie die herankriechende Vahanitu.

„Nur Weiße haben ein solches Boot“, behauptete die Freundin. „Sie sehen überhaupt ganz anders aus als Indianer.“

„Sie sind nicht weiß.“

„Vielleicht sind es Leute von den Bergen, hinter die die Sonne sinkt?“

Coniheru schlich sich weg. Taowaki sah ihr unzufrieden nach und sprach: „Wenn es der Tribus* erfährt, werden sie ihr Kanu nicht mehr lange benützen. Die Pfeile der Männer treffen gut.“

„Das ist ihre Schuld“, erwiderte Vahanitu.

Der eine Fremde blickte genau nach dem Palmitobaum, als hätte er die Mädchen entdeckt. Alle drei rauchten Zigarren, so wie sie die Chavantes aus Tabak und Maisstroh drehen. Plötzlich sprangen sie auf, schoben das Boot hastig durch die Strömung und legten am Ufer an. Im nächsten Augenblick waren zwei der Männer im Buschwerk verschwunden.

* Tribus - das Dorf eines Stammes

Die beiden Indianerinnen waren jedoch schneller. Lautlos und unsichtbar huschten sie durch den Urwald, scheu wie die Tiere und geschwind wie der Wind. Voraus Taowaki, die immer und überall den besten Durchschlupf fand. Vahanitu mit dem Teufelsgesicht folgte ihr.

Taowaki blieb stehen und lauschte zum Fluß hinüber, dessen Rauschen nun unter der Stimme des Urwaldes verklang. Grillen und Zikaden vollführten ihr abendliches Konzert, die Ochsenfrösche fingen an zu brüllen, Affen kreischten in den Wipfeln, und Vögel riefen sich lockend zu. Tausend Stimmen vereinigten sich zum mächtigen Lied der Wildnis.

Wenn sich die Sonne dem Horizont zuneigte und die vielen Stimmen der Tiere erklangen, kam im Urwald gar bald die Dunkelheit. Taowaki fürchtete sie, denn sie glaubte an die bösen Geister und an die umherirrenden Seelen der Verstorbenen, die die Nacht bevölkern.

Coniheru stieß nun auch zu ihnen, denn sie war nicht so rasch gelaufen wie die beiden anderen. Sie schlug vor, auf schnellstem Weg heimzukehren. „Bald kommt die Nacht, und unsere Leute werden in der Dunkelheit aufbrechen, um die Weißen zu töten."

„Wozu?" fragte Taowaki trotzig. „Die Fremden ziehen stromauf und werden uns nichts zuleide tun. Wären sie im Wald zu Hause, hätten sie uns jetzt finden müssen."

Taowaki fand am Boden eine rote Papageienfeder und steckte sie sich ins Haar. Vahanitu ging jetzt voraus. Sie wich den undurchdringlichen Stellen aus, indem sie die dicken, hohen Bäume suchte. Wo das Unterholz mit seinem Dorngebüsch wucherte, kam nicht einmal ein Gürteltier durch. Es reichte vom Boden bis zu den Wipfeln empor, wo dichtes Blättergewirr das Sonnenlicht versperrte. Hier im Wald herrschte sogar um die Mittagszeit ein Halbdunkel, ein fahles Dämmerlicht ohne Gegensätze, in dem eine Schlange aussah wie ein Ast. Die Hitze brütete unter den Bäumen, und die Feuchtigkeit schwelte unter faulenden Blättern. Wenn aber ein Windhauch durch den Urwald strich, die Feuchtigkeit vertrieb und das grüne Blattwerk bewegte, dann gab es nichts Schöneres als diesen endlosen hohen Wald.

Taowaki kannte auch andere Gegenden, denn ihr Stamm war unstet und legte weite Strecken zurück. Vor kurzem lebten sie noch im Sertão, wo der Galeriewald vorherrscht. Er breitet sich weit nach Süden aus und reicht bis zum großen Wasser, von dem die Stammesältesten erzählen. Da schweift der Blick viel weiter, über niederes Buschwerk bis zum fernen Horizont. Jeder kann gehen, wie und wo er will, denn dort gibt es kein Dickicht mit Dornen und sperrenden Ästen.

Die drei Mädchen erreichten eine Lichtung, wo sie ihre Umhängekörbchen liegengelassen hatten. Sie benützten sie zum Früchtesammeln. Es waren aus Palmfasern geflochtene grüne Körbchen, die an einem Stirnband getragen wurden. Das Band, das ebenfalls aus Bast geflochten war, konnte man abmachen und als Kletterschnur benützen. Vahanitu band es soeben um ihre beiden Fußgelenke, preßte es gegen den Stamm einer Palme und erstieg geschwind den Baum, um eine reife Fruchtstaude herabzuholen.

Coniheru trieb zur Eile an. „Der Weg ist weit, und die Weißen könnten entkommen“, meinte sie.

„Immer nur die Weißen!“ zürnte Vahanitu. „Vielleicht sind es Indianer eines anderen Stammes. Die Weißen haben hier nichts zu suchen.“

„Sie wollen unser Land“, widersprach Coniheru. „Sie müssen sehr grausam sein, denn sie essen sogar ihre Kinder.“

„Dann haben sie gewiß kein Wild und müssen hungern“, sagte Taowaki.

„Nein, sie können und haben alles. Unser Medizinmann erzählt, daß sie gekommen waren, um die Milch der Bäume zu holen. Dazu brauchten sie Indianer. Und da die Indianer nicht wollten, wendeten sie Gewalt an. Große Tribus wurden verschleppt und ausgerottet.“

„Das ist sehr lange her“, meinte Taowaki.

„Aber die Weißen sind so geblieben. Jetzt haben sie es auf unser Land abgesehen. Überall errichten sie ihre Hütten und pflanzen an.“

„Das haben ihnen unsere Jäger schwer heimgezahlt“, erwiderte Taowaki. „Sie haben die Farmer erschlagen und ihre Hütten abgebrannt. Uns ließen die Weißen in Ruhe.“

Vahanitu stieß plötzlich einen schrillen Warnruf aus und zeigte nach einer langen grünen Schlange, die wie ein Lianenende von einem Baume hing.

„Schlag zu!“ rief Taowaki.

Fast greifbar nahe hing das giftige Reptil, und Vahanitu hatte nichts, um zuzuschlagen. Nur einen Augenblick blieb sie regungslos stehen, dann flog ihr Körbchen vom Rücken und traf die Schlange mit solcher Wucht, daß sie vom Baum herab weit in die Büsche fiel.

„Ein Biß genügt, und nach dem zweiten verlangt man nicht mehr“, meinte Coniheru.

Dann kamen sie an einem Weiher vorbei, dessen Wasser grünlich dunkel aussah. Dichtes Gehölz zog sich bis ins Wasser hinein.

Vor Taowaki wurde es plötzlich lebendig. Ein großes

Krokodil floh von der Böschung weg ins Wasser hinein. Überall streckten Kaimane und Krokodile ihre Stielaugen aus der trüben Flut. Der ganze Weiher war eine Hölle, in der die Teufelsbrut auf ihre Opfer lauerte. Wer da drin baden sollte, brauchte das Wasser nicht mehr zu verlassen. Wenn alles still war, der Urwald schwieg und die Dunkelheit vom Himmel sank, kamen die Ungeheuer aus der Tiefe hervor, um auf Jagd zu gehen. Tagsüber waren sie feig und trauten sich selten aus dem Wasser heraus.

Rasch gingen die Mädchen an dem Weiher vorbei. Der Urwald nahm sie auf. Berauschender Blütenduft sank von einem Wipfel. Eine Orchidee mit gelben Blütendolden neigte sich zur Erde.

„Wenn die Weißen nichts anderes finden, holen sie die Blumen von den Bäumen herab“, setzte Vahanitu das Gespräch fort. „Indianer müssen ihnen beistehen und ihnen die Blumen zeigen. Sie selber sind ungeschickt und kommen nicht auf die Bäume hinauf.“

„Sie nehmen nur Orchideen“, bestätigte Taowaki.

„Ein Mann, den unsere Leute erschlugen, hatte eine ganze Kiste voll“, erwiderte Coniheru.

„Vielleicht bringen sie sie ihrem Medizinmann“, vermutete Taowaki. „Die Weißen heilen mit anderen Mitteln. Das behaupten die Männer, die mit ihnen zusammengekommen sind.“

„Immer wieder sind es die Weißen, die alles anders machen“, versetzte Vahanitu. Aus ihrem teuflisch bemalten Gesicht funkelten dunkle Augen. „Sie wohnen in großen Häusern aus Stein, die bis zum Himmel reichen. Eisenholz, der weit umhergekommen ist, will es erfahren haben.“

Es dunkelte immer mehr. Die Brüllaffen vollführten

ein Höllenkonzert. Die Zikaden sirrten von den Bäumen, die Grillen schienen überall zu sitzen, Araras zeterten irgendwo im Blätterdach, und große Frösche schnarrten im Schilf.

Aus der Ferne, den Mädchen genau voraus, erklang das unwillige Raunzen einer Katze.

„Ein schwarzer Panther", flüsterte Taowaki und blieb stehen.

Für einen Augenblick schwiegen die Stimmen der Tiere. Nur die Grillen geigten weiter.

„Der schwarze Panther greift an", hauchte Coniheru.

„Wenn wir ihn umgehen, wird er uns nichts tun."

Taowaki schlüpfte voraus durch die Büsche. Sie waren alle drei lautlos wie Katzen. Wenn der schwarze Panther hungrig ist, greift er den Menschen an und verfehlt selten seine Beute. Nur der Jaguar, der dem Panther gleicht, geht den Menschen ungern an.

Im weiten Bogen umgingen die Mädchen das Raubtier. Sie fanden ihren Weg durch das dichteste Gehölz und kamen nicht einmal auf den Gedanken, daß sie sich verlaufen könnten. Sie waren Waldindianer, die in tiefster Nacht heimfanden, doch mieden sie die Finsternis, um den Raubtieren, den Schlangen und bösen Geistern nicht zu begegnen. Viel lieber brennen sie ein Feuer an und schlafen unter einem Baum, als daß sie durch den nächtlichen Wald gehen.

Hundegebell erklang in der Ferne. „A-uh! A-uh!" Die hellen Schreie eines Indianers tönten von fern her.

„Die Männer kommen von der Jagd!" frohlockte Coniheru.

„A-uh! A-uh!" rief Vahanitu zurück. Das „Uh" klang schrill durch den Wald.

Feuer blinkten durch den lichter werdenden Wald,

lauter ertönte das Geheul. Die im Dorf zurückgelassenen Hunde wußten zuerst gar nicht, nach welcher Seite sie springen sollten, von der einen Seite kehrten die Männer heim, von der anderen die drei Mädchen. Laut kläffend kamen sie angelaufen.

Das Dorf in der Wildnis

Im Rund angelegt war das Dorf der Chavantes. Sie wußten aus alter Erfahrung, daß sich ein Runddorf schwerer angreifen läßt als ein unregelmäßig errichtetes Dorf. Es bestand aus einem Dutzend Palmhütten, die nur flüchtig erbaut waren. Die Chavantes brauchten kein festes Dorf, weil sie umherzogen und die Hütten verbrannten, sobald sie sich auf die lange Wanderung begaben.

Die Dächer ihrer Hütten waren sorgfältig mit Palmwedeln belegt und verflochten, um den Regen abzuwehren, aber die Wände bestanden nur aus schräg angelehnten Palmblättern, die ein heftiger Windstoß wegfegen konnte. Bei großer Hitze wurden sie weggenommen. Dann waren die Hütten offen, denn keiner hatte vor dem anderen etwas zu verbergen, weil jeder gleich viel besaß. Die Indianer brauchten nicht viel zum Leben. Sie flochten Matten aus Palmfasern und schliefen darauf. Hartschalige Früchte lieferten Trinkschalen und Schüsseln, aus Ton brannten sie ihre feuerfesten Töpfe, Palmblätter ergaben Körbe in allen Größen und sonstige Behälter. Die Kleidung bestand aus einer gedrehten Bastschnur um den Leib und höchstens noch aus einem Stirnband, damit das blauschwarze Haar gebändigt wurde.

Als Schutz gegen Dornen legten sie zeitweilig einen aus Baumrinde gefertigten Schurz an.

Die Männer jagten mit Pfeil und Bogen, mit Wurfspeer und Schleuder, und die Frauen benutzten eine einfache Handspindel, um die wilde Baumwolle zu spinnen. So war es seit alters her gewesen, und nur die Buschmesser waren neu eingeführt worden, ebenso die eine Axt, die das Dorf besaß. Die Männer handelten diese Eisenwaren bei einem befreundeten Nachbarstamm ein, der wiederum mit Caboclos, mit Mischlingen, befreundet war.

Etwas abseits befand sich ein Festhaus, eine ebenso einfache Hütte wie die anderen, in der die Männer häufig zusammenkamen und die den Frauen nicht zugänglich war. Dort war auch der Festplatz, auf dem die Tänze stattfanden. Der Tanz war hauptsächlich eine Angelegenheit der Männer.

Ganz nahe am Dorf vorbei floß ein Bach; er rann durch den großen Wald dem Amazonas zu. Er bildete die Lebensader des Dorfes, denn ohne Wasser kann auch ein Indianer nicht sein. Sobald die Sonne aufging, setzte der Gang zum Wasser ein. In kürbisähnlichen Fruchtbehältern wurde es geholt, aber keine Indianerin vergaß dabei, vorher zu baden. Den ganzen Tag über tummelten sich einige braune Gestalten in dem kühlen Bach; die kleinsten Kinder gewöhnten sich bereits an das Wasser, das ihnen in der sengenden Tropenglut die einzige Kühlung brachte.

Das Dorf war von hohem Urwald umgeben, von einer Mauer aus undurchdringlichem Grün, durch das nur wenige Pfade führten. Jetzt ruhte es in der einbrechenden Dunkelheit. Feuer brannten vor den Hütten, Frauen kochten daran das abendliche Mahl. Kinder klapper-

ten mit der Rassel und tanzten singend, wie sie es den Erwachsenen abgelauscht hatten.

Für einen Augenblick wendete sich die Aufmerksamkeit der Frauen, Greise und Kinder den heimkehrenden Männern zu. Acht mit roter Urucufarbe bemalte und mit Bogen, Pfeilen und Wurfspeeren bewaffnete Indianer kamen vom Mato herüber, vom großen Wald am Amazonas. Es waren muskulöse Gestalten mit langen Haaren, dunklen Augen und heiteren Mienen, denen der erlegte Hirsch wie Spielzeug auf den Schultern lag. Mit raschen Schritten überquerten sie den Platz, um das bereits ausgenommene Wild am Feuer der Häuptlingshütte niederzulegen.

„A-uh! A-uh!“ klang es laut durch das Dorf. „Bald gibt es Fleisch! A-uh! A-uh!“

Die Kinder vergaßen ihr Spiel und kamen mit den Rasseln angerannt. „A-uh! A-uh!“ stimmten sie in den Ruf der Männer ein. Hunde rissen knurrend an dem Wild. Ein altes Weib schlug keifend auf sie ein, während die Jäger lachten.

„A-uh! A-uh!“ erklang es aus drei Mädchenkehlen.

Taowaki setzte ihren Korb nieder und trat zu ihrem Vater.

Er war der stärkste Mann des Stammes. Der etwas ältere Bruder Jojo, der Taowaki um einen Kopf überragte, schien ebenso stark zu werden. Der Vater hieß Pantherklaue, und er trug seinen Namen zu Recht. Den Jaguar erlegte er mit dem Pfeil, den Tapir mit dem Speer. Als ihn einmal ein schwarzer Panther ansprang, tötete er ihn durch einen Messerstich.

Jetzt schärfte er sein Buschmesser und fing an, das Wild abzuhäuten. Es war nicht der erste Hirsch, den er zerwirkte. Mit raschen Schnitten ging die Arbeit voran.

„Wir waren nicht allein im Wald", versuchte Taowaki sich bemerkbar zu machen.

Der Häuptling schwieg.

„Das Kanu der Männer war kein Einbaum der Indianer. Sie setzten ihre Reise stromaufwärts fort."

„Sind es Weiße?" fragte er, ohne aufzusehen.

„Wir haben noch keine Weißen gesehen", erwiderte Taowaki.

Mehrere Männer halfen dem Häuptling, doch schwiegen auch sie. Vielleicht hielten sie Taowakis Worte für leeres Geschwätz. Coniheru schlich sich fort und zum Medizinmann hinüber, der vor seiner Hütte am Feuer saß.

„Ich glaube, daß unsere Leute heute nacht aufbrechen werden, die weißen Männer zu töten", sprach sie, indem sie sich neben ihn kauerte und mit einem Stock im Feuer herumstocherte.

„Welche Weißen?" wunderte sich Hlé*, der Medizinmann.

„Sie schieben ihr Kanu durch die Stromschnellen und werden lagern müssen, weil sie die Nacht überrascht", erwiderte Coniheru.

Schweigend blickte der greise Medizinmann in die Glut. Er war in der Wildnis aufgewachsen und hatte nicht viel Gutes von den Weißen erfahren. Zuerst waren sie gekommen, um die Indianer zu versklaven und sie zur Gummisuche zu zwingen. Unzählige Stammesbrüder waren dabei umgekommen. Mit Ketten hatte man sie zusammengeschmiedet und durch den Mato getrieben. Wenn sie zuwenig Milch abzapften, sauste der Riemen auf ihre wunden Rücken. Die Frauen wurden ge-

* =Kuhmilch

raubt, kleine Indianerkinder getötet. Elendiglich gingen große Tribus zugrunde. Der Rest floh tiefer und tiefer in den großen Wald hinein, wohin ihnen kein Weißer zu folgen wagte. Dort blieben sie und töteten jeden fremden Mann, der in ihr Gebiet einzudringen versuchte. Von nun an haßten sie die Weißen und sahen sie als Teufel an, die kein Herz im Leibe trugen.

Die alten Indianer starben. Sie hatten Grausames erlebt. Die Nachfolgenden hatten es besser, weil die Weißen die Gummisuche aufgaben und sie den wenigen Caboclos überließen, die friedfertig durch den Urwald liefen, um die großen Bäume anzuzapfen. Eine neue Zeit schien anzubrechen. Wer traute jedoch den Weißen? Konnten sie nicht eines Tages wiederkommen und neuen Schrecken verbreiten?

Hlé traute ihnen nicht. Um allen Gefahren auszuweichen, tötete er sie nach Väterart, wo immer er Gelegenheit dazu hatte, und hütete sich, den Gerüchten Glauben zu schenken, die die Weißen so ganz anders hinstellten.

Jetzt sollten sie zu den Indianern freundlich sein, ihnen Äxte, Messer und andere Dinge schenken. Hier und dort errichteten sie feste Hütten und scharten die Indianer um sich, um sie zu „befrieden“, wie sie sich auszudrücken pflegten. Aber der Medizinmann Kuhmilch glaubte nicht daran, denn die Indianer waren ja friedlich gewesen, bis sie von den Weißen zur Abwehr gezwungen worden waren.

„Woran denkst du?“ fragte Coniheru nach langem Schweigen.

„Die Weißen werden wiederkommen und uns das

Land streitig machen“, antwortete der Medizinmann leise. „Wohin wollen sie, wenn nicht zu uns Indianern? Der Weg zu ihren Wohnstätten ist weit.“

„Werden unsere Leute aufbrechen?“

„Was die Weißen sagen, ist Lüge“, fuhr der Alte fort, ohne auf die Frage einzugehen. „Sie bringen viel Unheil in unser Land.“

„Bringen sie nicht auch Buschmesser?“ fragte plötzlich Vahanitu, die im Dunkel hinter Coniheru stand.

„Wir kamen früher mit Steinwerkzeugen aus“, meinte Hlé. „Die Jungen sind bequem geworden.“

Von der Häuptlingshütte herüber erklang der laute Ruf eines Mannes, der den Stamm zusammenrief. Sie sollten zur Verteilung kommen, denn das erlegte Wild gehörte allen.

„Geh du für mich!“ sprach Hlé zu Coniheru.

Sie nickte, zog Vahanitu an der Hüftschnur und lief mit ihr davon. Hlé starrte ins Feuer. Er war nicht schlecht, denn er heilte die Kranken und beschwor die bösen Geister, damit sein Stamm gesund und in Ruhe leben konnte.

Daß er die Weißen haßte, war verständlich. Er brauchte sie auch nicht. Der ganze Stamm und alle Indianer konnten auf die Weißen verzichten, wenn sie wie in früheren Zeiten lebten.

Die Chavantes waren von jeher kriegerisch; auf ihren weiten Wanderungen wurden sie immer wieder in Kämpfe verwickelt. Sie wollten sich nicht mit den Weißen streiten, aber ihnen den Zutritt in ihr Land verwehren, wie sie es auch gegen andere Indianerstämme verteidigten. Zwischen den Chavantes und anderen Tribus herrschte uralte Feindschaft. Sie bekämpften sich bei jeder Gelegenheit, und die Chavantes blieben fast immer Sieger, weil sie die Mutigsten und Stärksten waren. Das alles ging die Weißen nichts an, es war eine Sache, die unter den Indianern ausgetragen wurde. –

Die Feuer vor den Hütten brannten nieder. Allmählich verstummten die singenden Kinder. Frauen und Kinder streckten sich auf ihren Matten aus, während die Männer zum Festplatz gingen. Lind sind die Nächte am Amazonas. Glühwürmchen irren wie Funken umher. Da schläft ein jeder, wie und wo er gerade liegt, ganz gleich, ob er ein Dach oder den Sternenhimmel über sich hat.

In später Nacht saßen die Männer noch am Feuer, das vor dem Festhaus brannte. Der Medizinmann saß schweigend vor ihnen und starrte in die Flammen. Vom Mato-Wald herüber ertönte das Gequake eines Frosches. Sonst war es still, denn die Tiere waren zur Ruhe gegangen oder jagten lautlos im Busch.

„Was die Männer wollen, wissen wir nicht“, begann der Häuptling das Gespräch. „Ob es Weiße oder fremde Indianer sind, wissen wir auch nicht. Drei Mädchen haben sie gesehen. Das ist alles.“

Schweigend hockten die Männer im Kreis. Sie hatten viel Zeit und brauchten nichts zu überstürzen. Solange es dunkel war, konnten die Fremden nichts unternehmen, und die Nächte sind am Amazonas genauso lang wie die Tage.

„Kaiman und Jojo sind zum Fluß gegangen, um die Eindringlinge zu beobachten“, fuhr der Häuptling fort. „Bevor die Sonne aufgeht, werden sie zurück sein und uns berichten.“

„Sind wir zu feig, um selber hinüberzugehen?“ warf der Medizinmann mit unbewegtem Antlitz ein.

„Die Chavantes waren immer schneller als die Weißen“, erwiderte der Häuptling.

Den jungen Männern dauerte die Besprechung zu lange. Sie unterhielten sich leise, kicherten und drückten sich dann in die Büsche, denn was die Alten beschlossen, würden sie noch früh genug erfahren.

„Was rätst du?“ fragte Pantherklaue den Alten.

„Wir müssen uns wehren“, kam es zurück.

„Nur der Angegriffene braucht sich zu wehren.“

„Willst du es soweit kommen lassen?“

Hlé warf dem Häuptling einen giftigen Blick zu.

„Mein Vorschlag ist der, die Fremden zu verfolgen und sie sofort anzugreifen, sobald sie den Fluß verlassen. Ich hörte, daß andere Tribus den großen Strom als Grenze erklärten. Die Flüsse sollen für alle befahrbar sein.“

„Seit wann richten wir uns nach den Wünschen der Weißen?“ spottete der Medizinmann.

„Sie sind eine große Macht. Wenn sie wollen, vernichten sie ein ganzes Dorf. Sie kommen wie Vögel durch die Luft und sind schneller als der Wind. Das beste ist es, für sie unsichtbar zu sein.“

Nun schwiegen sie wieder, als sei alles gesagt. Ein Mann brachte meterlanges Holz und legte einige Stücke in das abbrennende Feuer. Vom Mato herüber erklang erschrockenes Geschrei der Affen.

„Wer weiß besseren Rat?“ fragte der Häuptling, ohne die anderen anzusehen.

„Pantherklaue hat recht“, antwortete Eisenholz, ein älterer und weit herumgekommener Mann des Stammes. „Ich sah ihre großen Vögel und hörte den Knall ihrer Waffen. Ihre unsichtbaren Pfeile reichten weiter als die unsrigen.“

„Das wissen wir“, mischte sich der Medizinmann Kuhmilch ein. „Als sie die Indianer zur Gummisuche zwangen, waren sie uns bereits überlegen. Sie werden uns immer überlegen sein. Aber die Chavantes sind flinker. Wir brauchen ihre Dörfer nicht anzugreifen, und es genügt, die Eindringlinge zu töten." Zustimmend nickten einige Männer. Hlé fühlte sich im Recht und fuhr fort: „Sobald sich der Himmel vor Sonnenaufgang rötet, werden die Piranhas etwas zu fressen haben. Sie haben lange genug die Fremden verfolgt."

„Laßt uns erst mal hinübergehen und sehen, was sie tun!" riet der Häuptling. Er erhob sich und schritt langsam seiner Hütte zu. –

Taowaki lag auf einer Bastmatte hinter Palmzweigen und schlief. Sie hatte lange über ihre erste Begegnung mit den rätselhaften Weißen nachgedacht. Der Mond stand als schmale Sichel über der Lichtung. Die Grillen zirpten einschläfernd, im Urwald drüben sang der Wind.

Leicht ist der Schlaf der Indianer. Sie müssen jederzeit wachsam und sprungbereit sein, weil ringsum Gefahren lauern. Feindliche Tribus können ihre Krieger ausschicken, um das Dorf zu überfallen, Schlangen winden sich lautlos durchs Gras, und wenn der schwarze Panther hungrig ist, greift er gern die schlafenden Menschen an. Anakonda und Buschmeister sind nachts auf der Jagd. Fünf kräftige Männer haben an einer einzigen dieser Riesenschlangen zu schleppen, und der Buschmeister ist das schnellste Tier der Wildnis, im Wasser genauso gewandt wie auf dem Land. Bis zur Ameise herab, die in Riesenscharen ein ganzes Dorf überfallen kann, sind die Tiere der Wildnis den Indianern feind.

Neben der schlafenden Taowaki hockte ein großer blau-gelb gefiederter Arara, den sie als ganz junges Tier aus dem Nest geholt und aufgezogen hatte. Er war ganz zutraulich und begrüßte Taowaki immer mit kreischendem „Arara!“, wenn sie aus dem Walde kam.

Dieser Arara hörte zuerst den Häuptling kommen. Er schnarrte leise vor sich hin und weckte Taowaki. Sie lauschte, sah den Vater sich auf eine Matte setzen und hörte, daß die Mutter zu ihm kam. Plötzlich wurde sie hellwach, sie wollte kein Wort der Unterhaltung verlieren. Jetzt mußten sie von den Fremden sprechen, denn die Mutter wollte wissen, was die Männer planten.

Tief im Mato raunzte schon wieder der Jaguar.

„Hlé will, daß die Fremden ihre Reise beenden“, begann der Häuptling das Gespräch.

„Das will er immer“, erwiderte die Mutter, eine stille, jedoch immer freundliche Frau, die „Maikäfer“ hieß. „Eisenholz erzählt, daß viele Tribus mit den Weißen gut auskommen und schöne Geschenke bekommen.“

„Mir liegt nichts an Freundschaft und Geschenken“, gab der Häuptling zurück. „Was wir brauchen, das haben wir. Die Hauptsache ist, daß sie uns in Ruhe lassen.“

„Wenn sie vorbeifahren, ist ja alles gut. Vielleicht wissen sie gar nicht, daß wir in der Nähe sind.“

„Das werden wir feststellen. Bevor die Sonne aufgeht, sind wir drüben am Fluß.“

Damit schien die Unterhaltung beendet zu sein. Maikäfer fragte nicht mehr, und Pantherklaue gähnte; tiefe Stille legte sich über die Siedlung.

Auf heimlichen Pfaden

Das erste Morgenrot zeigte sich über der endlosen grünen Weite des Urwaldes, als eine Schar schwarz und rot bemalter Chavantes lautlos durch das Unterholz schlich. Es waren die besten Jäger des Stammes, denen der Pfeil sicher auf dem Bogen lag. Sie trugen keinerlei Schmuck, nur die dünne Bastschnur um die Hüften. Ihre Gesichter glichen Teufelsfratzen, während ihre Körper die Bemalung der beiden Stammestotems trugen. Voraus glitt Pantherklaue. Hinter ihm ging mit leichten Schritten Eisenholz, Jojo folgte als dritter, während einige Schritte entfernt Kaiman, Rehfell, Kokosfett, Giftpfeil und Kopé folgten.

Die vielen Stimmen des Urwaldes vereinten sich zum allmorgendlichen Konzert, das den ganzen großen Wald erfüllte, vom großen Strom ausging und bis zu den Bergen reichte, die irgendwo gegen Sonnenuntergang lagen und die den Chavantes unbekannt waren. Die Brüllaffen benahmen sich wie wild, Ochsenfrösche standen ihnen kaum nach, kleine Affen kreischten, die Papageien und Araras zeterten, andere Vögel jubilierten, Aasgeier strichen beutesuchend laut krächzend über die Wipfel, und die Zikaden sirrten, als müßten sie alle diese Geräusche übertönen.

Feuchter Brodem entstieg der Erde, obwohl Trockenzeit war. Der Amazonas floß schmäler als sonst in seinen Ufern dahin, wie auch alle anderen Flüsse ihren tiefsten Wasserstand aufwiesen. Zur Regenzeit stand der Urwald weithin in den Fluten. Der große Strom war dann unübersehbar breit, und aus dem kleinsten Bach wurde ein reißender Fluß. Dann mußten auch die Chavantes ihr Dorf räumen und tiefer hinein ins Innere ziehen, wo das Bergland eine bessere Bleibe bot.

Außer den Chavantes kam kein anderer Mensch durch diesen Teil des großen Waldes. Die Indianer der Nachbarstämme mieden das Gebiet, die Gummisucher wollten ebenfalls nicht mit den gefürchteten Chavantes in Berührung kommen, und die wenigen Männer, die anderen Dingen nachspürten, wie Gold, Orchideen und Edelsteinen, hatten anderswo zu tun.

Auf vertrauten Pfaden wand sich der Häuptling Pantherklaue mit seinen Männern durch den dichten Wald. Sie verloren kein Wort und lauschten den Stimmen ringsum, es wäre ja möglich gewesen, daß ihnen jagdbares Wild begegnete. Das Dorf hungerte jederzeit nach Fleisch, die Jagd füllte fast das ganze Leben der Indianer aus.

Sie brauchten nicht weit zu gehen, um den Fluß zu erreichen, der brausend über die Steine sprang und im weiten Bogen zum Amazonas floß. Eine halbe Tageswanderung trennte sie vom größten Strom Amazoniens. Obwohl die Chavantes die Flüsse aufsuchten und gern an ihnen wohnten, blieben sie Waldindianer. Sie begaben sich also nicht in Einbäumen auf ihre weiten Streifzüge, wie es andere Stämme taten. Mit Verachtung blickten sie auf die Flußindianer hinab, denen die innerste Wildnis verschlossen blieb.

Als Pantherklaue vor seinen Leuten herging, dachte er an Hlé, mit dem ihn durchaus keine herzliche Freundschaft verband. Als der frühere Häuptling alt und fast blind geworden war, wählte der Stamm einen neuen. Pantherklaue zeichnete sich durch große Kraft und Geschicklichkeit aus. Ihn wählten die Angehörigen des Tapirtotems. Hlé gehörte dem Totem der Fische an. Er war für Eisenholz. Der Stamm entschied sich jedoch für Pantherklaue, wodurch der Medizinmann seine erste große Niederlage erlitt. Von nun an herrschte eine verborgene Gegnerschaft zwischen den beiden Männern. Keiner ließ es sich merken, aber jeder spürte das schwelende Feuer unter einer dünnen Decke gespielter Freundlichkeit. –

Daran dachte auch Taowaki, als sie auf ihrer Matte lag. Sie wußte nicht, was die Männer auf dem Festplatz beschlossen hatten; doch ahnte sie eine erneute Mißstimmung zwischen ihrem Vater und Hlé. Der Häuptling war immer für ein friedliches Leben, während der Medizinmann sämtliche Überfälle der letzten Jahre angestiftet hatte. Wenn Pantherklaue auch diesmal gegen die Tötung der fremden Eindringlinge war, plante der Medizinmann gewiß einen Gegenzug.

Als der Häuptling mit seinen Männern das Dorf verlassen hatte, stand Taowaki auf.

Die Indianer pflegen nicht zu frühstücken, sie essen nur zweimal am Tag.

„Ich werde Früchte holen", sagte sie zu ihrer Mutter, indem sie ihr Bastkörbchen von einem Dachsparren nahm.

Ihre Schwägerin lag mit zwei kleinen Kindern auf einer Matte und schlief. Nur die Mutter hantierte in einer Ecke herum. Vielleicht wollte sie Mais stampfen und das Essen vorbereiten. „Gehst du allein?" fragte sie, ohne aufzusehen.

„Wenn Vahanitu will, wird sie mitgehen."

Taowaki huschte durch die Palmwedel, und es sah aus, als wollte sie tatsächlich Früchte sammeln gehen. Vorher schaute sie in eine nahe stehende Hütte hinein und rief Vahanitu. Zu zweit gingen sie über die Lichtung zum Waldrand hinüber, wo ein kleiner Bach mit ganz klarem Wasser das Buschland durchschnitt. Sie legten ihre Körbchen nieder und glitten in das Wasser hinein.

Indianer sind sauber. Sie baden mehrmals am Tag, weil sie die tropische Hitze dazu zwingt. Sie pflegen auch ihr Haar, schneiden es halblang und durchkämmen es oft mit ihren Fingern. Tupon, der höchste Gott des Stammes, der alles geschaffen hat, gab seinen braunen Kindern auch die Läuse. Aber die Chavantes achten darauf, daß sie nicht überhandnehmen, und sie durchsuchen sich gegenseitig das Haar. Die alten Frauen sagen: „Hat dich eine Laus gebissen, dann beiß sie wieder!" Und sie nehmen sie zwischen die Zähne und zerknacken sie.

„Weißt du, daß die Männer zum Fluß gegangen sind?" fragte Taowaki, als sie aus dem Wasser auftauchte.

„Es hat sich herumgesprochen", erwiderte Vahanitu prustend.

Taowaki tauchte wieder unter und blieb lange unter Wasser. Als sie wieder hochkam, sagte sie: „Ich glaube nicht, daß sie die Fremden sofort angreifen. Die Chavantes pflegen ihre Gegner zu beobachten."

„Sie haben Zeit dazu. Ich bin dafür, daß wir hinübergehen."

„Das wollte ich dich fragen", lachte Taowaki.

Mit naßglänzenden Körpern tauchten sie im Buschwerk unter. Taowaki schlüpfte voraus, aber die Körbchen hatten sie am Bach liegengelassen, um ungehindert gehen zu können.

Die Fremden zu belauschen, war eine Männersache, in die sich Frauen nicht einzumischen hatten. Das brauchte keiner den Mädchen zu sagen, doch hatten sie es zu wissen und sich danach zu richten.

Bei einer so großen Begebenheit wie der jetzigen war es gewiß kein allzu schweres Vergehen gegen die Gepflogenheiten des Stammes, wenn zwei junge Mädchen ihrer Neugier die Zügel schießen ließen, zumal sie die Fremden entdeckt und die Nachricht ins Dorf gebracht hatten. Vor allem galt es, sich von den Männern nicht sehen zu lassen, noch weniger von den Fremden selbst. Im Anschleichen standen jedoch die Frauen den Männern kaum nach.

Plötzlich blieb Taowaki stehen. Sie sog aufmerksam die Luft ein, die kaum spürbar nach Rauch roch. Vom Dorf herüber konnte er nicht kommen, denn der Wind stand entgegengesetzt.

„Was ist das?“ flüsterte sie und sah Vahanitu an.

„Unsere Männer sind längst drüben am Fluß“, erwiderte die Freundin.

Noch vorsichtiger wand sich Taowaki durch das Gebüsch. Wiederholt blieb sie, die Luft prüfend lauschend stehen. Durch die hohen Baumkronen fiel das schwache Licht des erwachenden Tages.

Die Tierstimmen waren so laut, daß sie nichts anderes vernahm. Die Brüllaffen hatten soeben dröhnend eingesetzt.

Irgendwo mußte ein Feuer brennen, und dort mußten Menschen sein. Was suchten sie jedoch im nächtlichen Dunkel, wo das Dorf so nahe lag? Fremde Indianer wagten sich nicht so nahe an die Chavantes heran. Wenn sie einen Überfall planten, kamen sie ohne Rauch. Am Feuer wurde gelagert.

Jetzt kam deutlich bläulicher Rauch durchs Gebüsch. Gleichzeitig vernahmen die Mädchen eine rauhe Männerstimme.

Taowaki und Vahanitu gingen zu Boden. Im nächsten

Augenblick war von ihnen nichts mehr zu sehen. Von grünen Zweigen zugedeckt, schienen sie Teile der Büsche zu sein.

Allmählich tagte es. Noch hielt das morgendliche Konzert der Tiere an, doch schienen die Brüllaffen zur Tränke zu gehen und ruhiger zu werden.

Unter breiten Blättern verborgen, lag Taowaki am Boden. Kaum spürbar schob sie sich nach vorn. Ganz deutlich vernahm sie indianische Stimmen.

„Der große Wald muß wie eine Falle sein“, hörte sie in der Sprache der Chavantes sprechen. „Kein Weißer darf ihn wieder verlassen. Sie müssen darin untertauchen und verschwinden, bis keiner mehr auf den Gedanken kommt, das Innere des Landes zu betreten. Tupon gab es uns und nicht den Weißen.“

Mit spöttischem Lächeln zog sich Taowaki tiefer ins Gebüsch zurück. Sie hatte genug gesehen und brauchte nur noch zu hören, was der Medizinmann Hlé mit seinen Freunden besprach. Vahanitu lag wieder dicht neben ihr.

„Der Stamm wird beschließen, was mit den Weißen geschehen soll“, ließ ein anderer sich vernehmen.

„Die Fische haben beschlossen“, versetzte der Greis. „Wenn die Tapire unvernünftig sind, müssen die Fische handeln.“

Immer wieder nützte Hlé die Zweiteilung des Stammes aus, um für sich Freunde zu gewinnen. Da gab es noch die Schlangen, Aasgeier und Kaimane. Die Angehörigen eines Totems durften untereinander nicht heiraten, denn ein Totem war wie eine große Familie, die fest zusammenhielt. Zu Feindschaften zwischen den Totems war es niemals gekommen, denn sie waren ja alle miteinander verwandt und Angehörige eines großen Stammes.

Hlé war der erste, der die Trennung schuf und die Fische gegen die Tapire hetzte.

„Er ist ein alter, törichter Mann“, pflegte der Häuptling zu sagen. Aber dieser alte Mann war gefährlich. Das erkannten Taowaki und Vahanitu in diesem Augenblick.

„Wir werden zum Fluß gehen, um die Geschehnisse zu verfolgen“, fuhr der Greis fort. „Es ist möglich, daß Pantherklaue die Fremden reisen läßt. Wir werden ja sehen. Unsere Pfeile treffen auch ohne Befehl.“

„Es kann Streit geben“, warf ein älterer Chavantes ein.

„Haben wir uns jemals wegen eines Überfalls gestritten? Wir waren uns immer einig und haben gesiegt.“

„Das letzte Mal war es keine Kunst, denn wir trafen nur Greise, Frauen und Kinder an“, erwiderte der andere mit spöttischem Lachen.

„Es genügte, um die Caboclos zum Rückzug zu zwingen“, meinte Hlé. „Sie werden kaum wiederkommen, um selber noch zu sterben.“

„Pantherklaue war damals dagegen.“

„Soviel ich weiß, war er dabei.“

Ganz langsam krochen die Mädchen zurück.

„Es ist genug gesprochen worden“, erklärte ein jüngerer Mann. „Laßt uns aufbrechen und zum Fluß gehen! Das Dorf soll wissen, daß wir uns auf Jagd befinden.“

Als die Männer sich erhoben und das Feuer erlosch, waren die ringsum stehenden Büsche leer. Die Indianer hören und sehen gut, doch merkten sie diesmal nichts. Taowaki und Vahanitu hatten bewiesen, daß sie echte Kinder ihres Stammes waren.

Die Sonne stieg über den endlosen Wald. Die Tiere schwiegen. Nur einige Vögel zwitscherten hier und dort in den Wipfeln. Von fernher brauste der Fluß.

Die Verfolgung

Wo der Fluß am wildesten über die Steine sprang, die Wirbel am dichtesten beieinanderlagen und das Brausen jedes Wort verschlang, plagten sich die drei Weißen mit ihrem Kanu ab. Sie wuchteten es durch die Stromschnellen, stemmten es gegen die reißende Flut und ertrotzten Meter um Meter. Von Mücken zerstochen waren ihre braungebrannten Körper, vom Fieber gezeichnet ihre schmalen Gesichter. Das verriet sie als Weiße.

Der Urwald umgab sie wie eine hohe grüne Mauer, in der es keine Bresche gab.

Anscheinend bildete der Fluß die einzige Möglichkeit zur Durchquerung des großen Waldes. Blau-gelbe Araras flogen soeben über sie hinweg.

Die Männer ahnten nicht, daß der Wald ringsum lebendig war, daß sie von einem Dutzend Augenpaaren beobachtet wurden. Hinter jedem Busch steckte eine Rothaut. Funkelnde Augen, die fest zusammengekniffen waren, damit das Weiße nicht leuchtete, verfolgten aus teuflisch bemalten Gesichtern jede Bewegung der Weißen.

Pantherklaue war kaum zehn Meter von ihnen entfernt. Hinter einem breiten Bananenblatt stand er aufrecht in einem Gebüsch. Er fürchtete keine Entdekkung, denn die Fremden beschäftigten sich mit ihrem Fahrzeug und hätten das Blatt bestimmt übersehen, obwohl es gerade an dieser Stelle überhaupt keine Bananen gab. Weiße haben keinen Blick für so etwas. Feindlichen Indianern gegenüber mußten die Chavantes viel vorsichtiger sein.

Allem Anschein nach besaßen die drei Männer

schweres Gepäck. Die Mitte ihres Kanus war hoch beladen. Es war kein Wunder, daß sie es kaum von der Stelle bewegen konnten.

Der Häuptling blieb nach kurzer Verfolgung gleichgültig zurück und sprach zu Eisenholz: „Die weißen Männer beabsichtigen vorbeizufahren. Solange sie ihr Kanu schieben, haben wir nichts dagegen."

„Vielleicht sind es Händler, die weiter oben Handel treiben", antwortete Eisenholz.

Über Pantherklaues Antlitz huschte ein Schatten.

„Nicht alle sollen die Indianer betrügen", fuhr Eisenholz nachdenklich fort. Er brauchte seine Stimme nicht zu dämpfen, weil das Rauschen des Flusses alles andere verschlang. „Sie bringen Äxte und viele nützliche Dinge. Die Indianer geben dafür Felle und Bastgeflechte."

„Wozu brauchen wir Äxte?" wunderte sich der Häuptling. „Das mag für die Festwohnenden nützlich sein. Unsere Vorfahren kamen mit Steinwerkzeugen aus."

„Ich brauche sie nicht", lachte Eisenholz. „Die Jugend verlangt danach. Frag Jojo! Eines Tages wird er die Händler suchen."

Pantherklaue warf Eisenholz einen finsteren Blick zu. Dann wendete er sich ab und verschwand in den Büschen. –

Unweit lauerten Taowaki und Vahanitu. Ihre Neugier trieb sie in die Nähe der Weißen, doch hatten sie sich vorgenommen, den Medizinmann nicht aus den Augen zu lassen. Hlé stak in einem Gebüsch, während einige der Fischleute etwas abseits auf seine Befehle warteten.

Bei jeder Bewegung liefen die beiden Mädchen Gefahr, von einem der Männer entdeckt zu werden. Und Hlé war unberechenbar in seinem Zorn.

Haßerfüllt lag er im Blätterwerk eines Strauches, den Blick auf die Fremden gerichtet, Pfeile und Bogen hielt er mit seiner rechten Faust umspannt. Es sah aus, als wolle er allein die Weißen umbringen. Seine Tat sollte die des ganzen Stammes sein.

Als Taowaki von Blättern zugedeckt am Boden lag und undeutlich die Umrisse des Medizinmannes erkannte, bekam sie es plötzlich mit der Angst zu tun. Nie in ihrem Leben hatte sie sich vor ihm gefürchtet, aber diesmal erschrak sie vor seinem fratzenhaften Gesicht. Sie glaubte, daß er auch sie töten würde, wenn er sie hinter sich entdeckte. Er war kein großer Jäger, doch traf sein Pfeil wie der eines jeden Indianers.

Hinter ihr lauerte Vahanitu. Taowaki wagte sich jedoch nicht zu ihr zurück. Eng an die warme Erde geschmiegt, wartete sie auf den Augenblick, da Hlé sich umdrehte, um seinen Leuten ein Zeichen zu geben. Dann mußte er sie entdecken. Sie bildete es sich so fest ein, daß er es zu spüren schien. Plötzlich wendete er seinen Kopf zur Seite und sah schräg zurück.

Taowaki hielt den Atem an und schloß die Augen. Jetzt mußte er sie sehen, den Bogen spannen und den Pfeil auf sie richten. Er hatte ja Zeit dazu, denn sie entkam ihm nicht. Der Augenblick wurde ihr zur Ewigkeit.

Als gar nichts geschah und sie die Augen öffnete, war das Gebüsch leer. Der Medizinmann war verschwunden.

Vorsichtig kroch Taowaki zu Vahanitu. Sie wußte nicht, wohin sie sich wenden sollte, denn Hlé mußte noch in der Nähe liegen. Ein raschelndes Blatt genügte, seine Aufmerksamkeit auf sie zu lenken. Das Rauschen des Flusses wurde hier durch eine Felswand abgeschwächt.

Etwas weiter stromab erklang auffallend laut das Quaken eines Frosches. Jojo pflegte auf diese Weise sich bemerkbar zu machen. Er war ein Schelm, der gern alle Leute neckte.

„Hörst du den Frosch?“ flüsterte Taowaki.

„Es ist dein Bruder“, gab Vahanitu leise zurück.

„Wir müssen zu ihm hin. Er ist uns nicht böse, wenn wir sie verfolgen.“

Taowaki vergaß alle Vorsicht. So schnell es ging, eilte sie mit der Freundin durch den Wald. Ihr brauner Körper hob sich kaum von der Dunkelheit des Unterholzes ab. Vahanitu war jedoch noch besser getarnt, denn sie hatte überall schwarze Streifen über die Haut gezogen und das Zeichen der Tapire aufgemalt. Im Gesicht und auf den Oberarmen trug sie noch vom gestrigen Tag die roten Striche der Urucufarbe.

Jojo zeigte keine Verwunderung, als die beiden Mädchen bei ihm auftauchten. Er stand mit Giftpfeil unter einer Stachelpalme und hielt es für überflüssig, sich vor den Weißen zu verbergen.

Die Weißen sind ja fast blind. Sie erkennen weder die Kobra im Wasser noch einen Indianer im Wald. Obwohl man ihnen Wunderdinge nachsagt, benehmen sie sich in der Wildnis wie kleine Kinder.

„Wir sahen, daß Hlé weiter oben Ausschau hält“, sprach Taowaki.

Jojo nickte und fragte erst nach geraumer Zeit: „Ist er allein?“

„Mehrere Freunde sind bei ihm.“

„Na, und . . .?“ forschte der junge Indianer.

„Sie sprachen davon, die Weißen zu töten.“

Giftpfeil lachte, Jojo quakte wieder wie ein Frosch, und beide verschwanden in Richtung des Flusses.

Ohne ein Wort zu verlieren, schlichen die Mädchen hinterher. Sie begegneten keinem Chavantes, sahen jedoch die drei Weißen, die soeben das eine Gefälle überwunden hatten. Von nun an kamen sie besser voran. Alle drei stiegen ein und stakten mit langen Stangen. Die Strömung jagte an ihnen vorbei. Irgendwo quakte ein Frosch. Braune Gestalten huschten lautlos von Busch zu Busch und von Baum zu Baum. Es war, als lebe der ganze Wald, aber die Fremden sahen es nicht. Die Sonne schob sich über die grüne Mauer und brannte bereits in früher Morgenstunde unheimlich heiß auf ihre von Moskitos zerstochenen Rücken.

„Die Weißen müssen tapfere Krieger sein, wenn sie sich ins Gebiet der Chavantes wagen“, sprach Taowaki.

Sie saßen unter einem großen Früchtebaum und konnten von hier aus die Fremden beobachten, ohne selbst gesehen zu werden. Hinter ihnen lag dichtes Urwaldgestrüpp. „Weshalb tun sie es?“ wunderte sich Vahanitu. „Man sagt, daß sie alles hätten. Also brauchen sie doch nicht zu uns zu kommen.“

„Nein, alles haben sie nicht“, widersprach Taowaki. „Als sie zu Großvaters Zeiten kamen und die Indianer grausam behandelten, holten sie die weiße Milch der Bäume. Eisenholz erzählt, daß sie auch bunte Steine sammeln. Vielleicht sind sie so arm, daß sie das auflesen müssen, was wir nicht beachten.“

Ein Räuspern erklang plötzlich hinter den Mädchen. Sie fuhren herum und sahen Eisenholz, der unhörbar durch den Busch gekrochen war und nun mit Pfeil und Bogen neben dem Stamm des großen Baumes stand. Er, der die ganze Wildnis bis zu den Siedlungen der Weißen kannte, war immer freundlich und voller Güte, obwohl er böse und verbissen aussah. Auf der Brust trug er die breiten Narben einer früheren Tätowierung. Ohne die Verblüffung der Mädchen zu beachten, setzte er sich neben sie.

„Das sind die gefürchteten Weißen“, sprach er und nickte nachdenklich zum Fluß hinab, wo die drei Männer ihr Kanu fortstakten. „Gewiß sind sie schlecht, doch ist ihr Ruf viel schlimmer. Es gibt auch unter ihnen böse und gute Menschen.“

„Sind diese drei gut?“ fragte Vahanitu naiv.

„Das stellt sich immer hinterher heraus“, meinte Eisenholz. „Es gibt Caboclos, die genauso aussehen wie sie. Vor vielen Jahren kamen zwei in die Nähe unseres Stammes. Keiner weiß, ob es solche oder solche waren. Sie waren am Verhungern, denn sie kannten sich in dem Gebiet nicht aus und hatten ihre Waffen verloren. Wir ließen sie nicht in unser Dorf herein, doch gaben wir ihnen Fleisch und ließen sie weiterziehen. Fast zu gleicher Zeit verschwand ein kleines Mädchen, das wir Diacui* nannten. Wir suchten es viele Tage, fanden jedoch weder ihre Spur noch die der beiden Fremden.“

„Diacui kam nicht wieder?“ fragte Taowaki.

Eisenholz schüttelte den Kopf. „Man muß annehmen, daß sie verschleppt wurde“, erwiderte er.

„Warum haben wir das nicht früher erfahren?“ fragte Taowaki.

„Weil es keine große Tat der Chavantes war. Die beiden Fremden zeigten sich uns überlegen.“

„Arme Diacui!“ bedauerte Taowaki.

„Sind die Weißen so arm, daß sie die Milch der Bäume holen müssen?“ fragte Vahanitu.

Der Indianer lachte. „Die weiße Milch hat sie ver-

* Diacui, das letzte i wird betont

rückt gemacht. Sie waren ganz toll hinter ihr her. Überall zapften sie die Bäume an, und sie bekamen nicht genug davon. Was sie daraus machten, weiß ich nicht. Die Caboclos machen daraus Umhänge gegen den Regen."

„Es muß viele Weiße geben, wenn sie nicht genug von der Milch bekommen konnten", sagte Taowaki.

„Mehr als Indianer", fuhr Eisenholz fort. „Ihre Schiffe kommen den großen Strom herauf, um die Milch zu holen. Sie selber sammeln sie nicht mehr, auch holen sie keine Indianer dazu heran. Nur einige Caboclos laufen noch umher und zapfen die Milch von den Bäumen."

„Was suchen diese hier?" fragte Taowaki und zeigte nach den drei Weißen.

„Wir wissen es nicht."

„Werden wir sie töten?"

„Vorläufig nicht."

„Der Medizinmann will es", entfuhr es Vahanitu.

„Dann wißt ihr mehr als unsere Männer", rügte Eisenholz. Er erhob sich, raffte seine Waffen auf und schlüpfte ins Gebüsch.

Inzwischen waren die Weißen gut vorangekommen. Da landeten sie plötzlich mit ihrem Kanu, legten die Hände an den Mund und riefen etwas in einer unverständlichen Sprache. Sollten sie einen Indianer gesehen haben? Zwei gingen ein Stück in den Wald hinein, während der dritte beim Boot blieb.

„Es wird zum Kampf kommen", flüsterte Vahanitu aufgeregt.

„Die Pfeile unserer Männer fliegen aus dem Versteck", erwiderte Taowaki. „Die Tapire werden sich zurückziehen, doch traue ich nicht den Fischen."

Durch das Rauschen des Flusses tönte lautes Froschgequake. Wahrscheinlich warnte Jojo vor den Weißen.

Taowaki hielt es nicht länger aus. Sie mußte wissen, was schräg unter ihnen im Wald geschah. Von Vahanitu gefolgt, huschte sie durch das Gehölz. Ringsum blieb es still, als gäbe es nur die Tiere und den Fluß und als stünde dieser eine Weiße mutterseelenallein mit seinem Kanu in einer menschenleeren Wildnis. Ein Äffchen turnte über ihm in den Zweigen. Es rüttelte und schüttelte aufgeregt an den Ästen und schnitt komische Grimassen. Der Fremde sah es und lachte.

Die Verfolgung geht weiter

Wer hatte den Pfeil abgeschossen? Genau an einem Weißen vorbei war er ins Wasser gefahren. Die Männer, die nun alle drei wieder im Boot waren, hatten kaum mit der Wimper gezuckt, sie waren lediglich vom Ufer etwas mehr abgegangen.

Pantherklaue huschte rasch nach vorn, hinter ihm her Eisenholz, Jojo und Giftpfeil. Sie glitten lautlos und wie dunkle Schatten von Busch zu Busch, um dem zweiten Pfeil, der treffen mußte, zuvorzukommen. Zweifellos plante Hlé mit seinen Leuten einen Überfall, ohne den Häuptling und die anderen zu fragen.

Taowaki und Vahanitu sahen, daß noch einige andere Chavantes folgten. Die Mädchen kamen zuletzt. Sie mußten ja auch bestrebt sein, sich vor den Weißen und den eigenen Leuten zu verbergen.

Ho, da sprang gerade Pantherklaue hinter einen Felsen und schlug einem jungen Chavantes den Pfeil vom Bogen! Mit grimmigen Blicken sah er sich um. Wenn er

Hlé erwischte, konnte es böse Folgen haben. Sein Fausthieb glich einem Keulenschlag.

„Jetzt möchte ich ihm nicht in die Finger geraten", flüsterte Vahanitu aufgeregt.

„Laß dich nur nicht sehen!" erwiderte Taowaki. „Sieh dorthin! Wer steckt in dem Astwerk des überhängenden Baumes? Ich wette, daß es der Medizinmann ist. Kuhmilch ist kein Held, und er besieht eine Sache lieber von oben herab."

„Dein Vater wird ihn herunterholen."

„Keiner wird wissen, wer den Pfeil abgeschossen hat. Hlé bestimmt nicht."

„Er ist der Anstifter. Wir haben es gehört und brauchen es nur zu sagen."

„Dann schlägt er zuerst die Weißen und bald danach uns beide tot. Ich werde mich hüten, gegen ihn aufzutreten. Jojo und Eisenholz verraten uns nicht."

Taowaki und Vahanitu sahen, wie Pantherklaue den jungen Chavantes zurückschickte. Er selber blieb hinter dem Felsen und beobachtete von dort aus das Vordringen der Fremden.

Die drei Weißen waren vorsichtig geworden. Sie blieben möglichst in der Flußmitte und nahmen es lieber mit der Strömung auf, als sich den indianischen Pfeilen auszusetzen. Kräftig stakten sie das Kanu voran. Sie ließen keinen Blick von den Uferbüschen, als wollten sie die Rothäute entdecken, die in dem Buschwerk steckten und wie die Affen auf den Bäumen hockten. Ihr kühnes Vordringen mußte selbst den Indianern Eindruck machen, denn die Chavantes schätzten den Mut des Panthers ebenso wie den ihrer Gegner.

„Die Weißen scheinen nicht zu wissen, daß es in diesem Fluß Piranhas gibt", sprach Vahanitu leise.

„Es sind sogar rote, die auch ohne Blut angreifen."

„Immer wieder steigen sie aus und machen ihr Kanu flott. Wenn die Piranhas kommen, sind alle verloren."

„Würdest du dich freuen?" fragte Taowaki.

Vahanitu schüttelte den Kopf. „Sie haben uns doch nichts getan", erwiderte sie.

„Coniheru wäre anderer Meinung. Sie möchte, daß die Chavantes allein den großen Wald bewohnen."

„Sie ist ein Fisch, Taowaki, und hält zu Hlé. Man kann ihr deswegen nicht böse sein."

„Ich hörte, wie mein Vater zu Eisenholz sagte, Hlés Widerstand könne zu einer Spaltung unseres Stammes führen. Dann müßten sich die Fische von den Tapiren trennen, und wir wären plötzlich ihre Feinde."

„Und was sagte Eisenholz dazu?" fragte Vahanitu.

„Er ist zwar ein Fisch, hält aber nicht zu Hlé. Seine Antwort war: ‚Dann wird unser Stamm zugrunde gehen. Viele Indianerstämme sind auf diese Weise eingegangen. Die Chavantes haben allen Grund zusammenzuhalten.' Mein Vater teilte seine Meinung."

„Früher sollen wir dreimal so stark gewesen sein."

„Nur dreimal?" rief Taowaki unterdrückt. „Mehr als du Finger an beiden Händen hast! Wir können es uns gar nicht mehr vorstellen, wie viele Chavantes es waren."

„Und wohin sind sie?"

„Was weiß denn ich? Vielleicht leben sie nicht mehr. Nachts fliegen ihre Seelen durch den Busch. Sie sind wie kleine grüne Feuer.* Es werden immer mehr. Wenn alle Indianer sterben, ist der ganze Wald voller Lichter."

„Wie klein doch eine Seele ist!" wunderte sich Vahanitu.

* Einige Indianerstämme halten die Glühwürmchen für Seelen der Verstorbenen.

„Ob die Weißen auch eine Seele haben und nach ihrem Tode als Lichter durch den Wald irren?“ fragte Taowaki. Aber Vahanitu konnte darauf keine Antwort geben.

Die drei Weißen hielten sich nunmehr an die andere Uferseite und kamen rasch voran, weil der Fluß ruhiger wurde. Auch die Chavantes huschten rascher durch das Gebüsch. Sie brauchten nicht mehr so vorsichtig zu sein. Hlés Leute gingen mit den anderen, als sei nichts vorgefallen, aber Hlé selbst blieb zurück, um nicht gesehen zu werden.

Die beiden Mädchen hatten ihr Versteckspiel aufgegeben, doch hielten sie sich abseits der Männer auf. Keiner achtete auf sie. Jojo war ganz nahe an ihnen vorbeigekommen und hatte wie ein Frosch gequakt. Einmal winkte Pantherklaue sie zu sich heran und gab ihnen eine Handvoll Früchte. Das hielten sie für ein gutes Zeichen. Sie konnten also bleiben und durften sich nur nicht von den Weißen erblicken lassen.

Die Verfolgung glich einem Wettlauf mit den weißen Eindringlingen. Jede Partei wollte schneller sein. Es kamen auch noch andere Chavantes vom Dorf herbei, so daß jetzt der ganze Wald voller Indianer war. Die einen eilten voraus, andere blieben in gleicher Höhe mit den Fremden, während die übrigen die Nachhut bildeten. Sie glichen einer Geisterschar, die lautlos durch die Büsche glitt.

Kein Ast brach unter den harten Sohlen der Männer. Und wenn der Wald sich eng zusammenschloß, daß man meinte, kein Ameisenbär käme hindurch, fanden die flinken Gestalten dennoch einen Durchschlupf. Sie brauchten keine Messer, um die Hindernisse zu überwinden.

Trotzdem ist auch der Urwald für die Indianer voller Gefahr. Wie oft war Taowaki in Dornen getreten! Und als sie jetzt dahinhuschten, griffen die stachligen Zweige nach ihnen und ritzten ihre Haut. Zurückschnellende Äste trafen das Gesicht. Blitzschnell suchte das Auge den nächsten Tritt, doch mußte es außerdem überall sein, um der Gefahr zu begegnen. Wer die Kobra nicht rechtzeitig sah, mußte es bitter büßen.

Plötzlich strauchelte Vahanitu. Sie stieß einen leisen Schrei aus und versank bis über das Knie in der Erde. Als sie sich befreite, hinkte sie und setzte sich auf einen herabgestürzten dicken Ast.

„Hast du dir weh getan?" fragte Taowaki.

„Es geht rasch vorüber. Warte ein wenig! Ich bin schließlich nicht aus Holz. Die Weißen werden es nicht so eilig haben. Uff, das tut weh!"

Der große Wald schwieg. Da schlich noch ein einzelner Indianer durch das Ufergebüsch: Hlé folgte der Chavantes-Schar. Er sah die Mädchen, ging aber vorbei. Seine Augen waren zwei schmale Schlitze. Schwarzrote Streifen liefen, von der Nase ausgehend, über sein Gesicht, das einer schreckeinflößenden Fratze glich. –

Als sich Vahanitu von dem Ast erhob, stand die Sonne direkt über ihnen. Von den drei Weißen und ihren Verfolgern fehlte jede Spur. Sie brauchten jedoch nur dem Fluß nachzugehen, um irgendwann und irgendwo den Anschluß wiederzufinden. Vahanitus Fußgelenk schmerzte immer noch, und sie mußte langsamer gehen. Deshalb waren sie weit zurückgeblieben.

„Wenn du willst, gehen wir ins Dorf zurück", sagte Taowaki. Davon wollte die Freundin nichts wissen. Sie müßte nur etwas vorsichtiger auftreten, meinte sie.

Plötzlich blieb Taowaki stehen. In ihrer Unbeweglichkeit glich sie einem Baumstamm. Sie blickte zum Ufer hinüber und hatte dort einen glitzernden Gegenstand entdeckt. Gespannt spähte sie nach anderen Indianern aus, denn das Ding war so auffallend, daß es den Männern nicht entgangen sein konnte.

„Was hat das zu bedeuten?" flüsterte sie der Freundin zu.

„Es ist nichts, das unseren Leuten gehören könnte", antwortete Vahanitu.

„Also gehört es den Fremden?"

„Wir müssen es feststellen!"

Taowaki glitt voraus. Sie schmiegte sich an den Boden, bog die Zweige zurück, schlüpfte hindurch und näherte sich lautlos dem glitzernden Ding.

Es waren mehrere Gegenstände. Sie lagen dort wie von fremden Händen hingelegt. Ein langes Buschmesser war dabei.

„Sollen wir hingehen?" fragte Vahanitu flüsternd.

„Warum nicht? Wenn die Weißen an Land gegangen wären und in der Nähe lauerten, hätten uns die Männer gewarnt."

Taowaki kroch nach vorn. Jeden Busch suchte sie nach einem Lebewesen ab. Sie schienen ganz allein zu sein. Da stand sie auf, ging hinüber und beugte sich über den Fund.

„Vahanitu!" rief sie leise. „Schau, was hier liegt! Alles glitzert, als sei es Wasser. Komm rasch herüber!"

Als sie ihre Hand ausstreckte, bohrte sich neben ihren Füßen ein Pfeil in die Erde. Erschrocken fuhr sie zurück und sah sich um. Da stand Jojo spöttisch lachend hinter einem Busch und hielt den Bogen in der Hand.

„Was soll das?" rief Taowaki. Über ihrer Nase stand eine schräge Falte. Sie war mehr erschrocken, als sie zeigen wollte. Ein Pfeil trifft, was er treffen soll, und dieser Pfeil war eine deutliche Warnung gewesen.

Mit Jojo trat Kopé hinterm Gebüsch hervor. Sie kamen zu den Mädchen herüber und lachten.

„Wollt ihr uns endlich sagen, was dies alles zu bedeuten hat?“ fragte Taowaki böse.

„Wer das Zeug anrührt, wird nicht lange leben“, erwiderte Jojo. „Die Fremden legten es her, um uns anzulocken. Die Chavantes haben beschlossen, es nicht anzurühren. Zwischen uns und den weißen Männern herrscht weder Friede noch Feindschaft.“

„Es ist ein Buschmesser dabei“, staunte Vahanitu.

„Wir brauchen es nicht. Die Fremden werden kommen und alles zurücknehmen.“

„Wo sind sie jetzt?“ fragte Taowaki.

„Jenseits des Flusses. Sie lagern weiter oben und kamen nur herüber, um die Geschenke auszulegen. Wir sind keine Krokodile, daß wir den Köder verschlingen.“

„Käme es auf die eine Kette an?“ fragte Vahanitu.

„Den Weißen kaum.“

„Und dich geht es nichts an!“ fauchte sie plötzlich los.

„Wir haben darüber zu wachen, daß nichts abhanden kommt. Die Weißen sollen uns nicht für Spitzbuben halten.“

Vahanitu wendete sich unwillig ab und ging der Flußböschung zu, wo sie sich niederließ.

„Wenn die Weißen jenseits des Flusses lagern, befinden sie sich in Sicherheit“, sagte Taowaki.

„Wir fürchten die Piranhas nicht“, versetzte Kopé spöttisch.

Taowaki ging zu Vahanitu und überließ es den Burschen, zu bleiben oder mitzukommen. Sie kamen mit, und nun saßen sie alle vier am Fluß und sahen dem schäumenden Wasser zu. Sie schwiegen lange Zeit, denn alle vier hätten lieber die Gegenstände an sich genommen, statt sie liegenzulassen oder gar zu bewachen. Buschmesser galten als große Seltenheit. Eine Schere war dabei, wie sie beim ganzen Stamm nur einmal vorhanden war, und die Perlenketten waren viel schöner als die Ketten der Chavantes, die aus Samenkapseln bestanden, auf einer Baumwollschnur aufgereiht.

Die Weißen mußten sehr reich sein, um solche Dinge hinlegen zu können. Weshalb suchten sie wohl die Freundschaft mit den Indianern? Für Taowaki und Vahanitu war alles so rätselhaft und spannend, weil sie so etwas noch nicht erlebt hatten. Jojo und Kopé waren Männer, die bereits an Überfällen teilgenommen hatten. Sie brauchten sich über nichts mehr zu wundern.

Plötzlich hob Jojo seinen Kopf und witterte wie ein Hund gegen den Wind, der ganz schwach und wie ein Hauch den Fluß herabkam. Die anderen sahen es und machten es ihm nach.

„Rauch!“ rief Taowaki überrascht.

Es war nicht der Rauch eines Lagerfeuers, sondern der kaum spürbare Geruch eines fernen, großen Brandes. Um diese Jahreszeit häuften sich die Brände. Wo der Urwald lichter wurde oder gar in den Sertão* überging, war alles ausgetrocknet und leicht entzündbar. Ein Blitz genügte, um alles in Flammen zu setzen, oder ein verlassenes Lagerfeuer breitete sich bis zum Horizont und noch weiter aus. Bevor die Regenzeit kommt, legen die Indianer absichtlich große Brände an, um das hindernde Unterholz zu vernichten. Aber diese Zeit war noch nicht gekommen.

* Sertão = Galeriewald

„Wo die Sonne niedergeht, brennt es“, sagte Jojo nach geraumer Zeit. „Ich glaube die Stelle zu kennen. Dort befindet sich ein langes Moor, das jetzt trocken ist. Dahinter ist Sertão.“

„Die Tiere werden fliehen und uns vor die Pfeile laufen“, meinte Kopé.

Jojo lachte. „Bleib du hier und paß auf diese Sachen auf!“ rief er und war im nächsten Augenblick im Buschwerk verschwunden, in dem zwei erschrockene Affen aufkreischten. Taowaki war sofort hinter ihm her und hielt es für selbstverständlich, daß Vahanitu folgte.

Der große Brand

Das Feuer ist ein guter Freund der roten Kinder des Gottes Tupon. Er, der alles schuf, schickte es selbst zur Erde, damit es die Indianer in kühlen Nächten wärme und sie ihre Speisen zubereiten können.

Um es vor dem Erlöschen zu bewahren, wird es behütet und bewacht. Es schwelt im Dorf unter der Asche und wird geschwind von Hütte zu Hütte getragen, so daß es immer wieder aufflammt, ehe es unter die Asche zurücksinkt, als sei sein Leben erloschen.

Das Feuer kann sich weit ausbreiten, so weit, daß man es nicht übersehen kann. Auch dann dient es den Kindern Tupons. Dann frißt es das viele Unterholz weg, das die Chavantes auf ihren Streifzügen behindert, oder es schickt ihnen die Tiere entgegen, damit sie nicht zu hungern brauchen. An großen Festtagen brennen die Feuer lichterloh, und sie nehmen teil an den Tänzen, die sie beleuchten. Ohne Feuer kann kein Indianer sein. Was wäre er ohne es in dunkler Nacht, wenn der schwarze Panther auf Beute ausgeht und die Schlangen umherkriechen? Dann ist das Feuer ein treuer Wächter, in dessen Kreis sich kein böses Tier wagt und das die Geister fernhält, die abends wie die Seelen im Walde umherirren. Feuer bedeutet Ruhe und Sicherheit. Wo der Feind lauert und kein Zuhause ist, dort brennt auch kein Feuer.

Jetzt hatte es einen Teil des großen Moores ergriffen, fraß sich immer weiter, vernichtete das dürre Gras, knatterte in den Büschen und züngelte an den Bäumen empor, als wolle es alles verbrennen. Wo es nur die trokkenen Halme gab, eilte es wie eine Welle darüber hinweg und hinterließ eine häßliche schwarze Spur. Schwarz wurden auch die blattlosen Büsche, ebenso wie die Stämme der Bäume.

Viele Tiere flohen vor den Rauschwaden her. Die Vögel hatten es gut, denn sie bewohnten um diese Jahreszeit keine Nester und brauchten nur davonzufliegen. Schlimmer waren die Vierbeiner daran, weil sie mit dem Feuer um die Wette laufen mußten, aber die Schlangen wußten nicht wohin und verbrannten in der Glut.

„A-uh! A-uh!“ erklang es plötzlich vom Urwald herüber. Flinke rote Teufel huschten aus den Büschen, spannten ihre Bogen und ließen Pfeile durch die Lüfte sausen. „A-uh!“ Es klang wie ein Jauchzen oder Siegesgeschrei.

Taowaki folgte ihrem Bruder Jojo, während Vahanitu in der Schar einiger anderer Burschen mitlief. Vergessen waren die Weißen, weil ein neues Abenteuer lockte. Hier gab es Tiere, die blindlings in die Pfeile rannten. Die Jäger brauchten nur zu treffen, um das kostbare Fleisch in Mengen zu erbeuten.

Da fiel ein Ameisenbär, dort war es ein Wasserschwein, und Jojo stand plötzlich vor einem Hirsch, der, von einem Pfeil getroffen, zu Boden ging. Kopé hieb einer großen Schlange den Kopf ab. Ein junges Reh wurde lebend gefangen und von Vahanitu in die Arme genommen.

„A-uh! A-uh!" Das war ein Festtag für die Chavantes! Sie besaßen Fleisch für etliche Tage.

Schweißtriefend hetzten sie den Tieren nach, prächtige, muskulöse Gestalten mit kupferbrauner Haut und langem blauschwarzem Haar. Jojo glich seinem Vater. Seine Augen sprühten Blitze. Kaum einer schoß so kräftig wie er. Er zielte nicht lange, traf jedoch haargenau das Ziel. Der Widerschein des Feuers zuckte auf seiner nassen Haut.

„Oh! A-uh! Soll ich den Hirsch allein tragen?" rief er den davoneilenden Jägern nach.

Das Feuer fraß sich zu ihm hin und trieb ihn zur Eile an. Wenn er zögerte, ging ihm die Beute verloren. Taowaki kniete neben ihm und half ihm beim Aufbrechen des Hirsches. Auch ihre Haut glänzte vor Schweiß, und ihre Haare hingen ihr wirr ins Gesicht.

Jojo trug immer ein halblanges Messer bei sich, das er bei einem Überfall auf eine Farm erbeutet hatte. Er steckte es in seine Hüftschnur und wurde von vielen Chavantes darum beneidet.

Mit sicheren, raschen Schnitten entfernte er die Eingeweide. Dann band er dem Hirsch mit gedrehten Ruten die Beine zusammen, schob ein schnell abgehauenes Stämmchen durch und forderte Taowaki auf anzufassen. Zu zweit schleppten sie die schwere Beute davon. Das Feuer lief hinter ihnen hier und trieb ihnen dicke Rauchwolken ins Gesicht. Taowaki keuchte und drohte zusammenzubrechen. Das Holz drückte tief in ihre Schulter, das Rückgrat wollte sich biegen, und die Füße traten so hart auf den Boden, daß jedes Steinchen schmerzte.

Kaiman tauchte plötzlich neben ihr auf und nahm ihr die Last ab. Sie verbiß den Schmerz und sah, daß ihre Schulter blutig unterlaufen war. Jetzt, da sie nichts mehr zu tun hatte, sah sie sich nach Vahanitu um und entdeckte sie drüben am Fluß, wo mehrere Indianer standen.

Taowaki stürmte wie ein Wirbelwind an ihr vorbei, erreichte die Böschung und stürzte sich kopfüber in die aufspritzende Flut. Im Nu waren alle Indianer hinter ihr her. Sie tauchten und schwammen weit unterm Wasser dahin. Wild schreiend peitschten andere die Oberfläche, um die Piranhas zu vertreiben und den Krokodilen Angst einzujagen. Wie rote Teufel schossen die Burschen umher.

Vahanitu und Taowaki hielten sich etwas abseits, wie es die Stammessitte verlangte, denn die Indianermädchen baden für sich. Es gab keine bestimmte Grenze, und so mancher Bursche jagte heran, tauchte weg und kam weit entfernt wieder hoch, um ihnen sein Können vorzuführen. Sie lachten nur und machten es genausogut.

Ohne Feuer war das Leben schwer, aber ohne Wasser war es ganz unmöglich. Wenn dem Indianer das Wasser fehlt, fühlt er sich nicht wohl. Auf den weiten Wanderungen der Chavantes kam es vor, daß sie es lange entbehren mußten. Ein glutheißer Tag ist lang. Wenn jedoch der Abend kam, erreichten sie bestimmt einen Bach und waren wieder froh. Dann badeten sie lange Zeit und schlürften das Wasser in langen Zügen.

„Hast du mein kleines Reh gesehen?“ rief Vahanitu

der Freundin zu. „Ich habe es selbst eingeholt und gefangen. Vielleicht wäre es gar noch verbrannt."

„Wir hatten anderes zu tun", antwortete Taowaki, die kräftig gegen die Strömung kraulte. „Jojo erlegte einen Hirsch. Guck, so schwer war er! Er hat mich fast zu Maniokabrei gequetscht."

Vom Urwald herüber ertönte der langgezogene Schrei eines Indianers. Er klang wie ein unbekannter Vogelruf. Wenige Augenblicke später waren Fluß und Uferböschung leer. Nichts zeugte mehr von den Chavantes, die sich eben noch im Wasser getummelt und ihre Beute zwischen Fluß und Feuer liegengelassen hatten. Der brennende Sertão und das glutknisternde Moor waren wie ausgestorben.

Die drei Weißen stakten mit ihrem Kanu den Fluß herauf. Sie arbeiteten schwer gegen die Strömung. Braun und naß waren ihre Körper. Jetzt wußten sie, daß sie von unsichtbaren Gestalten begleitet wurden, doch fürchteten sie sich nicht. Trotzig folgten sie dem Strom, der ihnen aus unbekannten Wäldern entgegenkam.

„Tupon hat das Feuer gesandt, um die Weißen aufzuhalten", sprach der Medizinmann Hlé.

Die Chavantes lagerten weiter drin im Urwald. Sie brieten Fleisch und genossen die Leber einiger Tiere.

„Tupon ist klüger als wir, denn er weiß alles", fuhr der Medizinmann fort. „Er will nicht, daß wir die Fremden töten, obwohl sie es verdienten. Das Feuer soll sie aufhalten und zur Umkehr zwingen. Dort, wo die Steilwände aufragen, kann kein Kanu landen. Wenn alles ringsum brennt und von oben herab die brennenden Stämme stürzen, kann kein Mensch durchkommen. Wenn sie es trotzdem versuchen wollen, werden wir sie warnen."

Pantherklaue starrte finster vor sich hin. Eisenholz saß neben ihm und nickte. Was Tupon tat, war immer recht. Kein Häuptling wagte gegen ihn anzugehen. Pantherklaue weigerte sich, die weißen Männer zu töten, aber er war dafür, sie zurückzuschicken. Dieses Land gehörte den Chavantes. Kein anderer Indianerstamm machte es ihnen streitig, also war es richtig, daß sie allein blieben und jeden Eindringling aufhielten. Hlé war für Gewalt. Er hätte die Fremden getötet. Wenn er es nicht tat, schob er die Schuld auf Tupon, um nicht wie ein Feigling vor seinem Stamm zu stehen.

Taowaki und Vahanitu drückten sich ins Gebüsch und machten sich ganz klein. Sie wollten sowenig wie möglich gesehen werden, warteten jedoch auf ein Stück gebratenes Fleisch, weil sie hungrig waren. Vahanitus Vater, der einer der Ältesten war und Inću genannt wurde, saß drüben am Feuer und hielt ein großes Stück in die Glut. Es war bestimmt nicht für ihn allein berechnet.

„Wir müssen das Feuer auf die andere Seite tragen“, fuhr der Medizinmann mit teuflischem Lächeln fort. „Ringsum muß es brennen. Der Fluß ist an dieser Stelle nicht breit. Die Strömung schießt durch die Felsen und wird den Weißen viel zu schaffen machen. Kehren sie nicht um, werden einige Brandpfeile das ihre tun.“

„Was sagst du dazu?“ fragte plötzlich Inću den Häuptling.

„Hlés Worte sind gut durchdacht“, erwiderte Pantherklaue. „Wir wollen es versuchen.“

Mit triumphierendem Lächeln setzte sich der Medizinmann am Feuer nieder. Das war ein großer Sieg über die Tapire. Jetzt würde er offen gegen die verhaßten Weißen kämpfen, und alle Chavantes sollten mit ihm sein.

Weit oberhalb jener Stelle, wo die Ufer zu einem Cañon zusammentraten und den Fluß einengten, schwamm Jojo mit einer brennenden Fackel in der Hand durch das Wasser. Die Fackel bestand aus harzgetränkten Palmfasern und brannte schnell ab.

Wenn er sich nicht dazuhielt, mußte er den abgebrannten Stumpf fallen lassen und umkehren. Kräftig ausholend, durchquerte er die Strömung.

An einer anderen Stelle sprang plötzlich Kaiman in den Fluß und hielt eine Fackel im Mund, um ungehindert schwimmen zu können.

Weiter unten stürzte ein dritter in die Flut. An mehreren Stellen wurde das Feuer ans jenseitige Ufer getragen.

Heulend stürzte sich der Wind in die aufzüngelnden Flammen. Er kam glutheiß vom brennenden Sertão herüber und schien auf diesen neuen Brandherd gewartet zu haben. Knisternd eilte das Feuer in das Strauchwerk hinein, Funken stoben umher, zündeten an anderen Stellen und sprangen geschwind den Flußlauf entlang, wo neue Herde aufflammten.

Genauso schnell huschten die Indianer. Wer sie nicht kannte, hielt sie für Teufel, denn die einen waren ganz rot, andere wiederum tiefschwarz angemalt. Es kam auf die Totemzugehörigkeit an, das Zeichen der Tapire war anders als das der Fische. Darüber hinaus hatten sie sich in Schwarz und Rot besondere Tierzeichen auf die Körper gemalt. Jojo trug auf beiden Armen die Zickzackstreifen der Schlange, Kaiman die Ringe des Jaguars und Rehfell die schwarze Zeichnung einer Schildkröte. Ungleich war auch die Bemalung ihrer Gesichter.

Durch das häufige Baden hatten Taowaki und Vahanitu ihren Anstrich verloren. Sie trugen weiche Gesichtszüge und hatten verträumte Augen. Tiefbraun war ihre weiche Haut, gut geformt waren ihre geschmeidigen Körper. Indianer haben dichtes blauschwarzes Haar, das bei dem einen Stamm ganz glatt und beim anderen etwas wellig ist. Gesicht und Körper sind unbehaart. Auch die Männer haben entweder keinen oder nur schwachen Bartwuchs. Die Augenbrauen und Wimpern werden ausgezupft. Um die Schönheit des Gebisses zu heben, feilen viele Stämme ihre Zähne spitz.

Taowaki hatte ihre Hüftschnur verloren. Sie brauchte keine und konnte daheim eine neue drehen. Die Schnur war nur eine kleine Zierde, denn jeder Indianer und jede Indianerin liebt den Schmuck aus Tierzähnen, gedrehten Riemen und aufgereihten Samenkapseln.

Vahanitu saß neben der Freundin auf einem Felsen der Flußenge, um auf die Weißen zu warten. Ringsum brannten Moor und Wald. Wo das Feuer erlosch, sorgten die Chavantes für neue Nahrung. Sie waren geschwinder als Wind und Flammen und glichen dem Feuergott, der die Blitze vom Himmel speit.

„Jetzt sind die Weißen verloren“, sprach Vahanitu, und es hörte sich an, als bedauere sie es.

„Die Chavantes kämen durch“, versetzte Taowaki nachdenklich. „Jedes Feuer hat ein Ende. Wenn sie sich auf dem Wasser halten, kann es ihnen nichts tun.“

„Hlé wird mit brennenden Pfeilen schießen. Du hast es doch gehört.“

Sie legten sich auf den Bauch und spähten in die Tiefe. Unten schoß die Strömung dahin. Es sah aus, als käme an dieser Stelle kein Kanu durch.

Wer sich jedoch auskannte, der fand eine seichte Bank und benützte sie, kam hart an die Steilwand heran und konnte sogar anlegen, um neue Kräfte zu sammeln.

In der Nähe des Flusses schien kein Mensch zu sein. Zu beiden Seiten wütete das Feuer. Die Chavantes lauerten in Verstecken, oder sie sprangen so rasch von Busch zu Busch, daß es kein Mensch sehen konnte.

Weit entfernt tauchte das Boot der weißen Männer auf. Sie glaubten am sicheren Ufer zu sein und wähnten die Rothäute auf der anderen Seite. Trotz der sengenden Sonnenglut stakten sie aus Leibeskräften, als wäre ihnen die Hitze gerade recht.

Voraus brannten beide Seiten. Sie achteten gar nicht darauf. Wahrscheinlich befanden sie sich seit vielen Wochen auf Reisen, oder sie waren nicht zum erstenmal durch die Urwälder Brasiliens gedrungen. Wer seine erste Reise tut, fürchtet den Wald, die Indianer und die Tiere, bis die Gefahr zur Gewohnheit wird. Dann schrecken die Männer vor nichts mehr zurück, denn die Umkehr bedeutet mitunter ein klägliches Ende.

Eisenholz tauchte plötzlich neben den Mädchen auf. Er war allen jungen Indianern ein guter Freund, weil er keine eigene Familie besaß und viel in die Ferne schweifte.

„Nun werden sie sterben", sagte Vahanitu, um Eisenholz zum Sprechen zu bringen.

„Es kommt darauf an, ob sie Männer sind", erwiderte er.

„Wir sind ihnen sehr überlegen."

„Die Weißen sind klug und besitzen gefährliche Waffen. Wer sie herausfordert, erlebt einen Feuerregen. Bleibt hier und verbergt euch in den Spalten!"

„Sind sie unsterblich?" wunderte sich Taowaki.

Eisenholz lachte. „Sie sterben genauso wie die Indianer. Viele kamen den großen Strom herauf, und wenige fuhren zurück. Das Fieber raffte sie weg."

Die stakenden Männer hatten jetzt die Feuersbrunst zu beiden Seiten. Der heiße Wind machte ihnen etwas zu schaffen, denn sie fuhren mit den Händen über ihre Gesichter und schlugen nach Funken, die ihre Körper trafen. Trotzdem kamen sie gut voran und näherten sich den Felsen.

Plötzlich wurde es über ihnen lebendig. Sie hörten und sahen nichts. Mehrere Chavantes brachten einen brennenden Baum angeschleppt und stürzten ihn die Wand hinab in den Fluß. Er sollte die Weißen erschrekken und brauchte sie nicht zu treffen.

Die hielten an und sahen empor. Da sich nichts regte, setzten sie unbeirrt ihre Fahrt fort. Jetzt lagen sie genau unter der Wand.

Hlé erschien auf dem Felsen. Sein Gesicht war häßlich verzerrt, und man konnte nicht erkennen, ob er höhnte oder wütend war.

Taowaki und Vahanitu schmiegten sich an den Felsen und fürchteten sich.

„Bringt Bäume!" rief der Medizinmann mit unterdrückter Stimme einigen Burschen zu. „Macht rasch und laßt sie lichterloh brennen!"

Jojo brachte keuchend einen angeschleppt.

„Hierher!" befahl Hlé. „Genau auf die Weißen!"

Jojo stolperte unter der schweren Last. Eisenholz sprang hinzu und erfaßte das dicke Ende des Baumes. „Wirf!" rief er dem jungen Indianer zu. Jojo tat es, aber Eisenholz gab dem Baum eine Wendung, so daß er ein ganzes Stück hinter den Weißen ins Wasser fiel.

Als die Weißen sahen, daß sie von oben herab bedroht wurden, schossen sie in die Strömung zurück und ließen sich treiben. Auf diese Weise kamen sie von dem Cañon weg und landeten an einer Stelle, die gut zu übersehen war und wo sich unmöglich eine Rothaut anpirschen konnte. Dort hielten sie.

Hlé warf Eisenholz einen haßerfüllten Blick zu. Er, den er immer bevorzugt hatte und der nach seinem Wunsch Häuptling der Chavantes werden sollte, war plötzlich gegen ihn aufgetreten. Schweigend wendete er sich ab, um die Felsen zu verlassen.

„Wenn es so bleibt, wird es ein Gewitter geben", sagte Taowaki, indem sie lächelnd zum Himmel sah.

Eisenholz rieb den Ruß von seinen Händen und antwortete: „Wahrscheinlich kommt es in der Nacht. Die Blitze scheuen den Tag." Dann drehte er sich um und rutschte durch eine Spalte zum Fluß hinab.

Drunten im Kanu saß jetzt nur noch ein Mann, zwei waren an Land gegangen. Er hielt einen Pfeil in seinen Händen und schien in Gedanken versunken zu sein. Er trug einen dunklen Vollbart, denn er hatte sich seit vielen Wochen nicht mehr rasiert. Kaum spürte er noch die sengende Sonne. Seine Haut war wie Leder, seine Hände waren voller Schwielen.

Wenn er an die letzten Wochen zurückdachte, überkam ihn eine seltsame Ruhe. Nichts beunruhigte ihn, denn auch die Indianer gehörten in sein Programm, und der Pfeil, den er in seinen Händen hielt, hätte ebensogut durch die Luft fliegen können, statt im Wasser zu treiben. Er war ein ernster Mensch, ein Forscher und Freund der Indianer, obwohl sie das nicht wissen konnten.

Ringsum lauerten die Indianer, das wußte er. Wenn sie wollten, erledigten sie die Weißen im Handumdrehen. Sie steckten unsichtbar im Busch und konnten ihre Pfeile lautlos fliegen lassen. Wenn sie den im Wasser dahinschnellenden Fisch erlegen konnten, brauchten sie sich bei drei weißen Männern überhaupt nicht anzustrengen. So mancher Forscher war ihren Pfeilen oder ihrem Gift erlegen. Dagegen konnte keiner etwas machen. Es gehörten Ausdauer, Glück und Geduld dazu, um mit den roten Menschen des Urwaldes fertig zu werden. Sie verkannten den weißen Mann. Der Auswurf der Menschheit war schuld daran, daß Menschen der weißen Rasse zu Teufeln gestempelt worden waren; nun galt es, das Vertrauen der Indianer langsam zurückzugewinnen, damit sie in den Weißen wieder Freunde sahen. Das war ein weiter, schwerer Weg. Wahrscheinlich mußten noch viele sterben, bevor es soweit war.

Der Mann im Kanu legte den Pfeil beiseite und sah nach den Felsen, von denen brennende Bäume gefallen waren. Zweifellos waren die Indianer gegen ein weiteres Vordringen der weißen Männer, doch planten sie keine Gewalttat. Ein Überfall hätte ganz anders ausgesehen und hätte wahrscheinlich das Ende der Expedition bedeutet. Indem sie das Feuer verbreiteten, hatten die Indianer die vordringenden Männer in unmißverständlicher Weise gewarnt.

Um mit den Indianern eine Verbindung aufzunehmen, legt ihnen der weiße Mann Geschenke in den Wald. Nimmt sie der rote Mann an, so steht einer Begegnung nichts im Wege. In den seltensten Fällen bricht ein Indianer sein Wort. Wenn er mit dem Besuch einverstanden ist, weiß er die Freundschaft zu wahren. Ist ihm dagegen der Fremde unwillkommen, dann wird er sich wehren und sich nicht scheuen, ihn umzubringen. Meistens läßt er ihm genügend Zeit zur Umkehr und bewilligt ihm außerdem noch die Mitnahme der ausgelegten Geschenke. Jeder Widerstand und jedes Zögern des weißen Mannes allerdings führen zu seinem Untergang.

Die Männer im Kanu hatten Zeit. Die Warnung der Indianer lief dahinaus, die Fahrt aufzugeben und umzukehren. Dabei kam es auf einige Stunden oder einen Tag nicht an. „Kommt uns nicht zu nahe!" lautete die unausgesprochene Warnung. „Bleibt im Kanu und sucht uns nicht! Sobald ihr den Fluß verlaßt, trifft euch der Pfeil!"

Jetzt waren die beiden Kameraden an Land gegangen, um sich die Beine zu vertreten und bei dieser Gelegenheit ein wenig Umschau zu halten. Sie hielten sich in unmittelbarer Nähe des Kanus auf und konnten jeden Augenblick zurückkommen.

Der Mann saß fast unbeweglich in seinem Boot. Da sah er plötzlich, wie ein Indianer auf dem Felsen stand. Mit Pfeil und Bogen stand er dort oben, fast nackt, rot, groß und stark, während unter ihm der Fluß dahinbrauste und schräg hinter ihm die Sonne stand. Rauch umhüllte ihn. Minutenlang regte er sich nicht. Dann war es, als rutsche er geradewegs in den Felsen hinein.

Der weiße Mann sah es und lächelte. Allein dieses eine Bild war viele Tagereisen wert. Er fühlte sich zu dem roten Manne hingezogen und wäre am liebsten aufgestanden und hingegangen, um ihm die Hand zu drücken und ihn zu umarmen. Aber er blieb, denn er achtete den Indianer, der als Sohn des großen Waldes in seinem Recht war.

Das Leben im Dorf

Bevor der Abend kam, kehrten Taowaki und Vahanitu ins Dorf zurück. Ein Teil der Männer blieb am Fluß, um die Weißen zu beobachten, denn die Indianer mußten wissen, was in ihrer Nähe weiter geschah.

Inzwischen waren die Jäger mit ihrer Beute heimgekehrt. Vor allen Hütten brannten Feuer. Männer und Frauen hatten zu tun, denn das Fleisch hält sich in der großen Hitze nicht und muß rasch verbraucht werden. Burschen brachten frische Bananenblätter angeschleppt, während die Frauen Manioka zubereiteten und Fleischstücke hineinschnitten. Dann wurde der Brei in die Blätter eingeschlagen. Die Feuer wurden auseinandergezogen, die grünen Pakete kamen hinein, heiße Steine wurden daraufgelegt und das Ganze mit Erde beworfen. Nun konnte das Mahl gar werden.

„Habt ihr keine Früchte mitgebracht?“ wunderte sich die Mutter, als Taowaki nach Hause kam.

„Wir fanden keine Zeit dazu. Die weißen Männer kamen zu nahe vorbei“, erwiderte Taowaki lächelnd.

Die Mutter stand vor der Hütte und zog dünne Baststreifen von zartgrünen Palmbündeln, um Matten zu flechten. Ihr Maniokafladen buk in der heißen Erde.

Jojo saß neben dem Hütteneingang und fertigte Pfeile an. Dazu nahm er gerades Rohr, ließ vorn eine Knochenspitze ein und band kunstgerecht zwei bunte Papageienfedern an das Schaftende. Sie mußten ein wenig gedreht sein und genau zueinander passen, damit der fliegende Pfeil das Ziel nicht verfehlte. „Die Weißen sind daran schuld, daß wir keine Früchte haben“, sagte er, ohne von der Arbeit aufzusehen.

„Sie sind an allem schuld“, lachte Taowaki.

Jojo sah sie mit merkwürdig abwesenden Blicken an. Zweifellos waren seine Gedanken ganz woanders. Er legte die Arbeit nieder und erhob sich. Sein Blick galt den einzelnen hochgehenden Wolken.

Jetzt vernahm auch Taowaki ein fernes Gesumm. Alle Indianer standen plötzlich vor ihren Hütten und schauten in die Luft. Das Gebrumm war deutlich zu hören. Es schwoll an, und man konnte meinen, ein riesiger Insektenschwarm ziehe über den Wald.

„Der große Vogel der Weißen!“

Irgendeiner hatte es gerufen. Frauen und Kinder liefen zusammen und schwatzten aufgeregt, während die Männer Bogen und Pfeile ergriffen, um das dröhnende Ungeheuer abzuwehren.

„Taowaki! Taowaki!“ rief Vahanitu, indem sie außer Atem über den Platz gerannt kam. „Mein Vater sagt, der Vogel greift an, um die drei Weißen im Kanu zu retten!“

„Die Chavantes werden schießen und treffen“, erwiderte Taowaki und war ganz ernst dabei.

„Ich habe Angst“, gestand Vahanitu. „Die Waffe der Weißen soll schrecklich sein.“

„Man spricht aber auch von der Tapferkeit der Chavantes“, antwortete Taowaki. „Solange noch einer der Unseren lebt, fürchte ich mich nicht. Der große Vogel wird nicht wagen, uns anzufallen.“

Tatsächlich änderte er seinen Kurs. Ganz plötzlich war er über dem Wald aufgetaucht. Er kam aber nicht zum Dorf, sondern bog ab und zog zum Fluß hinüber. Die Männer versuchten ihm den Weg abzuschneiden, indem sie mit lautem Geschrei zum Rand der Lichtung liefen und dort Aufstellung nahmen. Jojo spannte als erster den Bogen. Mit aller Kraft zog er die Sehne zurück. Seine Augen waren schmale Schlitze. Dann fuhr sein Pfeil in die Luft und dem dröhnenden Ungeheuer entgegen. Von einigen Dutzend Pfeilen empfangen, mußte der Vogel seinen Tiefflug aufgeben und höher steigen. Die Chavantes waren gefürchtete Krieger, denn sie waren kräftiger als viele der Männer in den anderen Tribus, und ihre Pfeile flogen weit.

Im nächsten Augenblick war der Silberriese verschwunden. Mit ohrenbetäubendem Brausen strich er

über den Wald und hinüber zum Fluß, wo ihn wahrscheinlich die anderen Chavantes gebührend empfingen. Aufgeregt schnatterten die Affen und krächzten die Vögel. Der ganze Wald schien in Aufruhr zu sein. Die Hunde vollführten einen Höllenspektakel, während die Frauen keiften, um die Ruhe wiederherzustellen.

„Hinüber zum Fluß!" rief ein Indianer.

Sie stoben laut schreiend in den Wald hinein und immer weiter. Ihre Füße stampften den Boden. Sie waren wie ein Sturmwind, der plötzlich aufkommt und durch den Urwald fegt.

Mehrere Mädchen jagten hinterher. Zu Taowaki und Vahanitu waren Coniheru und die kleine Orchidee gekommen. Sie achteten weder auf Schlangen noch auf Dornen, denn die Tiere rissen vor dieser lärmenden Horde aus, und der große Vogel war jetzt wichtiger als ein Dorn im Fuß.

Die anderen Chavantes waren aber auch nicht faul gewesen. Sie horchten nicht lange, sondern empfingen das donnernde Ungetüm mit einem Pfeilregen. Darauf zog der große Silbervogel eine Schleife, stieg höher, kam genau über dem Fluß herabgejagt und scheute nicht die neue Welle der Pfeile. So jagte er mehrmals heran und vorbei, während die Männer im Kanu winkten. Plötzlich änderte er seine Richtung und hielt genau auf die am Ufer stehenden Indianer zu, als wollte er sie unter sich zermalmen. Da flohen sie angstgepeitscht in den Wald und vergaßen ihre Pfeile. Kurz über den Wipfeln erhob er sich, stieg steil empor, um erneut den Anflug zu wagen.

Coniheru war in einen hohlen Baum gesprungen. Niemals in ihrem Leben hätte sie das sonst getan, denn in dem hohlen Baum lagen Schlangen und lauerten Vogelspinnen. Selbst der schwarze Panther war nicht so gefährlich wie die gähnende Dunkelheit dieser Höhle.

Diesmal war ihr alles gleich. Nur weg von dem dröhnenden Ungetüm! Wahrscheinlich wäre sie zwischen Krokodilen und anderem Getier in den ersten besten Tümpel getaucht, um dem Ungeheuer zu entgehen.

Die kleine Orchidee war etwas jünger als Taowaki. Keiner hatte ihre Jahre gezählt. Indianer kommen zur Welt, wachsen auf und sterben, ohne daß sie nach den Jahren fragen. Solange sie leben, ist es gut, und gegen den Tod kommt keiner an. Das versuchen sie auch gar nicht erst.

Orchidee glich einer zarten Blume, so wie sie in betörenden Farben und mit berauschendem Duft überall auf den Bäumen blühten. Sie trug diesen Namen noch nicht lange, denn früher hieß sie Hrehitja. Pantherklaue rief sie eines Tages „Orchidee", und seitdem wurde sie von allen so genannt.

Die kleine Orchidee liebte das Zeichen des Jaguars. Am ganzen Körper trug sie schwarze Ringe aufgemalt, schwarze Ringe auf rotem Grund, so daß sie tatsächlich das Fell dieser großen, schönen Katze zu tragen schien. Ihr Gesicht war zart und schön. Zwei schmale schwarze Striche liefen, von der Stirn ausgehend, über beide Augen bis auf die Wangen herab, wo sie in den Ringen des Jaguars endeten. Wenn sie die Augen schloß, dann waren ihre Lider wie mit Pfeilen verriegelt. Immer trug sie diese Zeichen, und Taowaki nannte sie zärtlich die Orchidee des Jaguars.

Jetzt kauerte die kleine Orchidee in der Astgabel eines uralten Baumes und zitterte am ganzen Leibe. Alle Indianer waren davongelaufen. Sie sah keinen einzigen und hörte nur die donnernden Anflüge des silbernen

Vogels. Wenn er sich entfernte, atmete sie auf, doch kehrte er rasch zurück und war dann ganz nahe über ihr.

Oh, wie sie die Weißen haßte! Sie waren an allem schuld! Sie brachten den Unfrieden in den großen Wald. War es nicht genug, daß die Chavantes mit fremden Tribus kämpfen mußten? Jetzt kamen auch noch die verhaßten Weißen dazu. Der große Wald war klein geworden.

Ängstlich schaute die kleine Orchidee aus ihrem Versteck heraus. Der mächtige Baum nahm sie wie schützend in zwei Arme. Vor ihr wucherte ein dichtes Gebüsch, um sie herum hingen dicke Lianen. Einige waren in sich verdreht, andere hingen wie Seile von den Wipfeln herab. Es gab auch alte und abgestorbene dabei, graue Stümpfe, von Flechten überzogen. Eine Liane bewegte sich, was Orchidee in ihrer Aufregung übersah. Plötzlich stieß sie jedoch einen furchtbaren Schrei aus, denn sie erkannte eine Riesenschlange, die ihren Kopf gegen sie erhob.

Nach diesem ersten Schrei blieb die kleine Orchidee totenblaß und unbeweglich in der Astgabel hocken. Die geringste Bewegung konnte einen schnellen Tod herbeiführen. Sie wußte es und starrte angsterfüllt das Untier an.

Schlangen sind grausam. Sie nehmen sich Zeit und quälen ihre Opfer. Was sie im Handumdrehen haben könnten, beobachten sie erst im Vorgefühl des Sieges. Wenn sie zupacken, ist es um den Gegner geschehen. Da gibt es keine Rettung mehr. Ihre Umwindung ist tödlich, denn sie erdrücken selbst den schwarzen Panther und um so vieles leichter den Indianer. Die Männer wußten sich zu wehren, aber was sollte die kleine Orchidee mit ihren bloßen Händen tun?

Der große Vogel brummte davon. Es wurde wieder still im Wald. Die kleine Orchidee wagte nicht zu denken. In ihr war alles wie erstorben. In ihrer Angst vermochte sie keinen Finger zu krümmen. Sie begegnete dem kalten Blick der Schlange und hielt ihm stand, als könne sie dadurch den Tod hinauszögern.

Aber auch die Schlange war wie erstarrt und bewies nur durch ihr häufiges Züngeln, daß Leben in ihr war.

Die kleine Orchidee war jedoch nicht allein. Taowaki hatte ihren Schrei vernommen und sie und die Schlange längst entdeckt. Sie wußte, daß ihr Bruder Jojo ganz in der Nähe war. Auf ihren schrillen Ruf hin war er zu ihr gekommen und stand jetzt mit ihr schräg unter der kleinen Orchidee. Jojo lachte, legte einen Pfeil auf den Bogen, spannte kurz und ließ ihn von der Sehne schnellen. Mitten durch den Kopf gebohrt, purzelte das Reptil zur Erde.

Da fiel auch die kleine Orchidee wie eine reife Frucht vom Baum herab und Taowaki in die Arme. Sie weinte so heftig, daß es den ganzen Körper schüttelte, und schämte sich nicht vor Jojo.

Der junge Indianer strich ihr mit einer freundschaftlichen Geste das Haar aus der Stirn und sagte: „Darüber sind schon Männer erschrocken, kleine Orchidee."

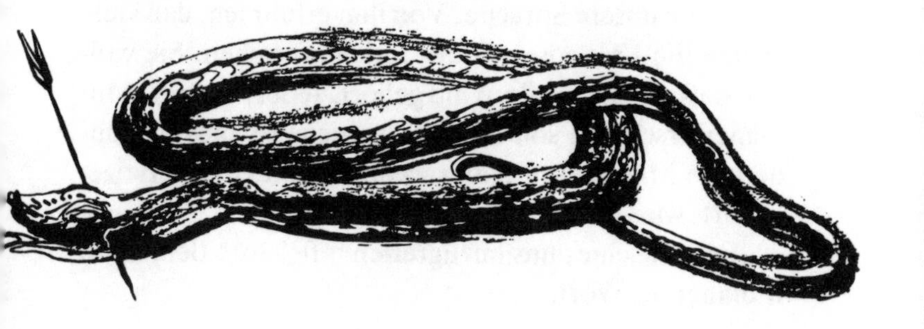

Dann zog er den Pfeil aus der Schlange, wandte sich ab und schritt durch den Wald dem Dorfe zu.

Mit Ekel sah Taowaki den zuckenden Windungen der langsam sterbenden Schlange zu. Sie nahm die kleine Orchidee an der Hand und zog sie fort, denn es dunkelte bereits, und alle Indianer waren ihnen voraus.

„Die weißen Männer, die den Silbervogel schickten, haben uns gewarnt. Ihre Sprache ist deutlich. Die Chavantes haben aufgehört, die alleinigen Herrscher im großen Wald zu sein. Wer den Zorn der Weißen herausfordert, ist des Todes. Das ist meine Meinung."

Eisenholz sah die am Feuer hockenden Männer an und schwieg. Pantherklaue hatte ihn zum Sprechen aufgefordert. Sie waren zusammengekommen, um die Lage zu besprechen. Fische und Tapire saßen, kauerten und lagen einträchtig beieinander. Selbst Hlé schien friedlich gestimmt zu sein.

„Was ich nicht verstehe, ist die Feigheit der Weißen", sagte er plötzlich. „Du nennst sie überlegen. Sie sind es vielleicht, denn die Chavantes haben weniger als sie, auch keinen so großen Silbervogel. Warum greifen sie nicht an?"

„Vor langer Zeit traf ich weit drin im großen Wald einen weißen Mann", fuhr Eisenholz fort, „er beherrschte ein wenig unsere Sprache. Von ihm erfuhr ich, daß viele Weiße die Freundschaft der Indianer suchen. Sie wollen, daß uns der große Wald gehört. Jeder, der einen Indianer erschlägt, soll bestraft werden. Es müssen sonderbare Männer sein, aber wenn ihnen der Silbervogel gehört, wird er uns nichts tun."

„Er versuchte, uns anzugreifen", fiel Jojo dem alten Indianer ins Wort.

„Ein Angriff hätte andere Folgen gehabt", gab Eisenholz lächelnd zurück. „Ich nehme an, daß der Vogel mit den drei Weißen in Verbindung steht und uns erschrekken wollte. Was meinst du, Pantherklaue?"

„Du weißt es besser", erwiderte der Häuptling. „Ich habe zwar gegen die Weißen und Caboclos gekämpft, aber niemals mit ihnen gesprochen. Der weiße Mann ist nicht mein Freund."

„Als wäre er der meinige!" lachte Eisenholz.

„Du willst, daß wir die drei Weißen in Ruhe lassen", sprach der Medizinmann lauernd.

„Der Silbervogel will es", gab Eisenholz zurück. „Jetzt kommt es darauf an, ob wir gegen ihn kämpfen werden."

„Die Chavantes fürchten sich nicht."

„Sie sprangen wie junge Rehe in den Wald, um nicht gesehen zu werden", lacht Inću.

„Inću überholte sogar die kleine Orchidee", spottete Pantherklaue.

„Du, als Häuptling, bliebst bei deinen Leuten", höhnte Inću.

„Solange wir uns streiten, kommen die drei Weißen gut voran", meinte Hlé. „Sie werden unsere Warnung in den Wind schlagen, als gäbe es keine Chavantes. Die fremden Tribus werden lachen und uns verspotten."

„Warum halten sie die Weißen nicht auf?" entfuhr es dem Häuptling. „Sie liegen weiter drunten am großen Strom und überlassen es uns, ihnen den Weg zu verlegen. Die Tribus sollen sich hüten, einem Chavantes etwas Schlechtes nachzusagen."

„Es ist lange nichts Gutes über uns gesungen worden", sprach der Medizinmann, ohne einen Mann anzusehen. „Früher sangen wir oft vom Sieg über die Tapirapé, über die Karajá und Cayopé. Unsere Kehlen sind fast eingerostet."

„Sollen wir Klagelieder singen, weil ein großer Vogel fast den ganzen Stamm der Chavantes vernichtete?" fragte Pantherklaue.

Hlé wußte nicht, was die Männer dachten, denn Indianer schweigen und zeigen nicht ihre Gefühle. Sie sahen ins Feuer oder anscheinend gleichgültig zu den Sternen empor.

„Wenn die Weißen wollen, daß uns das Gebiet gehört, dann dürfen es auch die drei Männer im Kanu nicht betreten. Wir werden sie zwingen, auf dem Fluß zu bleiben. Jojo wird mit Kopé hinübergehen und sie bis zum Sonnenaufgang beobachten. Es wird in dieser Nacht nicht mehr viel zu besprechen sein."

Pantherklaue erhob sich und schritt langsam seiner Hütte zu. Einige andere folgten seinem Beispiel, nur wenige blieben sitzen, aber geredet wurde nicht mehr.

Wenn Taowaki aufstand, hängte sie ihre Schlafmatte an die Hüttenwand und ordnete ihr Haar. Dann ging sie zum Bach, badete und kam zurück, um etwas zu tun. Sie mußte nicht arbeiten, denn Indianer lieben den Zwang nicht. Nur die Männer kommen am Morgen auf dem Festplatz zusammen, um die Tagesarbeit zu besprechen.

Indianerinnen heiraten sehr früh, so daß sie gar bald die Frauenarbeit aufgebürdet bekommen. Solange sie Mädchen sind, brauchen sie nicht viel zu tun. Bald würde auch Taowaki heiraten müssen. Noch spielte sie mit ihrem Arara und den beiden Püppchen. Die Püppchen waren entkernte Maiskolben. Sie waren schon sehr abgegriffen, und sie hätte sie längst erneuern können, denn Maiskolben gab es in großen Mengen, aber es wären nicht ihre Püppchen gewesen, mit denen sie seit langem gespielt und geschlafen hatte.

Mit ihren Puppen feierte Taowaki auch Feste. Vahanitu kam dazu, manchmal auch Coniheru und seltener die kleine Orchidee. Dann fertigten sie aus Bast und Palmfasern Tanzmasken an, schmückten sie mit bunten Federn und vergaßen auch nicht, ihren Puppen welche anzustecken. Leise sangen sie die alten Festlieder, denn laut konnten sie nicht singen, weil sonst die Jungen dazukamen und sie neckten. Sie wollten es immer besser können und sangen dann so laut, daß das ganze schöne Spiel verdorben wurde.

Mitunter kamen alle Kinder zusammen. Die kleineren wurden von den größeren angeleitet, denn die größeren hatten es ja wiederum von den älteren gelernt, die jetzt verheiratet waren. Die Spiele waren alle sehr alt. Sie kamen dabei auf die seltsamsten Einfälle. Ohne besonderen Grund veranstalteten sie ein Fest, das sie im nächsten Augenblick ebensogut wieder abbrechen konnten. Es gab eine Frucht, die besaß weiße Milch, die herrlich färbte. Sie bemalten damit ihre Gesichter und versuchten, schrecklich auszusehen. Dann faßten sie sich an den Händen und zogen in langer Reihe durchs Dorf, die Großen voran und die Kleinen hinterher, so daß sie aussahen wie eine Riesenschlange mit vielen häßlichen Köpfen. Um die Wirkung zu verstärken, banden sie ihr schönes Haar zu Knoten und steifen Hörnern. Die Erwachsenen lachten darüber. Sie kamen alle aus ihren Hütten heraus, um den gräßlichen Schlangenzug zu sehen. Hinterher vergaßen viele Kinder, ihr Gesicht zu waschen. Da sie keinen Spiegel besaßen, konnten sie sich nicht sehen und glaubten immer, nur die anderen sähen so komisch aus. So liefen sie oft tagelang mit weißverschmierten Gesichtern umher. Das gewöhnliche Bad half kaum, die weiße, rote und schwarze Körperbemalung zu entfernen. Dazu gehörten andere Mittel.

Die Jungen übten sich im Pfeilschießen. Die Mädchen konnten es auch, doch wurden sie von den Jungen ausgelacht. Aus einem Mädchen kann nie ein Jäger werden. Sie haben andere Pflichten zu erfüllen und müssen Pfeil und Bogen den Jungen überlassen, die sich gegenseitig herausfordern, um ihr Können unter Beweis zu stellen.

Die Indianer schmücken sich gern. Sie schmücken sich mit den bunten Federn des Arara und vielen anderen Dingen. Wiederum sind es die Männer, die sich viel mehr schmücken können als die Frauen. Der Schmuck ist das Vorrecht des Indianers, denn er braucht ihn auf der Jagd, um den Tieren zu gleichen.

Die Frauen schmücken sich gern mit vielen Ketten, die sie um den Hals bis zur Brust herab tragen. Sie drehen die wilde Baumwolle zu dünnen Fäden und sammeln hartschalige Samenkapseln, die sie durchstechen und aufreihen. Sie dürfen auch die Eckzähne des Wasserschweines tragen. Aber die schönen Federn des Arara gehören ihnen nicht. –

Jojo war verheiratet, aber er liebte auch seine Schwester, da er mit ihr aufgewachsen war und sonst keine anderen Geschwister besaß. Und seine eigenen Kinder waren noch viel zu klein, um mit dem Äffchen zu spielen, das er eines Tages fand. Es war ein niedliches Tierchen mit klugen Augen und ganz weichem Fell. „Vielleicht möchtest du es haben“, sprach er zu Taowaki und versuchte gleichgültig zu sein.

„Wenn ich es bekomme, werde ich mich freuen“, erwiderte sie. „Wie nennst du es, Jojo?“

„Jo“, gab der Bruder lachend zurück.

„Dann klingt es, als wäre es dein Sohn.“

Jo fand in der Höhlung zweier Hände Platz. Seinen langen Schwanz legte er geschickt um sich, als fürchte er, ihn zu vergessen und liegenzulassen. Da ein kleines Äffchen die Mutter braucht, klammerte sich Jo an Taowaki und war ganz traurig, wenn er allein in der großen Hütte kauerte oder auf einem Baum angebunden die Äste entlanglief. Mit Freudengezwitscher begrüßte er sie. Dann hüpfte er aufgeregt umher und wollte von ihr auf den Arm genommen werden. Er konnte es gar nicht erwarten und klammerte sich nachher so fest an sie, daß es ihr leid tat, ihn allein zu lassen.

Nur mit dem Arara verstand er sich schlecht. Der war viel zu alt, um mit einem kleinen Affen zu spielen. Jo riß ihm eines Tages zwei schöne Federn aus und bekam dafür einen so kräftigen Schnabelhieb, daß er von nun an die Nähe dieses Grobians mied.

Taowaki versuchte immer wieder, sie zusammenzubringen, ohne daß es ihr gelungen wäre.

Taowakis Leben bestand jedoch nicht nur aus Spiel. Häufig ging sie mit der Mutter und ihrer Schwägerin in den Wald, um Manioka oder Früchte zu holen. Die Maniokawurzeln waren schwer. Selbst wenn der Vater und Jojo dabei waren, mußten die Frauen die Körbe tragen, da die Männer unbeschwert gehen müssen, um die Waffe sofort bei der Hand zu haben, wenn es gilt, eine plötzliche Gefahr abzuwehren. Ein schwerbeladener Indianer taugt nicht zum Kampf. Ein Fremder, der das Leben der Indianer nicht kennt, könnte annehmen, daß die Frau das Arbeitstier des Mannes sei. Der Indianer weiß es besser. Er liebt seine Familie und muß deswegen immer kampfbereit sein.

Die jungen Indianerinnen sind keine Schwächlinge. Sie sind bei aller Ebenmäßigkeit ihres Körpers stark und ausdauernd. Sie üben sich auch im Wettlauf und sind im Klettern geschickter als die Jungen. Mit Hilfe eines Fußriemens klettern sie auf die höchsten Palmen hinauf.

Palmfrüchte sind begehrte Leckerbissen. Es gibt viele Palmenarten, aber fast jede trägt eßbare Früchte. Hier sind es hartschalige große Nüsse, dort weiche runde Zapfen, und an vielen hängen die großen Beeren in Trauben. Sie alle mußten geerntet werden, daheim wurden sie dann zu Mahlzeiten und Getränken verarbeitet.

Außerdem gab es noch viele andere Früchte. Wer Urwald und Sertão so gut kennt wie ein Indianer, der findet überall Eßbares. Der braucht auch nicht zu verdursten, sondern schneidet eine Wasserliane an und trinkt daraus das beste Wasser.

Taowaki konnte auch spinnen und weben wie alle Indianerinnen. Die wilde Baumwolle wuchs ihnen zu. Mit einfacher Handspindel spannen sie Knäuel für Knäuel und webten daraus Knie- und Armgürtel oder ein Band, das an Festtagen schräg über die Brust getragen wurde. Stoffe brauchten sie nicht zu weben, denn sie gingen von alters her nackt und kannten kein Gewebe ähnlicher Art.

Nachts froren sie, denn die Tropennächte sind kühl, der Körper ist auf große Hitze eingestellt und empfindet die geringste Abkühlung als unangenehm kalt. Das kann kein Indianer ändern. Sie könnten Decken weben und sich zudecken, doch tun sie es nicht. Wer in der Nacht nicht frieren will, muß das Feuer schüren und sich daran erwärmen.

Die Flechtarbeiten wurden hauptsächlich von den jungen Männern ausgeführt, obwohl es die Frauen auch konnten. Taowaki konnte in die großen Bastmatten schöne Muster flechten. Sobald eine Schlafmatte etwas alt war, diente sie als gewöhnliche Tagesmatte. Kleine Sitzmatten wurden im Handumdrehen aus einem Palmwedel geflochten.

Die Palme ist zu allem gut. Sie liefert den Indianern ihre großen Wedel für den Hausbau; sie gibt die Fasern für Matten und Schmuck; aus ihrer inneren Rinde wird durch Gerbung ein lederartiger Stoff gewonnen; ihre Früchte gehören zur täglichen Mahlzeit; sie gibt mit ihren Schalen Gefäße und liefert Riemen, Holz und schmackhaftes Mark. Schattenspendend steht sie mit weitausladender Krone an Bächen und Flüssen; und jede indianische Siedlung wäre ohne Palmen ein verlorenes Dorf. –

Noch waren die drei Weißen weiter droben am Fluß, als Jojo nach Hause kam und von einem Bienenvolk berichtete, das er entdeckt hatte. Taowaki erklärte sich bereit, mit ihm den Honig zu sammeln. Die Beute eines Jagdausfluges ist Allgemeingut, aber was die einzelnen Familien finden und sammeln, gehört ihnen. Man könnte ja auch schlecht eine Schale Honig unter so viele Personen aufteilen.

Jojo schritt voran. Er war mit Pfeil und Bogen bewaffnet und trug an der Seite ein langes Buschmesser, um den Hals ein Horn mit Feuerstein und Zunder. Damit das Feueranzünden rascher ging, folgte ihm Taowaki mit einem glimmenden Holzscheit. Indianer gehen meilenweit und tragen die Glut mit sich. Wenn sie ausgehen will, blasen sie drauf oder schwingen das Scheit so lange, bis es brennt.

Mit federnden Schritten kamen sie rasch voran. Dunkel stand der Urwald um sie herum. Ein Pfefferfresser-

pärchen rief über ihnen in einem Baum. Die großen bunten Schnäbel leuchteten prächtig aus dem grünen Blätterdach. In einem Baum, der über und über mit gelben Dolden besetzt war, tummelten sich die kleinen Blumenküsser, die von den Caboclos und Weißen Kolibris genannt werden. Ihre schwirrenden Flügelschläge klangen wie das Gesumme großer Hummeln. Sie flöteten in zarten Tönen und waren in ihrem Eifer nimmermüde.

„Dort ist der Baum“, sagte Jojo und zeigte nach einer fast dürren Palme, an der hoch oben ganz kleine Bienen ein- und ausflogen. Sie waren nicht größer als gewöhnliche Fliegen.

„Während ich den Baum fälle, trägst du Holz zusammen und machst ein großes Feuer“, fuhr der junge Indianer fort. „Sorge für trockene Palmwedel, damit wir die Bienen ausräuchern können! Sie werden ein wenig wild sein.“

Taowaki folgte seinem Rat, während er das Buschmesser schwang, um es tiefer und immer tiefer in den Stamm hineinzutreiben. Die Bienen waren jedoch aufmerksam geworden, und sie kamen herab, um die Störenfriede zu verjagen. Lautlos flogen sie durch die Luft, verfingen sich in den Haaren oder stachen sofort. Das gab einen seltsam brennenden Schmerz, der bald wieder verging. In den Augen brannte das Gift wie Feuer.

Immer rascher hagelten Jojos Hiebe in das Holz. Er triefte vor Schweiß und schlug immer wieder nach den Bienen. Taowaki legte rauchende Scheite neben ihn hin, um die Insekten abzuwehren.

Dann fiel die Palme. Sie schlug krachend in das dornige Unterholz. Jetzt raffte Taowaki dürre Palmwedel auf, hielt sie in die Flammen, rannte zu dem Flugloch der Bienen und versperrte den Ausflug mit ihrem Feuer. Jojo hieb zu, ließ die Späne fliegen und erbrach nach und nach die Höhlung des Stammes, aus der in Unmengen die kleinen Bienen quollen.

„Mehr Rauch!“ rief Jojo und sprang beiseite.

Taowaki konnte sich kaum der Angreifer erwehren. Immer wieder holte sie Wedel, um die Flammen unter den Stamm zu halten, der schon ganz verkohlt aussah.

Jojo riß einige leere Waben heraus. Erneut hieb er zu, um den ganzen Bau freizulegen. Mehrmals lief er weg, denn die Stiche brannten an seinem ganzen Körper.

Jetzt kam Taowaki an die Reihe. Mit der rechten Hand griff sie in die Öffnung und schöpfte den Honig. Sie raubte ihn mit Waben, Larven und Bienen, wie er gerade in ihre Finger geriet. Nur rasch und wieder weg! Fort und in den dichtesten Rauch hinein, um die Angreifer loszuwerden!

Rußverschmiert, honigbekleckert und schweißtriefend eilten sie mit brennenden Palmwedeln hin und her, füllten die Schale bis zum Rand und holten eine neue, denn die klebrige Süßigkeit wollte kein Ende nehmen. Taowaki kaute Honig, sie schmierte ihn ins Gesicht, weil sie nach den stechenden Bienen schlug, und sie heulte und lachte in einem Atemzug. Drei große Schalen waren bis zum Rand gefüllt, aber immer noch quoll der Honig. Da liefen die beiden endlich weg und tiefer in den Wald hinein, um sich an einem bienengeschützten Ort die Mägen vollzuschlagen. Eine ganze Schale aßen sie leer. Sie schmatzten vor Wonne und lachten sich an, denn sie sahen entsetzlich verschmiert und zerstochen aus.

Als auch die leere Schale wieder mit Honig gefüllt war, gaben sie den Baum auf und rannten zu einem Bach hinüber, wo sie sich tummeln konnten. Hier gab es keine Piranhas und Stachelrochen, auch keine Kaimane und andere gefährliche Tiere. Lange Zeit blieben sie im Wasser, bis die Stiche nicht mehr brannten und selbst die schwer abwaschbare Urucufarbe fast verschwunden war. Dann gingen sie ins Dorf zurück.

Im Lager der weißen Männer

Ein junger Indianer kam vom Waldrand herüber über den freien Platz gelaufen. Er sah erschöpft aus, als sei er lange Zeit durch den Urwald gerannt. Seltsamerweise trug er weder Bogen noch Wurfspeer, sondern lediglich die Keule aus Eisenholz.

Ohne ein Wort zu verlieren, lief er an mehreren Männern und Frauen vorbei zur Häuptlingshütte, wo Pantherklaue auf den Matten hockte und Pfeilspitzen erneuerte. Er sah kaum auf, als der Bursche den Raum betrat.

„Wir werden Neues zu besprechen haben“, begann der junge Indianer, der Raro genannt wurde.

Der Häuptling schwieg.

„Die weißen Männer stießen zu den unseren“, fuhr der Bursche fort. „Sie lagerten und schliefen. Da gingen auch wir zum Feuer und dachten uns nicht viel. Als die Weißen plötzlich vor uns standen, wollten wir nicht zu den Waffen greifen. Du könntest anderer Meinung sein.“

„Seit wann lassen sich die Indianer von den Weißen überlisten?“ fragte Pantherklaue, ohne von der Arbeit aufzusehen. „Wie es scheint, schickte ich Kinder aus.“

Raro steckte den Vorwurf ein. Er hatte sowieso damit gerechnet und war froh, daß es nun vorüber war.

Pantherklaue stand auf, trat vor die Hütte und rief über den großen Platz hinweg:

„Ruf alle zusammen, Inću! A-uh!"

Gleich darauf erklang Inćus laute Stimme: „Kommt! Kommt alle! Wir wollen etwas besprechen, was noch nicht gesagt worden ist! Kommt und beeilt euch!"

Immer wieder rief er dasselbe. Er rief jeden Morgen zur Versammlung, und er leitete Gesang und Tänze.

„A-uh! A-uh! Kommt alle herbei!"

Sie traten langsam aus ihren Hütten und schritten gemächlich über den Platz, denn die Indianer lieben nicht die unnötige Hast.

„Nun ist es soweit", sprach Pantherklaue, als sie alle beisammen waren und die Frauen bei den Hütten standen, um zu lauschen. „Einige unserer Leute sitzen mit den Weißen am Feuer, als wären sie Freunde. Raro spricht von einer Überrumpelung. Ich bin dafür, daß wir ohne viel Worte zu ihnen gehen."

„Um uns dazuzusetzen?" fragte der Medizinmann lauernd.

Der Häuptling erhob sich und ging schweigend seiner Hütte zu.

Das Dorf glich einem Ameisenhaufen. Taowaki sprang zu Vahanitu, Coniheru war bereits bei ihr, die kleine Orchidee trug eine neue Jaguarbemalung, und Vahanitu sagte, daß sie ohne Bemalung nicht gehen könnten. Rasch holten sie den Klumpen Urucu und ein Horn mit dem weißen Pflanzensaft, der sich auf dem Körper in schwarze Farbe verwandelte. Vahanitu kaute Kokoskerne, spuckte den Saft auf die Urucufarbe und rieb sie zurecht. Die kleine Orchidee fing an, Taowaki das Zeichen der Tapire auf den Körper zu malen, während Taowaki rote Striche durch Vahanitus Gesicht zog. Coniheru tauchte ein Stäbchen in die weiße Milch und legte es über Taowakis geschlossene Augen, wodurch zwei schmale schwarze Striche entstanden. Dann rieb Taowaki Vahanitus Körper mit roter Farbe ein und fing an, sorgfältig das Schlangenzeichen daraufzumalen. Das war eine zeitraubende Arbeit und verlangte großes Geschick. Die Zickzacklinien der Schlange liefen gleichmäßig über Brust und Leib die Schenkel hinab bis zu den Füßen, ebenso über den Rücken und beide Arme. Sie trafen sich, bildeten schwarze Ecken und liefen wieder auseinander. Das ganze Mädchen sah aus wie ein lebendes Kunstwerk in Rot und Schwarz.

Einfacher war das Zeichen der Tapire. In großen Flächen verteilte sich die schwarze Farbe auf dem Körper, grenzte an Rot und bildete unter der Brust eine spitze Ecke.

Coniheru trug das Zeichen der Schildkröte, lustige Panzer mit Köpfen und Füßen, und es sah aus, als kletterten tatsächlich kleine Schildkröten auf ihrem Körper herum.

Als sie mit der Arbeit fertig waren, betrachteten sie sich und halfen hier und dort noch ein wenig nach. Vahanitus kleiner Bruder sprang mit tollem Federputz umher, denn er hatte sich einfach mit Harz beschmiert und kleine Federn der Papageien und Sittiche angeklebt. Jetzt sah er selber aus wie ein Papagei.

„Brauchen wir Manioka?“ fragte Vahanitu.

„Wenn die Männer dabei sind, gibt es Fleisch“, erwiderte Taowaki.

„Dann laßt uns laufen, damit wir nicht zu spät kommen!“

Nur alte Leute und kleine Kinder blieben im Dorf zurück. Die anderen brauchten nur der deutlich sichtbaren Spur der Vorangegangenen nachzulaufen, um die Richtung nicht zu verfehlen, denn im Grunde genommen wußte keiner, wo die Weißen mit den Chavantes zusammengekommen waren. Raro war mit Pantherklaue und Eisenholz vorausgegangen, die anderen folgten in kleinen Trupps oder einzeln.

Es war ein weiter Weg. Und da sie so viele waren, brauchte keiner auf Tiere zu achten. Die Erdtiere waren alle geflohen, und die Baumtiere blieben droben in den Ästen. Dort sprangen die Affen umher, ein Faultier hing mit dummgrinsendem Gesicht im Blätterwerk, ein Leguan lag unbeweglich auf einem schiefen Stamm.

„Wir werden mit den Weißen kämpfen", meinte Coniheru, während sie hintereinander durch den Wald rannten.

„Raro soll gesagt haben, daß sie mit den Chavantes am Feuer säßen", erwiderte Taowaki.

„Sie wußten nicht, wie sie sich verhalten sollten."

„Die Chavantes haben bisher offen gekämpft. Wenn sie mit dem Gegner am Feuer sitzen, bedeutet es Friede und Freundschaft."

„Die Weißen haben sie überlistet."

„Das ist schlimm genug", sprach Taowaki. „Wer der Freundschaft nicht aus dem Wege gehen kann, muß sie wahren."

Kinder liefen plötzlich vor ihnen her und konnten nicht mit Schritt halten. Sie lärmten und schimpften auf die Mädchen, weil die viel schneller waren.

Mit Riesensprüngen kamen zwei junge Burschen angerannt. Wortlos, keuchend und naß überholten sie die Mädchen und verschwanden im Busch.

Nach langem Lauf stand plötzlich Kopé vor ihnen und gab ihnen das Zeichen des Schweigens. Ganz nah erklang das Gespräch einiger Männer.

„Es sieht fast aus, als hättet ihr es eilig gehabt, um die Fremden zu sehen", sprach er.

Die Mädchen kicherten und setzten sich hin. Er hatte recht, denn ein Indianer hat Zeit und will nicht abgehetzt erscheinen. Erst als sie ganz ruhig atmeten und ihre Haut wieder trocken war, setzten sie den Weg fort und traten auf eine freie Lichtung hinaus, in deren Mitte ein Feuer brannte und viele Männer saßen.

Vahanitu, Coniheru und die kleine Orchidee kauerten neben dem Stamm eines mächtigen Gummibaumes nieder, aber Taowaki blieb stehen und ließ keinen Blick von den drei Weißen.

„Wir haben keinen Grund, fremde Reisende zu töten", sprach Pantherklaue, der den Fremden gegenübersaß. „Die Chavantes verteidigen ihr Land. Wer bei uns eindringt, will kaum etwas Gutes."

Der eine Weiße sprach indianisch. Er sprach sehr langsam und schien jedes Wort zu suchen. Es klang so, daß es Taowaki oftmals nicht verstand. „Wir wollen nichts haben, sondern bringen Geschenke", erwiderte er. „Uns liegt an der Freundschaft mit den Chavantes. Wenn ihr uns daran hindert, werden wir den Weg fortsetzen, ohne euch böse zu sein."

„Wenn ihr uns Geschenke bringt, dann wollt ihr auch etwas haben", beharrte der Häuptling auf seinem Standpunkt.

„Meinetwegen auch das", lachte der Weiße. „Gebt uns Bogen und Pfeile, Schmuck und anderes, was ihr nicht braucht!"

„Die Waffen?" entfuhr es dem Medizinmann.

Auf den Gesichtern der Indianer zeigten sich Unmutsfalten. Waren die Weißen so dumm, die Chavantes überlisten zu wollen? Mit den waffenlosen Indianern hätten sie ein leichtes Spiel gehabt.

„Meinetwegen nicht“, versuchte der Fremde die Rothäute zu beruhigen. „Vielleicht habt ihr Früchte, die wir einhandeln können.“

„Die Mädchen werden sie euch bringen, ohne daß wir etwas dafür verlangen“, antwortete Pantherklaue. Er gab Taowaki einen Wink, worauf sie rasch verschwand.

„Habt ihr es gehört?“ kicherte sie und sah versteckt im Busch die Freundinnen an. „Die weißen Männer können nicht einmal Früchte sammeln. Was sollen wir ihnen bringen?“

„Dein Vater denkt an eßbare Früchte, Hlé dagegen an giftige“, gab Coniheru zurück.

„Die giftigen kannst du selber essen“, entrüstete sich die kleine Orchidee.

„Ich schlage vor, wir sammeln alles mögliche und flechten vorher einen Korb“, sprach Taowaki. „Dort steht eine Palme mit einer reifen Fruchtstaude. Wenn wir uns dazuhalten, sind wir bald fertig mit Ernten.“

Sie kletterten mehrere Male auf die Bäume und fanden eine ganze Menge. Als sie zurückkehrten, nahm Taowaki den Korb, schritt zu dem Kreis der Männer und blieb neben ihrem Vater stehen.

Bunt und schön stand sie da. Ein bewundernder Blick des weißen Führers traf sie. Sie sah ihn mit offenen Augen neugierig an, und es durchfuhr sie der Gedanke, daß diese Fremden friedliche Menschen sein mußten, denn ihre Blicke waren gut.

„Gib sie den Männern!“ sagte Pantherklaue zu seiner Tochter.

Der weiße Mann war aufgestanden und trat ihr entgegen. Er war viel größer als sie und breit wie ein Chavantes. Sie hielt ihm den Korb entgegen und begegnete wiederum seinem Blick. Er lächelte, nahm den Korb und sagte: „Ich danke dir." Rasch drehte sie sich um und ging dem Rand der Lichtung zu.

„Warum stand er auf?" fragte Vahanitu leise.

„Ich weiß es nicht", erwiderte Taowaki.

„Er sprach mit dir?" flüsterte die kleine Orchidee.

Sie zuckte mit den Schultern und blickte unverwandt zu den Männern.

„Hat er dir weh getan?" wollte Coniheru wissen.

„Nein, aber Hlé." Taowaki wendete sich ab und ging zum Fluß, wo das Kanu der drei Weißen lag. Sie sah es kaum. Mit einem plötzlichen Sprung war sie im Wasser.

Sie haßte Hlé, denn Hlé dachte immer nur an Mord und wollte keine Versöhnung haben. Als sie dem Fremden den Korb hinreichte, lag der böse Blick des Medizinmannes auf ihr. Sie spürte ihn, ohne daß sie ihn zu sehen brauchte.

Wenn die Fremden nicht vorsichtig waren, kamen sie kaum mit dem Leben davon. Taowaki kannte den Medizinmann. Er war schlimmer als ein Panther, gefährlicher als eine Riesenschlange und tückischer als ein Krokodil. Wenn er wollte, ließ er durch geheimnisvolle Kräfte einen Menschen zugrunde gehen, vielleicht auch diese Weißen.

Hlé hatte sich nicht mit ans Feuer gesetzt, sondern bisher abseits gehalten. Jetzt war er zu den Weißen gekommen und hielt dem einen ein grünes Blatt hin.

„Riech daran!" forderte der Medizinmann den Führer der weißen Männer in diesem Augenblick auf.

Der Fremde zögerte. Spöttisches Lachen stand auf

des Medizinmannes Gesicht. Ihre Blicke trafen sich wie Keulen. Scheinbar teilnahmslos sahen die Chavantes zu.

Nach kurzem Zögern griff der Fremde zu und beroch das Blatt. Da er nichts Außergewöhnliches daran fand, roch er noch einmal, wendete es und führte es zum drittenmal gegen sein Gesicht.

Plötzlich hing ihm ein Blutstropfen unter der Nase. Er wischte ihn fort und rief damit heftiges Bluten hervor. Ratlos lächelnd schneuzte er das Blut zur Erde. In diesem Augenblick rann es ihm aus Nase, Mund und Ohren. Selbst seine Augen waren blutunterlaufen und sahen schrecklich aus. Zu Tode erschrocken sank er zu Boden, während die beiden anderen Weißen aufgesprungen waren.

Die Chavantes sahen mit düsteren Mienen zu. Sie kannten die Wundertaten ihres Medizinmannes und hüteten sich, ihm dreinzureden. Seine Rache fürchteten alle.

„Was tut ihr?“ stöhnte der blutende Weiße.

Hlés Kichern war die einzige Antwort.

Da erhob sich Pantherklaue und sprach drohend:

„Genug damit, Hlé! Wenn du den Fremden tötest, hast du die Folgen zu tragen. Ich warne dich!“

„Ich habe ihn nicht dazu gezwungen“, gab der Medizinmann tückisch lächelnd zurück.

Die beiden Weißen hoben ihren blutenden Kameraden auf, setzten ihn aufrecht gegen einen Stamm und versuchten, seinen Kopf zu halten. Der eine zog seine Pistole. Da sprang Jojo hinter dem Baum hervor und ließ seine Keule auf die Waffe niedersausen.

Offene Feindschaft lag plötzlich zwischen den Parteien. Während die beiden Fremden unschlüssig neben ihrem fast bewußtlosen Führer standen, bildeten die mit

Bogen und Pfeilen bewaffneten Chavantes einen Halbkreis um sie herum.

Auf Pantherklaues Stirn zeigte sich eine dicke Ader. Er hielt den Bogen in der Linken und den Pfeil in der Rechten, doch sah es nicht aus, als wolle er auf die weißen Männer schießen.

Voller List und Tücke war Hlés Blick. Langsam näherte er sich dem blutenden Weißen. Wenn er sich jetzt Pantherklaue fügte, verlor er allen Respekt, und fügte er sich nicht, verlor er wahrscheinlich das Leben. Nur er war in der Lage, den langsam Verblutenden zu retten.

Gespannt hingen die Blicke der Weißen an dem Medizinmann. Ihre Lage war verteufelt ernst. Sie besaßen noch eine Pistole und standen zwei Dutzend Indianern gegenüber, von denen es hieß, daß sie kein Erbarmen kennen, daß ihre Pfeile mit tödlicher Sicherheit treffen.

Ganz langsam beugte sich Hlé herab. Aus einem Blätterbündel, das er in der linken Hand hielt, zog er ein größeres Blatt und hielt es unter die Nase des Bewußtlosen.

Fast gleichzeitig hörten die Blutungen auf, und der Fremde erholte sich zusehends. Verwundert sah er um sich und auf das zur Erde geflossene Blut.

Pantherklaue gab seinen Leuten einen Wink, damit sie sich wieder setzten. „Kommt heran!“ befahl er den Weißen.

Sie stützten ihren Kameraden und ließen sich am Feuer nieder.

„Es ist nicht gut, die Chavantes zu reizen“, fuhr er fort. „Es war nur ein kleines Spiel unseres Medizinmannes. Ich verspreche euch Frieden, wenn ihr unser Gebiet verlaßt.“

„Stromauf“, erwiderte der Blutige.

„Stromab liegen die Siedlungen der Weißen.“

„Stromauf führt unser Weg“, beharrte der Weiße.

„Wer sagt, daß der Fluß nicht zum Gebiet der Chavantes gehört?“ fragte Pantherklaue ungehalten.

„Der Fluß galt von jeher als Grenze.“

„Du meinst den Araguaia.“

„Den hier, Häuptling. Wir wollen euch nicht trotzen und nur eine Frage klären.“

„Das ist ganz leicht. Wenn ihr den Fluß als Grenze erklärt, müßt ihr auf ihm bleiben und dürft unsere Seite nicht betreten. Das wird euch schwer gelingen. Jeder Chavantes wird ein Betreten unseres Gebietes als Angriff betrachten und danach handeln.“

„Damit sind wir einverstanden“, erklärte der Weiße. „Wir setzen die Reise auf dem Fluß fort und werden euer Gebiet nicht betreten. – Ihr haltet nichts von den Weißen?“

„Sie lügen.“

„Nur wenige. Die anderen meinen es ehrlich. Ihr verwechselt die Ehrlichen mit den Lügnern.“

„Wir brauchen beide nicht."

„Aber ihr benützt die Buschmesser, die wir herstellen", beharrte der Weiße. „Ihr braucht Äxte und Scheren. Wir können euch alles geben, ohne daß es euch Mühe macht. Wenn ihr uns das Fell eines Jaguars gebt, ist es gut."

Pantherklaue hatte sich erhoben. Er schüttelte den Kopf und sagte: „Ihr habt meine Worte gehört." Damit schritt er über die Lichtung und verschwand mit mehreren Chavantes im Gebüsch.

„Das bedeutet Krieg!" rief Coniheru unterdrückt. „Wenn die Weißen stromauf gehen, müssen sie unsere Seite betreten. Der Fluß zwingt sie dazu."

„Solange sie im Wasser stehen, sind sie im Recht", erwiderte Taowaki. „Und glaubt mir, lieber bleiben sie eine Nacht im knietiefen Wasser, als noch einmal an Land zu kommen. Was Hlé getan hat, war ein Mordversuch. Sie haben allen Grund, die Chavantes zu hassen."

„Dein Vater wollte Hlé töten", flüsterte Vahanitu.

„Das kannst du nicht wissen."

„Jetzt fange ich an, unsere eigenen Leute zu fürchten", entfuhr es der kleinen Orchidee. Die Mädchen saßen drunten am Fluß und hatten keinen Grund, sich vor den Weißen zu verbergen, die sich an ihrem Kanu zu schaffen machten. Der Blutige stand im Wasser und wusch sich.

Es waren auch noch andere Mädchen zum Fluß gekommen, um die weißen Männer zu sehen. Sie gesellten sich zu Taowaki und ihren Freundinnen, so daß ein lustiges Treiben entstand. Die meisten gingen ins Wasser, denn der Tag war heiß.

Die kleine Orchidee schrie plötzlich, von einem Piranha gebissen worden zu sein, aber es waren nur die kleinen Zierfischchen, die es in Unmengen im großen Strom Amazonas und seinen Nebenflüssen gibt und die kräftig zwicken können.

Dicht, hoch und geheimnisvoll umgab sie der Urwald. Da gab es kaum eine Lücke. Die Urwaldriesen überragten alles, aber auch die kleineren Bäume strebten zum Licht empor. Eng zusammengedrängt kämpften sie um Raum. Dünne Luftwurzeln hingen von ihren Ästen herab, Lianen erklommen die Höhe, schickten ihre Blätter über die höchsten Wipfel hinaus und grünten und blühten dort oben, als stünden sie in keiner Verbindung mit der Erde. Kein Platz blieb unausgenützt. An den Stämmen wucherten Schmarotzerpflanzen, Bromelien und Orchideen trieben im Geäst der Bäume tolle Blütenwunder, unten drohte unfreundlich das Unterholz, aber oben war alles voller überschüssiger Kraft.

Klein und bunt in ihrer Bemalung spielten die jungen Indianerinnen vor dieser großartigen Kulisse. Sie ahnten nicht, wie schön dies alles aussah, aber die drei Weißen vergaßen ihre Abfahrt; sie sahen hin und staunten.

„Wenn sie nicht bald das Ufer verlassen, werden die Chavantes zum Bogen greifen“, sprach Vahanitu ihre Befürchtung aus.

„Der Häuptling tut es nicht, und Hlé hat verspielt“, lachte die kleine Orchidee.

Taowaki hatte sich erhoben. Ihr fiel plötzlich ein, daß der Medizinmann mit vielen Fischen zurückgeblieben war. Wenn er diese letzte Gelegenheit verpaßte, waren die Weißen tatsächlich gerettet. Pantherklaue war gegangen, weil sein Wort gelten sollte, und Jojo würde bleiben und darauf achten, daß es zu keinem neuen Zwischenfall kam. War er jedoch der Tücke des Medizinmannes gewachsen?

Langsam schritt Taowaki auf die Weißen zu. Sie gewahrte das Erstaunen in den Gesichtern, doch blieb sie ernst und wich ihren Blicken nicht aus. Jetzt stand sie vor dem fremden Häuptling und deckte ihn mit ihrem Rücken. Wenn Hlé zu schießen wagte, der sich sicher irgendwo in der Nähe versteckt hielt, stand sie ihm im Wege, und er würde sich hüten, auf die Häuptlingstochter anzulegen.

Sie tat es nicht aus Zuneigung zu den weißen Eindringlingen, sondern aus Trotz. Keinesfalls durfte der Medizinmann die Oberhand bekommen. Es ging um das Ansehen des Vaters und um Jojos Ehre. Wie leicht konnte der Bruder den Pfeil übersehen, den Hlé auf seinen Bogen legte.

„Wie heißt du?“ fragte der Weiße, den sie als Häuptling ansah, weil er immer das Wort führte.

Taowaki antwortete nicht. Da holte er aus der Tasche seiner kurzen Hose eine Kette mit bunten Glasperlen hervor und reichte sie ihr.

„Sie gehört dir!“ Er lachte und zeigte eine Reihe kräftiger Zähne.

Sie nahm die Kette und verzog keine Miene. Ihr sanfter Blick, der allen indianischen Mädchen eigen ist, verriet weder Furcht noch Freude. Als er etwas beiseite trat und sich nach dem Kanu bückte, folgte sie ihm wie sein eigener Schatten, denn sie dachte an Hlé.

„Willst du mitfahren?“ fragte der Weiße freundlich.

Flüchtig lächelnd schüttelte sie ein wenig den Kopf. Als er sah, daß sie ihn verstand, richtete er sich wieder auf und sagte:

„Wir sind Freunde, Mädchen, und wir werden wiederkommen. Wir weißen Männer sind nicht schlecht. Nimm deinen Freundinnen einige Geschenke mit!“

Er gab ihr eine ganze Handvoll Ketten. Taowaki blieb ernst, obwohl ein feines Lächeln immer um ihren Mund zu liegen schien. Sie sprach kein Wort, denn sie hatte keinen Grund, mit den fremden Männern zu reden.

Die Weißen legten ab. Sie riefen ihr einen Abschiedsgruß zu und winkten den anderen Mädchen. Mit fröhlichem Lachen stakten sie ihr Kanu stromauf.

Taowaki warf sich ins Wasser und kraulte zu Vahanitu.

„Da, was ich euch bringe!“ rief sie freudig.

Vahanitu ließ die Ketten durch die Hände gleiten und sprach:

„Du decktest ihn gut, Taowaki. Hlé lag oben auf der Lauer. Das wird er nie vergessen.“

„Was kümmert es mich!“ versetzte Taowaki gleichgültig. „Ich tat es nicht den Fremden zuliebe.“

„Sie bezahlten dafür“, lachte Vahanitu. „Eine Handvoll Ketten gaben sie für ein Leben! Eine Handvoll Ketten für einen ganzen Weißen!“

Taowaki lachte nicht. Sie sah den davonstakenden Männern nach und bereute es nicht, dem Medizinmann ein Schnippchen geschlagen zu haben. Sie hätte es auch ohne die Ketten und ohne die Freundlichkeit der weißen Männer getan.

Der Kampf im Urwald

Pantherklaues Worte waren für die Weißen eine klare Absage gewesen. Wenn sie noch einmal die Seite der Chavantes betreten würden, hätten sie ihr Leben verspielt. Jeder Indianer dieses Stammes war berechtigt, den Pfeil auf sie abzuschießen. Unsichtbar huschten die Chavantes durch den Wald. Hier waren sie dem Fluß ganz nahe, dort schlugen sie einen weiten Bogen, um das dichte Unterholz zu umgehen. Nur streckenweise verloren sie die Weißen aus den Augen, die unbeirrt ihren Weg stromaufwärts fortsetzten.

Nur wenige Männer waren zum Schutz des Dorfes zurückgeblieben. Die meisten folgten dem Boot. Pantherklaue hielt es für ratsam, seine Männer beisammenzuhalten, weil er mit umherstreifenden Trupps der benachbarten Iho-Indianer rechnete. Die Ihos lebten noch sehr primitiv. Ihre gefährlichste Waffe war das Blasrohr, mit dem sie kleine vergiftete Pfeile auf alles bliesen, was ihnen in den Weg kam. Wo sie auf Menschen trafen, ganz gleich, ob es Indianer, Caboclos oder Weiße waren, griffen die Ihos an. Jedermann, der nicht zu ihrem Tribus gehörte, galt als jagdbares Wild. Sie töteten ihre Feinde und verspeisten sie.

Mit Abscheu und Ekel wurden die Ihos von den Chavantes betrachtet. Sie, die die gefürchtetsten Indianer im Innern Brasiliens sind, wären niemals auf den Gedanken gekommen, ihre getöteten Feinde anzutasten. Ganz anders die Ihos. Selbst die Knochen der Toten wurden zerstampft, mit Wildfrüchten gemischt und gegessen, und die Köpfe wurden in heißem Sand präpariert, bis sie zu Faustgröße zusammenschrumpften.

„Was weißt du von den Ihos?“ fragte Vahanitu, als sie mit Taowaki durch den Urwald lief und den Männern folgte.

„Tupon hat mir noch keinen in den Weg geschickt“, gab die Freundin lächelnd zurück. „Drei Weiße sind mir lieber als ein Iho. Und wenn du es genau wissen willst, mich zieht es nicht in ihren Suppenkessel.“

„Ich hasse sie!“

„Wir alle hassen sie. Sie werden sich hüten, uns Chavantes anzugreifen.“

Über ihnen orgelten plötzlich einige erschrockene Brüllaffen los, daß die Mädchen ihr eigenes Wort nicht mehr verstanden. Mit wutverzerrten Gesichtern turnten die schwarzen Gesellen durchs Geäst. Sie sahen wahrhaftig wie böse Geister aus. Taowaki nahm einen Knüppel und warf nach ihnen. Da rüttelte ihr Anführer an einer dicken Liane, und es sah aus, als wollte er sich von oben auf die Mädchen stürzen.

„Reiß aus!“ schrie Vahanitu und sprang lachend durchs Gebüsch.

„Jetzt hören die Ihos, daß Chavantes in der Nähe sind!“ rief Taowaki.

Sie kamen wieder in die Nähe des Flusses und erblickten die drei Weißen. Die kleine Orchidee, Coniheru und einige andere Mädchen waren auch noch da. Überall steckten die Chavantes. Viele spähten gleichzeitig nach Wild aus, und Jojo trug ein Gürteltier in der Hand, das er erbeutet hatte.

„A-uh! Jojo! Ein Gürteltier ist wenig für so viele!“ rief ihm die Schwester zu.

„Gleich gibt es mehr!“ erwiderte der junge Indianer, indem er zu Eisenholz hinüberspähte, der seinen Bogen spannte.

Schräg über ihm hing mit dummgrinsendem Gesicht ein Faultier. Es umklammerte einen Ast, hing mit dem Rücken nach unten und dachte gar nicht an eine Flucht. Als Eisenholz den Pfeil von der Sehne geschnellt hatte, fiel es wie eine reife Frucht vom Baum und rührte sich nicht mehr.

Allmählich verloren die Indianer das Interesse an den Weißen. Sie verstreuten sich tiefer in den Wald hinein, denn der Abend nahte, und sie wollten alle satt zu essen haben.

Tatsächlich landeten die drei Fremden auf einer Insel mitten im Fluß, so daß auch die Chavantes an ein Lager denken konnten. Der Insel gegenüber blieb Jojo mit zwei anderen jungen Männern, während die anderen ein gutes Stück weitergingen, um auf einer breiten Sandbank zu lagern. Es war ein pulverfeiner, warmer Sand. Tagsüber war er so heiß, daß er die nackten Fußsohlen verbrannte. Zwei Tapirfährten kamen vom Fluß und zogen sich durch den Sand zum Wald hinüber. Kaimanspuren ließen auf den nächtlichen Besuch dieser Echsen schließen. Zwei Marabus stolzierten am anderen Ende der Sandbank umher.

Mehrere Lagerfeuer flammten auf. Plötzlich gab es auch Fleisch in großen Mengen. Gutschmeckende Wurzelknollen kamen zum Vorschein. Wildfrüchte lagen umher, und ein Indianer kam mit vielen Schildkröteneiern angelaufen, denn um diese Zeit fingen die Schildkröten an, ihre Eier in den Sand zu legen. Zuerst die kleineren, die bis zu zwanzig Stück in eine Grube legten, später kamen die großen dazu, die die doppelte Menge legen konnten

Rasch sank die Sonne. Ganz plötzlich brach die Nacht herein. Taowaki und Vahanitu blieben bei ihren Vätern, die mit drei anderen Männern eine Gemeinschaft bildeten. Sie schlugen viele Fleischstücke in frische Bananenblätter und warteten darauf, daß das Feuer abbrannte und genügend Glut vorhanden war, um das grüne Bündel daraufzulegen und das Ganze mit Sand zu bedecken. Inzwischen legten sie ein zweites Feuer an, an das sie sich setzen konnten.

Schweigend warteten die Indianer auf die Mahlzeit. Sie hatten viel Zeit und brauchten nichts zu überstürzen. Hier und dort unterhielten sie sich, während andere ins Feuer blickten oder in die dunkle Nacht hineinsahen.

Taowaki und Vahanitu hatten nebeneinander zwei Gruben gescharrt und sich in den angenehm warmen Sand gelegt. Sie lagen etwas abseits vom Feuer und richteten den Blick über den Fluß, in dem sich die Sterne spiegelten. Das abendliche Konzert der Tiere hatte eingesetzt. Die Brüllaffen waren schon wieder verstummt, aber viele Vögel lockten, ein Ochsenfrosch lärmte in der Ferne, die Grillen zirpten, und die Zikaden sirrten in den Bäumen.

„An was denkst du?“ fragte Taowaki nach einer Weile des Schweigens.

„Ich möchte wissen, wie und wo die weißen Männer wohnen“, erwiderte Vahanitu. „Sie sind ganz anders als wir. Daß sie so große Vögel besitzen, verstehe ich nicht. Warum haben wir keine?“

„Eisenholz sagt, daß sie von den weißen Männern erst erbaut werden. Dann setzen sie sich hinein und fliegen.“

„Wer sagt ihnen, wie man sie baut?“

„Wer sagt uns, wie wir unsere Hütten bauen sollen?“

„Die fliegen nicht.“

„Mehr weiß ich nicht“, gestand Taowaki.

Sie schwiegen wieder und lauschten in die Nacht. Die Vögel verstummten, nur der Ochsenfrosch randalierte irgendwo im großen Wald, so wie auch die Grillen weiterzirpten. Über die dunkle Mauer des Urwaldes schob sich langsam der Mond.

Vahanitu lachte plötzlich leise vor sich hin. „Ich glaube es nicht“, sprach sie und sah zu Taowaki hinüber. „Ein Mensch kann nicht in dem großen Vogel sitzen. Er brüllt zu laut und ist viel zu schnell. Eisenholz hält uns für dumm.“

„Es glauben viele daran“, widersprach Taowaki. „Eisenholz hat gesagt, daß die Weißen den großen Vogel bauen, um sich gegenseitig zu besuchen. Er selbst will es gesehen haben.“

„Warum hat der große Vogel die drei weißen Männer

nicht mitgenommen? Dann brauchten sie uns nicht mehr zu fürchten."

„Sie fürchten uns sowieso nicht", meinte Taowaki. „Als sie uns verließen, haben sie gelacht."

Pantherklaue hatte sich erhoben, war zu dem heißen Sandhaufen getreten und stocherte darin herum. Sofort erhoben sich die Mädchen, um ihm zu helfen. Sie scharrten den Sand beiseite und schoben die braungeschmorten Bananenblätter aus der Hitze. Mit Stöcken legten sie die garen Fleischstücke frei. Mehrere Wurzelknollen waren dabei. Sie legten alles auf ein frisches Bananenblatt und trugen es zum Feuer, wo die anderen Männer saßen.

Schweigend wurde gegessen. Sie aßen nur mit einer Hand, um die andere sauberzuhalten. Keiner hastete, denn sie hatten viel Zeit. Und als das Mahl vorüber war, gingen sie zum Fluß und tranken das Wasser aus der hohlen Hand. Es war ganz klar und angenehm kühl.

Kleiner wurden die Feuer. Viele Indianer schliefen in hockender Stellung, aber die meisten lagen in dem warmen Sand, denn sie froren leicht in der nächtlichen Kühle.

Als von Osten her der erste Lichtschein des erwachenden Tages fiel, war die Sandbank leer. Nichts verriet die nächtliche Anwesenheit der Chavantes. Die Feuer waren mit Sand zugedeckt und die gröbsten Spuren verwischt.

Der große Wald aber war wieder voller Indianer. Überall steckten sie, denn sie verteilten sich weithin. Die einen beobachteten die drei Weißen, die anderen spähten nach Tieren aus. Taowaki befand sich in der Nähe ihres Vaters und hörte, wie er zu Eisenholz sagte:

„Groß ist das Gebiet der Chavantes. Wir können jedoch nicht überall sein, um fremde Tribus fernzuhalten."

„Die Ihos sind feige Kobras", antwortete Eisenholz. „Ich sah auf einer Sandbank ihre Spuren. Sie sind am Fluß, um zu fischen."

„Unser Weg führt an ihnen vorbei." Damit wollte der Häuptling sagen, daß er nicht anzugreifen gedachte.

Taowaki huschte zu Vahanitu und sprach:

„Es ist ratsam, zwischen unseren Leuten zu bleiben. Die Ihos sind in der Nähe. Laß uns auf die anderen Mädchen warten, damit nichts Dummes geschieht!"

„Hlé ist allen voraus", erwiderte die Freundin. „Er wird die Ihos aufstöbern und angreifen. Seit er die Niederlage bei den Weißen erlebte, sucht er den Streit."

Vier Mädchen kamen durch den Wald gehuscht: Coniheru, Orchidee, Rote Blüte und Spinne. Coniheru blutete aus einem Riß am Oberarm, doch beachtete sie ihn nicht.

„Wir haben einen Giftpfeil gefunden!" rief die kleine Orchidee, indem sie einen kleinen befiederten Pfeil in die Höhe hielt.

Taowaki nahm ihn und stieß ihn mit seiner Spitze in die Rinde eines Baumes. „Dort ist er besser aufgehoben als in deiner Hand", erklärte sie lächelnd. „Wir wissen längst, daß die Ihos in der Nähe sind. Das beste ist, wir bleiben in der Mitte unserer Leute."

„Und wenn es zum Kampf kommt?" fragte Orchidee.

„Dann machen wir uns unsichtbar."

„Auch die Ihos sind Indianer."

„Menschenfresser", meinte Taowaki verächtlich und eilte den Mädchen voraus.

Plötzlich ertönte der laute Ruf eines Indianers durch

den Wald. Im nächsten Augenblick war keiner mehr zu sehen. Es war, als hätte sich der Boden aufgetan, um seine roten Kinder zu schützen. Unheimliche Stille folgte dem Ruf, und nur einige Vögel zirpten noch im Geäst.

Taowaki steckte mit Vahanitu in einem Gebüsch, durch das kaum ein Vogel schlüpfen konnte. Sie rührten sich nicht und lauschten mit halb geöffnetem Mund. Ihre Augen waren schmale Schlitze, damit sie das Weiße nicht verriet, denn irgendwo steckten die Ihos, die Todfeinde der Chavantes.

Wenn Indianer gegen Weiße oder Caboclos kämpfen, sind sie durch ihre Tarnung immer im Vorteil. Sie bleiben unsichtbar und tauchen nur für einen Augenblick auf, um den Pfeil von der Sehne schnellen zu lassen. Untereinander sind beide gleich gut im Verbergen. Sie sind tückisch zueinander wie der Urwald selbst, der die Gefahr verborgen hält.

Pantherklaue nützte das dichteste Gehölz aus und schlüpfte nach vorn. Einige andere Indianer folgten ihm, darunter Jojo. Plötzlich bogen sie nach der Flußseite ab und waren im wilden Gestrüpp verschwunden.

„Jetzt umgehen sie die Ihos und greifen sie im Rücken an“, flüsterte Taowaki. „Wo sie gegangen sind, ist es am sichersten.“ Sie zog Vahanitu an der Hüftschnur und bahnte sich einen Weg durch das Dickicht. Die Mädchen bogen sich wie Gerten. Sie glichen der Anakonda, die ihren Riesenleib lautlos durch das Dickicht windet. Als sie die Uferböschung erreichten, glitten sie hinab zum Wasser und sahen einige Chavantes, die halb gebückt und rasch flußaufwärts liefen.

Die Mädchen machten es ihnen nach. Hier vermuteten sie keine große Gefahr, weil die Männer keinesfalls in die Giftpfeile ihrer Feinde liefen. Die Chavantes waren gewöhnt, auf alles zu achten und alles rechtzeitig zu erblicken.

Taowaki wagte sogar einen Sprung ins Wasser, tauchte unter und lief weiter. Wasserperlen glitzerten auf ihrer bemalten Haut. Sie schüttelte das Haar aus dem Gesicht und sah sich um, als suchte sie die drei Weißen.

Von denen war nichts mehr zu sehen. Wahrscheinlich waren sie noch ein ganzes Stück zurück. Die Chavantes hatten jetzt anderes zu tun, als auf sie aufzupassen, und wenn es zum Kampf kam, konnten sie gar leicht entwischen. Sie brauchten nur jenseits des Flusses anzulegen und sich zu verbergen, um die Verfolger abzuschütteln. Die Chavantes standen zu ihrem Wort und würden sie nicht auf der anderen Seite suchen.

Vahanitu holte plötzlich auf und sprang neben die Freundin. Sie riß sie in den Sand und zog sie unter den nächsten Busch. Eine große hellgrüne Echse schoß daraus hervor und floh den Hang hinauf.

„Was ist?“ flüsterte Taowaki.

„Ich sah in einem Baumwipfel die Farbe der Urucu“, hauchte Vahanitu.

„Iho?“

Vahanitu antwortete nicht. Ohne einen Zweig zu bewegen, arbeitete sie sich die Böschung hinauf, immer unter den Büschen und den Dornen ausweichend. Taowaki blieb hinter ihr. Als sie oben angekommen waren, lagen sie nebeneinander und bogen langsam die Zweige auseinander, um besser sehen zu können. Ein Blick aus Vahanitus schmalen Augen genügte, um Taowaki die Richtung anzugeben. Dort stand ein großer Baum, aus dem die Caboclos die weiße, zähe Milch gewinnen. Nichts war zu sehen. Ein Pfefferfresser flog soeben von einem Ast.

Plötzlich gewahrten sie im Blätterwerk eine Hand. Sie streckte sich nach ihnen aus, als wollte sie warnen. Für einen Augenblick tauchte ein rotbemaltes Antlitz auf.

„Jojo!“ flüsterte Taowaki.

Wie ein Blitz sauste Vahanitu die Böschung hinab. Sie stieß einen leisen Schrei aus und warnte die Freundin. Taowaki zögerte nicht und rutschte ihr nach. Mit schmerzverzerrtem Gesicht saß Vahanitu im Sand und rieb sich die Schenkel.

„Ameisen!“ erklärte sie.

Ameisen sind gefährlich. Im Amazonasgebiet gibt es sie in allen Größen, von der kaum sichtbaren bis zu den ganz großen, die Hornissen ähnlich sind. Sie können zur Plage werden und einen Menschen töten.

Vahanitu hatte sich jedoch nur auf eine gelegt, die in ihrer Notwehr zwickte. Der Schmerz ging rasch vorüber, so daß sie darüber lachen konnte.

Irgendwo erklang der unterdrückte Schmerzensschrei eines Indianers.

„Sie greifen an!“ flüsterte Taowaki.

„Die Ihos?“

„Oder die Unseren. Laß uns wieder hinaufkriechen, damit wir etwas sehen. Wir brauchen nur auf Jojo zu achten. Er weiß, wo wir sind.“

Oho! Aus seinem Versteck sauste plötzlich ein Pfeil! Jojo war nicht der Mann, seine Pfeile unnütz zu verschießen.

Die Mädchen lagen verborgen auf der Böschung und sahen gespannt in den Wald hinein. Hinter ihnen plätscherte es. Die drei Weißen kamen heran und stakten vorbei. Vahanitu kniff Taowaki in den Arm und spähte zu ihnen hinüber.

„Das haben sie fein gemacht“, lächelte Taowaki.

„Während wir uns mit den Ihos schlagen, huschen sie vorbei."

„Würden sie sich einmischen, wenn sie es wüßten?" fragte Vahanitu.

„Auf welcher Seite sollten sie stehen? Sie sind nicht unsere Freunde, und die Ihos legen sie in die heiße Asche. Ich wünschte, sie kämen vorbei."

„Wegen der Ketten?"

Taowaki schwieg.

„Sie gefallen dir", bohrte Vahanitu weiter.

„Ich habe keinen Grund, das Gegenteil zu sagen."

„Wollen wir uns zeigen, damit sie sich freuen?"

„Sie gehen uns nichts an." Und damit Vahanitu nichts Dummes anstellte, wurde sie von Taowaki an der Hüftschnur festgehalten.

Plötzlich wurde es drüben lebendig. Rote Gestalten huschten hinter den Bäumen hervor, Bogen wurden gespannt, Pfeile schnellten ihrem Ziele zu, und die ganz kleinen der Ihos sausten wie angreifende Insekten durch die Luft. Einzelne Rufe kamen auf. Ein unterdrückter Schrei folgte.

Weit entfernt rumorte es im Wald, als sei auch dort ein Kampf im Gange. Jojo rutschte wie ein Affe den Stamm herab, um nach vorn zu verschwinden.

„Pantherklaue!" flüsterte Vahanitu aufgeregt.

Im selben Augenblick sprangen zwei Ihos aus einem Busch. Sie setzten mit Riesensprüngen zum Fluß hinüber, hielten Blasrohre in der Hand und waren keine zwei Schritte von den Mädchen entfernt. Dort warfen sie sich nieder, spähten über die Böschung und waren vom Wald her gut gedeckt. Haßerfüllt loderten ihre Augen. Ihre Lungen pumpten schwer. Sie setzten ihre Blasrohre an den Mund, als erwarteten sie ihre Verfolger.

Da kam auch tatsächlich Jojo hervorgekrochen. In der Linken hielt er Pfeile und Bogen, in der Rechten die Keule aus Eisenholz. Taowaki stieß einen schrillen Schrei aus, um ihn zu warnen. Darauf stürzten die beiden Ihos den Rand hinab und kopfüber in den Fluß. Wahrscheinlich waren sie über Taowakis Schrei zu Tode erschrocken. Sie tauchten weit drüben auf, kraulten kräftig und tauchten abermals, um den Feinden kein Ziel zu bieten.

„Piranhas!" rief Vahanitu entsetzt und zeigte auf den Fluß, wo ein Schwarm der raubgierigen Fische herangejagt kam. Das Wasser quirlte um sie herum. Die Ihos sahen es und hasteten in wilder Flucht dem Ufer zu.

„Aus!" hauchte Taowaki.

Die Mörderfische hatten den einen erreicht. Er schlug verzweifelt um sich, stieß zwei entsetzliche Schreie aus und tauchte im blutigen Schaum des Wassers und der Fische unter. Noch einmal kam er hoch, aber dann glätteten sich die Wellen, und es war, als sei überhaupt nichts geschehen. Der zweite Iho entkam im letzten Augenblick den gefräßigen Fischen.

Voller Grauen wandte sich die Mädchen ab. Taowaki verbarg das Gesicht in ihren Armen, während ihre Schultern zuckten.

Jojo lag plötzlich neben ihnen. Er blutete im Gesicht.

„Was ist?" fragte Vahanitu.

„Die Ihos haben sich zurückgezogen. Sie sind feig wie die Affen."

„Und diese beiden?"

„Ich hatte sie mir ausgesucht."

„Daß du lebst, hast du Taowaki zu verdanken. Die Menschenfresser lagen zwei Schritte neben uns und hatten ihre Blasrohre auf dich gerichtet. Taowaki warnte rechtzeitig."

„Ich werde ihr dafür einen Arara schenken", lachte der junge Indianer.

Taowaki richtete sich auf, und um ihre Verlegenheit zu verbergen, ging sie zum Fluß hinab und badete an einer seichten Stelle, wo die Strömung über den hellen Sand eilte und wohin keine Piranhas kamen.

Vahanitu und Jojo saßen droben auf der Böschung und besprachen den Kampf. Drei Ihos waren gefallen, und mehrere verwundete waren davongelaufen. Die Chavantes hatten nicht einen Mann verloren, aber Kopé hatte die Keule eines Ihos zu spüren bekommen. Er lag mit zerschmetterter Schulter am Boden und schien halb bewußtlos zu sein.

„Und was wird mit den drei Weißen?" fragte Vahanitu.

„Wir halten sie für ehrlich. So wie wir zu unserem Wort stehen, werden sie auch das ihrige halten. Die Chavantes haben keinen Grund, sie noch weiter zu verfolgen."

Jojo ging in den Wald zurück. Da kam auch Taowaki aus dem Wasser. Sie ging mit Vahanitu über den feinen Ufersand, doch sprachen sie kein Wort. Zu ihrer Rechten stand der schweigende Wald.

Das große Fest

Kopé schien sterben zu müssen. Er lag vor seiner Hütte auf einer sauberen Matte. Kein Laut kam über seine Lippen. Pantherklaue dachte daran, einen Mann neben ihm singen zu lassen, um ihm den Weg ins Jenseits zu erleichtern. Dieser Mann hätte singen müssen, solange der Todkranke atmete, auch wenn es noch etliche Tage gedauert hätte.

Der Medizinmann Hlé war damit nicht einverstanden. Jetzt war er obenauf, denn an ihm lag es, Kopé am Leben zu erhalten. Ohne Unterlaß bewegte er sich im Tanzschritt hin und her, wobei er Lieder sang, die nur er kannte und die kein anderer verstand. Auf diese Weise hielt er die bösen Geister fern und versuchte, die bereits in den Kranken gefahrenen zu vertreiben. Manchmal hielt er inne, beugte sich über Kopé und legte ihm kühlende Blätter auf die geschwollene und blau unterlaufene Schulter. Ab und zu nahm er Kerne, schälte sie, zerrieb sie und steckte sie in den Mund des Kranken.

Wenn Pantherklaue oder ein anderer kam, tanzte er singend umher, um sich mit keinem unterhalten zu müssen. Sie störten ihn nicht, denn als Medizinmann war er eine Respektsperson, die gleich neben dem Häuptling stand. Selbst Pantherklaue hatte zu schweigen, wenn der Tod um die Hütten der Chavantes strich.

Als sie mit dem Schwerkranken zum Dorf gekommen waren und Hlé die Pflege übernommen hatte, begab sich Kopés Frau in eine Nachbarhütte, wo sie sich in einen Winkel hockte, das Gesicht in einer Hand verbarg und Klagelieder sang. Die Nachbarfrauen teilten ihren Kummer, indem sie sich dazukauerten und weinend mitsangen. Schaurig klang ihr Geheul durch das stille Dorf. Es währte jedoch nicht lange, denn noch lebte der Mann und konnte gerettet werden. Sie gingen wieder auseinander, doch blieb die Sorge in allen Hütten. Sie waren eine Gemeinschaft, die nichts trennen konnte, die alles Leid miteinander trugen, auch wenn es nach außen hin manchmal anders aussah. Mochte Hlé auch zum Streit hetzen, in der Not hielten sie zusammen, so wie sie gegen die Ihos kämpften, ohne nach ihrer Totemzugehörigkeit zu fragen.

Nach einem siegreichen Kampf war es üblich, ein Fest zu veranstalten. Die Indianer feiern gern und benützen jeden Anlaß dazu. Wenn jedoch einer im Sterben liegt, kann nicht getanzt und gefeiert werden. Wenn der Medizinmann sagen könnte, daß es mit Kopé gut wird, würden sie mit den Vorbereitungen beginnen. Solange er aber neben dem Kranken auf und ab tanzte, war gar nicht daran zu denken.

Sie gingen wieder der Arbeit nach, als sei nichts gewesen. Die einen begaben sich auf die Jagd, die anderen besserten ihre Hütten aus. Viele holten Manioka. Abends tanzten die Kinder singend um die Feuer. Sie waren so klein, daß sie sich noch kaum Sorgen um den Kranken machten. Mit ihren festen kurzen Beinchen ahmten sie die Tanzschritte der Erwachsenen nach und klapperten dabei mit der Rassel.

Es war Vollmondzeit. Da war es ganz hell auf dem freien Platz. Selbst im Urwald herrschte Dämmerung. Das abendliche Konzert der Tiere hielt länger an. Ganz langsam wanderte der große Mond.

Da saß so mancher Indianer irgendwo an einsamer Stelle und schaute versonnen dem nächtlichen Treiben zu. Die Leuchtkäfer gaukelten umher, Nachtfalter schwebten durch den Mondenschein, und die Fledermäuse kamen vom Urwald herüber, um an den Hütten nach Insekten zu suchen.

Taowaki lag mit ihrem Äffchen im warmen Sand, sah über sich den Mond und die Sterne und lauschte dem Geflüster der Nacht. Ihre Gedanken blieben hier, denn sie hatte keinen Grund, sie anderswohin schweifen zu lassen. Ein Indianer denkt nicht lange über eine Sache nach, weil für ihn alles so kommt, wie es kommen muß. Sie war hier mit Jo und hörte augenblicklich die Grillen, und das war schön. Das Äffchen wollte gern spielen, aber Taowaki rührte sich nicht.

Fernab sang Hlé bei dem Kranken. Ringsum standen die Hütten. Überall brannten die Feuer. Kinder tanzten, Alte schauten in die Glut, und die Hunde lagen zufrieden umher, denn es war ein fleischreicher Tag gewesen. Kein Mensch hegte einen besonderen Wunsch; es wäre denn der gewesen, Kopé wieder gesund zu sehen.

Mit dem Äffchen im Arm war Taowaki eingeschlafen. Auch Jo schief. Der Mond zog langsam über sie hinweg. Die Feuer brannten nieder, denn die meisten Indianer hatten sich auf ihre Matten gelegt.

Da spähten all die Nachttiere aus ihren Verstecken hervor. Vogelspinnen stelzten aus dem Gehölz, spreizten ihre haarigen Beine und lauerten auf Beute. Ihr Biß genügt, um einen Menschen zu töten. Sie sind gleichsam das Gift der morschen Bäume und die stete Gefahr der Dunkelheit.

Eine Korallenschlange kam vom großen Wald herüber. Sie befand sich auf Jagd nach kleinen Tieren. Grundlos greift sie keinen Menschen an, aber gerade sie hat die meisten Morde auf dem Gewissen, weil ihr Biß unbedingt tödlich verläuft. Rot gestreift schlängelte sie sich durchs Gras und kam ganz nahe an Taowaki heran. Jo erwachte plötzlich. Er gebärdete sich wie toll und riß das Mädchen aus dem Schlaf. Augenblicklich stand Taowaki auf den Beinen. Sie sah die Schlange und mußte lächeln. Mit dem Äffchen im Arm kehrte sie heim, um ihre Matte auszubreiten und neben dem Feuer zu schlafen. Ihr Arara schnarrte vom Hüttendach herab. Dort saß er während der Nacht und war durch nichts zu bewegen, auf die Erde herabzukommen.

Pantherklaue richtete sich ein wenig auf, als wittere er Gefahr. Seine kleine Keule lag neben ihm. Als er Taowaki erblickte, legte er sich wieder nieder. Das ganze Dorf schlief. Nur der Medizinmann sang leise vor sich hin, bis auch er verstummte.

Außer den Grillen war überhaupt nichts mehr zu hören. Der Mond zog seine hohe Bahn. Es sah aus, als lächle er seinen schlafenden Kindern zu.

„A-uh! A-uh!“ tönte es noch vor Sonnenaufgang über das Dorf hinweg. „A-uh! Kommt! Kommt und laßt uns bereden, was noch nicht besprochen worden ist! A-uh! A-uh!“

Immer und immer wieder.

Es klang aufreizend schrill.

Vor und in allen Hütten erhoben sich die Indianer von ihren Matten. Sie hatten es nicht eilig, denn ein Tag verlief wie der andere, und große Überraschungen kamen selten.

Vom Versammlungsplatz herüber leuchtete ein Feuer. Dort hockten einige Burschen und wärmten sich.

Kaiman war der Rufer. Er war der Vortänzer und Zeremonienmeister vom Totem der Fische. Er besaß eine gute Stimme, die aus einem weiten Brustkasten kam.

Der ganze Stamm sah es gern, wenn er den Vorsänger machte und die Tänze leitete. Keiner machte es so gut wie er.

Er trug einen Baststreifen um Stirn und Haar, rote Querstreifen im Gesicht und am Körper das Totemzeichen. Als Tätowierung standen drei dicke Narben übereinander auf seiner Brust.

Lautlos umschritt er das Feuer, während seine Rufe übers Dorf hinweghallten. Das Morgenrot stand über dem Walde.

Taowaki hatte sich ebenfalls erhoben und wollte mit einer Kalebasse zum Bach gehen, um zu baden und Wasser zu holen. Der Vater kam ihr vor der Hütte entgegen und sagte freundlich: „Bald wirst du dich schmükken dürfen."

„Zum Fest?" erriet sie freudig.

Langsam schritt der Häuptling zum Versammlungsplatz. Wahrscheinlich wollte er die Neuigkeit verkünden, aber Taowaki war viel schneller als er. Sie sprang geschwind zu Vahanitu, und im nächsten Augenblick wußten es Coniheru, Orchidee und die vielen anderen Mädchen.

Kopé brauchte nicht zu sterben. Hlé hatte einen großen Sieg errungen. Nun konnte sich das ganze Dorf freuen und über die verhaßten Ihos erst so recht triumphieren.

Es gibt indianische Feste, die einer langen Vorbereitung bedürfen, während andere unverzüglich stattfinden können. Ein Ruf genügt, um ein Fest beginnen zu lassen. Dagegen müssen bei anderen Festen oft erst Tanzmasken in wochenlanger Arbeit angefertigt werden.

Mehrere Männer begaben sich auf die Jagd, um

Fleisch zu beschaffen. Frauen und Mädchen durchstreiften den Wald nach Früchten. Taowaki, Vahanitu und die kleine Orchidee kletterten auf Palmen, um die schweren Fruchtständer herabzuholen. Sie teilten sich die Arbeit, denn es gehörten Kraft und Geschicklichkeit dazu.

Überall wurden die Vorbereitungen zum Fest getroffen. Denn alle wollten gut essen, trinken und tanzen. Alkohol war den Chavantes unbekannt, so wie die meisten brasilianischen Indianerstämme Rauschgetränke meiden.

Taowaki nahm eine Schale, schüttete Palmfrüchte hinein, goß Wasser darauf und fing an, mit den Händen die Früchte zu zerkneten. Schalen und Kerne entfernte sie dabei, so daß eine dicke, gut schmeckende Flüssigkeit zurückblieb. Mit Bienenhonig schmeckte sie noch besser, doch hatten sie im Augenblick keinen, und andere Süßigkeiten kannten die Chavantes nicht.

Auf diese Weise konnten sie verschiedenartige Getränke zubereiten. Sie benützten nicht nur Palmfrüchte dazu, sondern auch viele andere Früchte des großen Waldes. Die Indianer kennen sich in Sertão und Urwald genau aus. Sie sammeln alles Eßbare, benützen die Heilkräuter und verwenden das Gift, um Feinde und Tiere entweder zu lähmen oder zu töten. Nichts bleibt ihnen verborgen, weil sie von klein auf mit der Wildnis leben.

Vahanitu röstete Ameisenleiber. Drei kleinere Brüder rannten suchend umher, fingen geflügelte Ameisen und rissen ihnen den fingerkuppendicken Hinterleib ab. Der geflügelte Vorderteil lief eiligst davon, und es sah aus, als hätten sie versehentlich ihren Leib verloren. Schön ist das nicht, aber die Indianer kennen es nicht anders und lassen sich die gerösteten Leiber schmecken.

Inzwischen rief Kaiman zum Tanz der Kinder. Sie sollten zum Festplatz kommen, um sich zu schmücken. Da kamen sie aus allen Hütten, die ganz kleinen, die größeren und die Mütter, die ihre Kinder schmücken wollten. Sie hatten es nicht eilig, doch lag eine gewisse Unruhe über der Kinderschar. Vor allem wurden sie sorgfältig bemalt. Die Mütter kauten Kokoskerne, spien den Saft auf die Urucufarbe und mischten sie zu einem Brei, mit dem sie die Körper bemalten. Kleine Jungen wurden mit Harz eingerieben und mit kleinen Papageienfedern beklebt, daß sie wie Vögel aussahen. Die Mädchen durften dagegen nicht befiedert werden. Sie begnügten sich mit schwarz-roter Bemalung und banden mitunter einen gewebten Gurt um die Hüften, an dem Federn hingen.

Kaiman leitete nicht nur das Kinderfest, sondern sollte den ganzen Tag über eine Art Zeremonienmeister sein. Sein schwarzblaues Haar zierten blaue Federn. Um die Hüften trug er einen sehr alten, wunderbar verzierten Bastgürtel mit aus Samenkapseln geschnitzten Glöckchen. Wenn er lief oder tanzte, rasselten die Glöckchen. Dazu hielt er einen Stab in den Händen, an dem ein Büschel Federn hing und dessen Griff kunstvoll geflochten war.

„Beeilt euch!“ trieb er die Frauen und Kinder an, „damit wir noch tanzen können.“

Und als sie fertig waren, ging er mit ihnen vom Festplatz weg und zu den Hütten hinüber. Ungeduldig warteten die Kinder auf das Zeichen des Festanfanges. Kaiman nahm sich Zeit. Es mußte alles bedacht und richtig gehandhabt werden. Mehrere Burschen und Männer gesellten sich zu der fröhlichen Schar. Sie wußten, was geschehen sollte, denn sie hatten es wiederum von ihren

Eltern gelernt. Alles beruhte bei den einfachen Menschen auf Überlieferung.

Nun war es soweit. Kein Mensch befand sich auf dem Festplatz. Kaiman stieß einen schrillen Ruf aus. Alle schrien mit, und, von der wilden Kinderschar gefolgt, rannte er dem Festplatz zu. Die Burschen und Männer bildeten lachend den Schluß des dahinstürmenden Haufens, und sie achteten darauf, daß kein Kind zurückblieb. Wer nicht folgen konnte, wurde gepackt und mitgezerrt. Zuletzt kamen die Frauen und Mädchen mit den ganz kleinen Kindern, die noch kaum laufen konnten.

Johlend stürmte die Schar auf den Festplatz. Dort rannten sie zweimal im Kreis umher, bis Kaiman stehenblieb und die Älteren die Kinder in eine Reihe drängten. Sie faßten sie an den Händen und warteten auf den Beginn des Tanzes.

Kaiman trug würdevoll seinen Stab, schritt vor den Kindern auf und ab und schien sich zu sammeln. Seine Schritte wurden tänzelnd. Er hüpfte anmutig, lächelte dabei und hielt den Blick gesenkt. Plötzlich drehte er sich den Kindern zu, sah sie an und sang. Er tänzelte eine Zeitlang auf der Stelle. Die unter die Kinder gemischten Burschen und Männer taten es ihm nach, indem sie die Füße hoben, den Takt stampften und die Kinder mitrissen. Jetzt schritt Kaiman singend zurück, und der Haufen folgte ihm. Dann wechselten sie, er hüpfte nach vorn, und die Kinder wichen ihm aus. So ging es singend und tanzend hin und her. Alle sangen jetzt.

Inću, der alte Zeremoniemeister der Tapire und Vahanitus Vater, stand etwas abseits. Er achtete darauf, daß Kaiman als der Jüngere alles richtig machte. Er lächelte zufrieden und summte mit.

Aufmerksam folgten die Älteren Kaimans Tanz. An

ihnen lag es, die Kinder zu erziehen. Sie hielten sie fest an den Händen und zogen sie nach vorn und zurück, dabei laut singend und mit ihren Füßen den Boden stampfend.

Nun war es genug. Jetzt stellte sich Kaiman in die Mitte, während ihn die Kinder umtanzten.

Die ganz Kleinen waren abseits bei ihren Müttern geblieben. Dort übten sie Tanzschritte, obwohl sie sich noch kaum auf den Beinen halten konnten. Auch sie waren befedert und bemalt. Ein Dutzend Hunde tummelte sich bei ihnen, denn auch sie gehörten zum Fest.

Ein kleiner Junge kam mit seinem Stachelschwein. Es war noch ganz klein und dachte gar nicht daran, ihm davonzulaufen. Als er mittanzen wollte, geriet es zwischen die Beine der Kinder, und er mußte es auf den Arm nehmen. So hüpfte er mit seinem Stachelschwein hin und her und fand niemals den richtigen Takt.

Kaiman senkte nun seinen Stab und ging beiseite. Damit war das schöne Fest zu Ende. Alle gingen wieder ihren Hütten zu, um sich für das Fest der Erwachsenen vorzubereiten. Die Kinder aber liefen noch tagelang mit ihren Papageienfedern umher, weil Baumharz allen Waschungen widersteht. –

Erst mit sinkender Sonne rief Kaiman zum Fest der Erwachsenen. Er war vorher bei Pantherklaue gewesen und hatte mit ihm alles besprochen. Da war auch noch der greise Häuptling Tucre, der bei festlichen Anlässen gern befragt wurde und den selbst Pantherklaue nicht übersehen durfte. Sein Wort galt kaum noch etwas, doch wollten sie ihm als ihrem früheren Häuptling immer noch die Ehre erweisen. Tucre war ein ehrwürdiger, schweigsamer Greis. Er nickte zu allem und fand es gut.

„Ho! Ho! Hoho ho!“ tönte Kaimans laute Stimme

über das ganze Dorf hinweg. „Kommt zum Fest! Hoho! Ho! Kommt zum Fest und bringt uns zu essen und zu trinken! Hoho! Kommt! Kommt alle!“

Sein melodischer Ruf hielt lange an.

Vahanitu kam zu Taowaki. Noch ganz frisch war ihr Schlangenzeichen. Die Mutter hatte es ihr mit peinlicher Sorgfalt auf den Körper gemalt. Taowaki hatte wiederum das Totemzeichen der Tapire gewählt, mit der spitzen schwarzen Ecke unter der Brust.

Um die Bemalung nicht zu unterbrechen, ging Vahanitu vollkommen nackt, während Taowaki einen Federschurz anlegte. Um den Hals trug sie eine Kette aus Samenkapseln.

Pantherklaue trat vor die Hütte. Maikäfer, seine Frau, kniete vor ihm, um seine Beine rot einzureiben. Um den Hals und auf die Brust herabhängend trug er ein geflochtenes breites Band, im Haar die Federn des Arara. Rote Querstreifen, die über seine Brust liefen, ließen ihn noch breiter und kräftiger erscheinen.

„Wie hab' ich mich geplagt, um die Ameisen zu schmoren“, sagte Vahanitu zu Taowaki, „aber nichts ist übriggeblieben. Meine Brüder sind schlimmer als junge Hunde.“

„Es gibt genügend anderes zu essen“, lachte die Freundin. „Wir haben einen Hirsch und viele Fische. Ich habe einen großen Krug mit Fruchtsaft zubereitet.“

„Hast du Wasser geholt?“ fragte die Mutter, ohne von ihrer Malarbeit aufzusehen.

„Heute trinken wir keins“, erwiderte Taowaki. Sie huschte jedoch geschwind in die Hütte und kehrte mit zwei Kalebassen zurück, die aus hartschaligen Kürbisfrüchten hergestellt werden. Sie drückte eine davon Vahanitu in die Hand, und beide liefen schnell zum

Fluß, um Wasser zu schöpfen und noch einmal rasch unterzutauchen. Eilig liefen sie dann zum Dorf zurück.

Kaiman rief schon wieder zum Fest. Da hob Taowaki den schweren Tonkrug mit dem Fruchtsaft auf ihre linke Schulter und bat Vahanitu, die Trinkschalen nicht zu vergessen. So gingen sie zum Festplatz hinüber.

Glutrot stand die Sonne tief am Himmel. Bald kam die Nacht. Auf dem Festplatz war ein Scheiterhaufen aufgestellt, und zwar aus hartem Holz, das langanhaltend brannte. Als Sitzgelegenheit lagen Stämme umher, auch hatten andere ihre Matten mitgebracht.

Nun gab es wohl keinen Menschen mehr in den Hütten. Sogar Kopé lag nahebei auf einer Matte und hatte ein Bündel Palmblätter unter dem Kopf, um besser sehen zu können.

Frauen und Männer gruppierten sich zwanglos. Sie unterhielten sich und besprachen Dinge aus dem Alltag, die Jagd und ihre Sorgen: Da kränkelten einige Kinder, ein Alter wollte nicht mehr leben, und Kopé hatte großes Glück gehabt.

Pantherklaue kam als letzter zum Festplatz geschritten. Er ging sofort zu dem alten Tucre, bei dem auch Inću, Eisenholz und Kuhmilch standen. Sie setzten sich auf einen Stamm und warteten darauf, daß man ihnen Fleisch, Fisch und Getränke brachte. Dann aßen sie und waren fröhlich. Taowaki und Vahanitu sorgten dafür, daß sie immer zu trinken hatten. Natürlich aßen auch sie, und zwar Maniokafladen und saftiges Fleisch. Alle waren geschmückt und neu bemalt. Feststimmung lag über dem Platz.

„Das verdanken wir den Ihos“, lachte Pantherklaue.

„Denen wäre es lieber gewesen, uns im Feuer zu schmoren“, erwiderte Eisenholz.

„Dann dürfen sie nicht mit den Chavantes anfangen. Hlés Keulenhieb war nicht schlecht! Wenn ich sein Alter erreiche und noch so zuschlagen kann, will ich zufrieden sein."

Der Medizinmann warf dem Häuptling einen freundlichen Blick zu. „Du wirst älter werden und noch stärker sein", erwiderte er.

„Der erste tote Iho kam auf dich", versetzte Pantherklaue.

„Und den zweiten traf dein Pfeil mitten ins Herz."

„Gib einen Trunk, Taowaki! Ohne eure Warnung läge Jojo neben Kopé."

„Wir werden noch so lange essen, daß wir nicht mehr tanzen können", schmollte Vahanitu.

Der greise Tucre nickte freundlich und gab Kaiman ein Zeichen. Der junge Indianer erhob sich und stieß kurze, gellende Rufe aus. Es klang fast wie Hundegebell. Die Männer lachten und standen auf. Ein Jüngling trat in die Mitte. In den Händen hielt er einen mit einem kleinen hölzernen Menschenkopf versehenen Stab. Die Männer verließen den Festplatz, die Frauen und Mädchen rückten weit ab, so daß der Jüngling allein in der Mitte stand.

Kaiman versammelte unweit der Hütten die Männer. Er sang, tanzte mit kurzen Schritten und führte sie an. Sie duckten sich, schlichen im Tanzschritt hinterdrein und strebten dem Festplatz zu. Wie eine Mauer rückten sie heran, immer geduckt und in den Händen Bogen und Pfeile. Aufreizend ertönte Kaimans Gesang. Die anderen antworteten im tiefen Chor.

Inću stand abseits, als gehe ihn die ganze Sache nichts an. Plötzlich legte er die Hände an den Mund und übergellte den Gesang mit: „Hoho! Ho! Ho! Hohoho! Ho!"

Stimmlich paßte es genau zu dem Chorgesang. Er übertönte alle, als sei sein Ruf der Beginn eines großen Kampfes.

Die Männer hatten den Jüngling erreicht, bedrohten ihn mit ihren Pfeilen, wichen zurück und umschritten ihn. Ihre Füße stampften so hart den Boden, daß es dröhnte. Das war ihr Kriegstanz, ihr Sieg über die Ihos. Frauen und Kinder sahen ihm zu, und es war ihnen, als würde hier tatsächlich gekämpft.

Taowaki kauerte neben der Freundin, ohne einen Blick von den Männern zu lassen. Ihr hübsches Gesicht war gespannt, ihre Augen lauernd zusammengekniffen. Sie hatte nach der Stammessitte ihre Augenbrauen und Wimpern ausgezupft, aber ihr schwarzes Haar umrahmte schön das Gesicht.

Dem ersten folgte ein zweiter Kriegstanz. Die Männer stellten sich in zwei Gruppen einander gegenüber. Sie bedrohten sich mit ihren Pfeilen und sangen herausfordernd. Die eine Gruppe sprang auf die andere zu, und diese wich zurück, um schließlich ebenfalls anzugreifen und den Feind zurückzuschlagen. So ging es singend und stampfend hin und her, bis die eine Gruppe die Waffen senkte und rückwärts auseinanderging.

Nun sollten aber auch die Frauen und Mädchen dabei sein. Kaiman schwang eine Rassel, hüpfte tanzend auf und ab und wartete auf das Einordnen der Frauen. Sie standen in langer Reihe. Kaiman sang. Er sang eine seltsam schöne Melodie, die von dem mehrstimmigen Singsang der Frauen und Mädchen untermalt wurde.

Inzwischen war die Nacht heraufgekommen, das Feuer brannte, und vom Urwald herüber erklang das abendliche Konzert der Tiere. Gespenstisch huschte der Feuerschein über die braunen tanzenden Leiber.

Immer wilder wurde Kaimans Tanz, immer aufreizender der Chor der Frauen. Sie standen in langer Reihe, bewegten ihre Oberkörper und ihre Arme dazu.

Kaiman entfernte sich von ihnen, drehte sich um und tanzte auf sie zu. Burschen und Männer folgten ihm, aber sobald er sich ihnen zukehrte, flohen sie tanzend zurück.

Jetzt sangen alle. Sie übertönten die Stimmen der Tiere, sie übertönten alles und waren selber eine unheimlich auf und ab schwellende Masse. Außer ihnen schien überhaupt nichts mehr zu existieren.

Nur einige Alte hockten abseits und schauten zu.

Ganz plötzlich brach Kaiman ab. Er gewährte den anderen eine Pause, ohne jedoch selber auszuruhen. Unaufhörlich tanzte er hin und her, dabei die Rassel schwingend.

Inću führte die anderen an. Er ordnete sie zu einem Kreis und fing an, Kaiman zu umtanzen. Der tat, als gäbe es nur ihn und keinen anderen Menschen. Inću sang mit guter, lauter Stimme. Und als sie alle mitsangen, änderte er plötzlich die Tonart, um wild aufzuschreien und wie ein Hund zu bellen. Es paßte jedoch alles zu diesem Gesang, und Inću mußte aufpassen, um im Takt zu bleiben.

Hingerissen und voller Glut tanzten Taowaki, Vahanitu und die anderen Mädchen. Sie kannten die Bedeutung sämtlicher Tänze, denn Inću war ihnen ein guter Lehrmeister gewesen. Sie vergaßen ihre Umwelt, die Nacht, das Feuer und die auftretende Kühle. Sie hätten die ganze Nacht durchgetanzt.

Kaiman hielt es lange Zeit aus, doch mußte auch er einmal ruhen. Dann wurde er entweder von Inću abgelöst, oder alle hörten auf, um zu essen und zu trinken.

Kein Kind schlief in dieser Nacht. Sie tanzten zwar nicht mit den Alten, doch bildeten sie kleine Gruppen, faßten sich an den Händen und versuchten, es den Eltern nachzumachen. Die ganz Kleinen wurden mitgeschleift.

Wie ein Schiff schwamm der Mond durch den hohen Himmelsraum; ganz sacht verrann mit ihm die Zeit.

Als Freundin des Jaguars

Eines Tages ging Taowaki mit ihren Eltern aus, um Manioka zu holen. Wenn ein Indianerstamm keine Maniokawurzeln hat, geht es ihm schlecht. Die Manioka kann wild wachsen oder angepflanzt werden. Es gibt davon eine giftige und eine ungiftige Art. Die Indianer wissen sie zu unterscheiden und verwenden beide. Die giftige muß lediglich anders zubereitet werden, und wenn man sie zerrieben und ausgelaugt hat, ist von ihrer ursprünglich enthaltenen Blausäure nichts mehr zu merken.

Wie die Indianer zu dieser Wurzel gekommen sind, berichtet eine alte Sage: Der Häuptling eines großen Stammes besaß eine Tochter, die viel Gutes getan hatte. Mani heißt Tochter, und Oka war ihr Name. Als das Mädchen frühzeitig starb, wuchs auf ihrem Grab ein großer Strauch mit eßbaren Wurzeln, den die Indianer zur Erinnerung an sie Manioka nannten. Heute ist die Manioka allen Indianern zugute gekommen, und es gibt kaum einen, der sie nicht kennt.

Der Häuptling Pantherklaue ging voraus. Er trug Bogen, Pfeile und Buschmesser. Sein Blick suchte fortwährend die nähere Umgebung ab, um jeder Gefahr rechtzeitig zu begegnen. Ihm entging nichts. Er las aus den Spuren der Tiere und wußte genau, wo sie um diese Zeit steckten.

Maikäfer, die Mutter, folgte ihm und versuchte zuweilen, ein Gespräch anzufangen. Sie trug am Stirnband ein geflochtenes Körbchen auf dem Rücken.

Taowaki schwenkte ihr Körbchen in den Händen, schleuderte es im Kreis und summte dabei ein Lied. Sie achtete nicht auf den Pfad und dachte an Vahanitu, die bald heiraten wollte. Ihre Eltern hatten für sie einen freundlichen Burschen ausgesucht, den auch Vahanitu gut leiden konnte. Nun stand der Hochzeit der beiden nichts mehr im Wege, und sie würden eines Tages eine eigene Hütte beziehen. Dann war Vahanitus Jugend zu Ende.

Das änderte jedoch nichts in ihrem Verhältnis zu Taowaki. Sie konnten sich gegenseitig besuchen und miteinander baden, bis auch Taowaki einen Mann gefunden hatte und das Los der Älteren teilte. Viel änderte sich sowieso nicht in ihrem Leben, nur daß es dann bald einige Mäuler mehr zu stopfen galt.

„Au!“ rief sie plötzlich und blieb stehen. Sie war in einen Dorn getreten und hüpfte auf einem Bein. Die Eltern sahen sich um und gingen weiter. Solange es nichts Schlimmeres ist, weiß sich eine Indianerin allein zu helfen.

Taowaki setzte sich und untersuchte den Fuß. Der Dorn saß tief. Sie suchte am nächsten Mimosenstrauch einen größeren und wollte damit den kleineren aus der Haut ziehen.

Pantherklaue schritt mit Maikäfer den schmalen Pfad entlang. Es ging durch einen lichten Wald, in dem es viel dichteres Buschwerk gab, niedriges Gestrüpp mit Mimosen und anderem üppigem Grün. Die rosaroten Blüten der Mimosen sehen hauchfein aus.

Taowaki freute sich immer über das Leben der Mimosen. Sie berührte die Zweige und sah, wie sie zusammenzuckten und die schmalen Blätter sich einrollten. Es sah aus, als besäßen sie ein Gefühl.

Ein Pfefferfresserpärchen schrie auf einem Baum. Von den Eltern war nichts mehr zu sehen. Sie nahm ihr Körbchen auf, sah flüchtig einer davonhuschenden großen, grünen Echse nach und wollte soeben rasch dem Pfade folgen, als sie ein warnendes Raunzen vernahm. Sie kannte diese Stimme viel zu gut, um nicht augenblicklich darauf zu reagieren. Wie erstarrt blieb sie stehen.

Um das Mimosengebüsch herum kugelte ein ganz kleiner Jaguar. Als er das Mädchen sah, zeigte er fauchend seine Zähnchen; gleichzeitig entdeckte er eine große Spinne, die ihn mehr zu interessieren schien.

Zu Tode erschrocken stand Taowaki ihm gegenüber. Sie fürchtete nicht den Kleinen, sondern die Alte, die keine acht Schritte entfernt hinter dem Mimosenstrauch stand und sie längst gesehen hatte. Ihr Raunzen wiederholte sich in unmißverständlicher Weise.

Einem wütenden Jaguar auszuweichen, ist ein hoffnungsloses Beginnen. Er ist auf den Bäumen genauso gewandt wie auf der Erde.

Langsam, mit tiefhängendem Kopf und böse funkelnden Augen kam die Alte um das Mimosengebüsch herum. Sie ließ ihren Blick weder von dem Jungen noch von Taowaki, auch ihr Knurren schien beiden zu gelten. Plötzlich wendete sie den Kopf und zeigte ihre Zähne. Es war aber nur wie ein unwilliges Gähnen.

Sie ist nicht böse, dachte Taowaki, ohne sich zu rühren. Wahrscheinlich ist sie satt und zufrieden. Wenn ich sie nicht ansehe, wird sie vorbeigehen.

Sie zwang sich zur Ruhe und ärgerte sich über ihr Herz, das wie wild gegen die Rippen schlug.

Der kleine Jaguar trollte davon. Was bedeutete ihm ein Mensch, mit dem er ja doch nichts anfangen konnte? Die Spinnen und Eidechsen waren ihm lieber. Denen konnte er nachspringen, und wenn er sie bekam, dann gab es ein lustiges Spielen.

Die Alte war stehengeblieben. Sie stand sechs Schritt vor Taowaki. Ihr kräftiger Schweif peitschte die Flanken. Da sie sich zwischen ihrem Jungen und dem Menschen befand, wußte sie nicht mehr, nach welcher Seite sie blicken sollte. Eine Kleinigkeit genügte, um sie in todbringender Wut herumfahren zu lassen.

Taowaki hütete sich, ihr dazu einen Anlaß zu bieten.

Sie versuchte ruhig und freundlich auszusehen, als könnte das ihr helfen.

Mit langsamen Schritten entfernte sich die Alte. Sie ging geduckt nach Katzenart.

Mehrmals knurrend erreichte sie ein Gebüsch, hinter dem sie mit ihrem Jungen verschwand.

Taowaki schloß für einen Augenblick die Augen und holte tief Luft. Das war wieder einmal gutgegangen. Nichts fürchtete der Indianer mehr als den Jaguar. Mit Pfeil und Bogen allein ist er ihm unterlegen, er kann ihn nur mit List und Tücke erlegen. Da er mit dem erbeuteten Raubtier nicht viel anzufangen weiß und der Hirsch ihm viel lieber ist, geht er ihm möglichst aus dem Wege.

Noch blieb Taowaki stehen, um vor der Alten ganz sicher zu sein. Sie sah, daß ihr Körbchen am Boden lag, und hob es auf. Plötzlich ertönte aus der Ferne Panther-

klaues Ruf. „A-uh!“ rief sie zurück und setzte sich in Trab.

Sie flog den Pfad entlang, als sei tatsächlich der Jaguar hinter ihr her, doch war ihr so leicht und froh ums Herz, daß sie lachen und jubeln konnte.

„Ein Jaguar?“ staunten die Eltern.

Unbewußt nahm Pantherklaue einen Pfeil in die rechte Hand, als wollte er ihn auf den Bogen legen.

„Er war genau sechs Schritte entfernt“, erklärte Taowaki mit strahlenden Augen. „So groß war das Kleine. Wir standen uns lange gegenüber. Er hat mich nur angesehen und freundlich geknurrt.“

Kopfschüttelnd hörten ihr die Eltern zu. „Dann bist du eine Freundin des Jaguars“, meinte Pantherklaue. „Du wirst von jetzt an sein Zeichen tragen.“

Die Mutter hatte ein Stück Urucufarbe bei sich. Sie kaute einen Kern, spuckte den Saft auf die Farbe, mischte sie und malte die Flecken des Jaguars auf Taowakis Brust, Arme und Schultern.

Das war nur flüchtig gemacht, wie es die Jäger des Stammes nach erfolgreicher Jagd zu tun pflegten.

Stolz blickte Taowaki auf die neue Bemalung. Eigentlich hatte sie das Totemzeichen nur benützt, weil ihr nichts Besseres eingefallen war. Vahanitu liebte das Schlangenzeichen, Coniheru bevorzugte die Schildkröte, die kleine Orchidee hatte zwar niemals einen Jaguar gesehen, malte sich aber sein Zeichen auf den Leib, andere Mädchen liebten Fische oder anderes Getier. Taowaki hatte jetzt das stolzeste Zeichen verdient, das einem Indianer zustand.

Sie schüttelte ihr Haar zurück, folgte dem davonschreitenden Häuptling und sang:

„Der Jaguar ging durch den großen Wald.
Da traf er die Riesenschlange.
Die sagte: Hier kommst du nicht vorbei!
Er biß sie tot, ging weiter und sang dieses Lied."

Pantherklaue sang etwas tiefer und leise mit. Maikäfer versuchte es auch, doch war sie niemals eine gute Sängerin gewesen.

Als sie zu einer Lichtung kamen, wo die Manioka zu großen Büschen wuchs, ließ der Indianer, immer noch singend, sein Buschmesser sausen, daß die Maniokastengel nach beiden Seiten fielen. Taowaki zog an den stehengebliebenen Strünken die Wurzeln heraus und warf sie der Mutter hin, die sie abklopfte und in die Körbchen legte.

Auf dem Heimweg kletterten Pantherklaue und Taowaki auf Bäume und schüttelten sie, daß die Früchte in großen Mengen zur Erde fielen. Sie aßen nach Herzenslust und lasen die übrigen in die Körbe hinein. Ganz nahe floß ein Bach. Dort badeten sie, denn der Tag war heiß, und sie tranken das klare Wasser in langen, durstigen Zügen.

Wiederum schritt Pantherklaue voraus. Er trug nichts als seine Waffen, um sie augenblicklich benützen zu können. Maikäfer und Taowaki trugen die schweren Körbe, doch machte es ihnen nichts aus, denn sie waren Lasten gewöhnt. Leichtfüßig, mit der Anmut der Indianer, schritten sie den schmalen Pfad entlang dem Dorfe zu.

Schon wieder die Weißen

„Was sehe ich?“ rief Vahanitu erstaunt, als sie die Freundin erblickte. „Wer mit dem frischen Jaguarzeichen aus dem Walde kommt, ist ihm begegnet!“

„Es waren sogar zwei“, erwiderte Taowaki lachend, indem sie den Korb abstellte. „Der eine paßte in meinen Korb hinein, dem anderen paßte ich in den Rachen.“

„Und du kamst wieder heraus?“ staunte Vahanitu.

„Aus dem Wald schon, aber aus seinem Maul wäre ich nie gekommen. So groß war er! Und so nahe stand ich bei ihm! Mit einem Sprung hätte er mich haben können.“

„Und warum wollte er dich nicht?“

„Ich roch ihm zu sehr nach Urucu!“ lachte Taowaki.

Nun erzählte sie alles genau und freute sich, eine große Tat vollbracht zu haben. War es vielleicht nichts, einem Jaguar gegenüberzustehen und die Ruhe zu behalten? Eine einzige Bewegung hatte genügt, um ihn zum Sprung zu verleiten. Vor längerer Zeit kehrte ein Jäger des Stammes nicht mehr heim. Man fand ihn im Walde, zerrissen von einem Jaguar.

„Komm!“ rief Vahanitu und faßte Taowaki an der Hand. „Wenn wir gebadet haben, male ich dir ganz sorgfältig das Zeichen auf den Leib. Ob wir wohl ein Fest veranstalten können? Ich werde deinen Vater darum bitten.“

Bald danach zeigte sich Taowaki im prachtvoll aufgemalten Zeichen des Jaguars. Über ihre Augen hinweg liefen lange senkrechte Striche.

„Oho! Pfeilfeder kommt zurück!“ rief plötzlich Taowaki. „Er war mit Jojo als Späher hinter den Ihos her. Sein Schritt läßt auf Neuigkeiten schließen.“

Der noch junge Indianer kam mit Pfeil und Bogen über die Lichtung gelaufen. Er wischte sich den Schweiß von der Stirn, als hätte er längere Zeit nicht mehr gebadet. Seine Bemalung war verwischt. Erst als er die Häuptlingshütte erreichte, verlangsamte er den Schritt.

Taowaki und Vahanitu huschten hinter ihm her in die Hütte.

„Du hast es eilig gehabt", bemerkte lächelnd der Häuptling.

Pfeilfeder ließ sich nieder.

„Man läuft, so rasch man kann", antwortete er.

„Vielleicht haben wir noch etwas Fisch im Topf?" fragte Pantherklaue, indem er sich an die Frauen wandte.

Maikäfer angelte einen Fisch heraus und legte einen Maniokafladen dazu. Das bot sie Pfeilfeder an, der hungrig zulangte. Noch während er aß, erzählte er:

„Die Ihos sind feige Hunde. Um uns auszuweichen, zogen sie den Fluß hinauf. Wir verfolgten sie etliche Tage. Zwei blieben zurück und mußten es mit dem Leben bezahlen."

Pantherklaue schnitzte lächelnd an einem Stock herum. Pfeilfeder sah sich nach Wasser um, das ihm Taowaki reichte. Dann fuhr er fort:

„Die Weißen scheinen nicht weit gekommen zu sein. Wir achteten weniger auf den Fluß als auf die Ihos. Da vernahmen wir lautes Gebell. Wir kennen es von früheren Kämpfen mit Caboclos. So spucken die Weißen mit Feuer und Eisen um sich. Als wir dazukamen, wichen die Ihos zurück. Die Waffen der Weißen tragen weit."

„Habt ihr mitgemacht?" fragte der Häuptling.

„Auf welcher Seite denn?" wunderte sich der junge Indianer.

Pantherklaue warf ihm einen kurzen Blick zu.

„Am Kampf beteiligten sich alle drei, doch scheint der eine Weiße krank zu sein. Getroffen wurde er nicht. Sie ließen von den Ihos ab und trieben noch ein gutes Stück den Fluß hinab, bevor sie an Land gegangen sind."

„Jojo beobachtet sie?"

„Er liegt ihnen gegenüber am Ufer."

„Wo ist es?"

„Wo kürzlich der große Baum in den Fluß gestürzt ist, gegenüber der kleinen Insel."

Taowaki kniff unbemerkt Vahanitu in den Arm, erhob sich und ging ins Freie. Anscheinend gelangweilt, bummelten sie an den Hütten vorbei.

„Warum kannst du nicht warten?" fragte Vahanitu. „Ich hätte gern gewußt, was unsere Leute unternehmen werden."

„Das erfährst du nie und nimmer in unserer Hütte", meinte Taowaki. „Paß auf, bald kommt mein Vater heraus und geht zu Eisenholz, auf dessen Rat er großen Wert legt. Wir wollen mal sehen, wo Eisenholz steckt."

Eisenholz lag im Schatten eines Baumes, rauchte seine kurze Pfeife und dachte wohl über etwas nach. Es war um die Mittagszeit, wo sowieso nichts unternommen wird. Er war ein einsamer Mann und wohnte ganz allein in seiner Hütte.

Als die beiden Mädchen an die Hütte kamen, sahen sie eine Schale Früchte stehen. Taowaki hob sie auf, ging zu Eisenholz und fragte freundlich: „Soll ich sie dir zubereiten? Zubereitet schmecken sie besser."

„Ich bin überzeugt davon", erwiderte Eisenholz, indem er den glimmenden Tabak aus seiner Pfeife blies.

Nun hatten sie einen Grund, sich in seiner Nähe aufzuhalten. Tatsächlich kam nach einiger Zeit der Häuptling und setzte sich zu ihm auf die Matte. Er achtete gar nicht auf die Mädchen, die ganz vertieft in ihre Arbeit waren. Sie zerkneteten die kleinen Früchte, ohne einmal aufzusehen.

Pantherklaue erzählte die Neuigkeit und wartete auf den Bescheid des älteren Freundes.

„Somit ist ja alles in Ordnung", versetzte plötzlich Eisenholz. „Die Ihos ziehen sich noch weiter zurück, und die Weißen kehren um. Wir werden wieder lange Zeit allein sein."

„Auch ich bin dafür, nichts zu unternehmen", meinte der Häuptling. „Vielleicht denkt man aber auch anders und wird die Weißen belauern."

„Das wäre nicht gut für uns. Solange die Weißen jenseits des Flusses bleiben, gehen sie uns nichts an. Die Chavantes halten ihr Wort."

„Alle?"

„Ich gehe zum Fluß hinüber, Pantherklaue. Weit oben werde ich die weißen Männer mit einem stumpfen Pfeil begrüßen. Wenn sie nicht auf den Kopf gefallen sind, werden sie das verstehen und als Warnung betrachten."

„Das ist gut, Eisenholz. Ich bleibe hier und sehe keinen Grund, die Männer zusammenzuholen. Die Weißen gehen uns nichts an."

Taowaki und Vahanitu brachten in zwei Schalen ihre Getränke.

„Wie haben wir das gemacht?" frohlockte Taowaki, indem sie mit der Freundin durchs Lager ging. „Jetzt beobachten wir Eisenholz. Sobald er den Platz verläßt, folgen wir ihm und laufen ihm wie zufällig in den Weg. Er schickt uns nicht zurück."

„Haha", kicherte Vahanitu. „Mein Vater weiß von

nichts. Ich sage ihm, daß wir ein Stück mit Eisenholz gehen werden. Er wird es deinen Eltern sagen, damit sie sich nicht ängstigen."

Nun lagen sie wieder auf der Lauer und beobachteten Eisenholz, der spät am Nachmittag zum Wald ging. Er war bewaffnet, als ginge er auf die Jagd. Sie folgten ihm in kurzem Abstand, aber immerhin so, daß er sie nicht bemerken konnte. Nach geraumer Zeit war er jedoch verschwunden, als wäre er im dichtesten Gestrüpp untergetaucht.

Die Mädchen blieben stehen und sahen sich um. Der große Wald um sie schwieg.

„Wohin ist er?" flüsterte Vahanitu.

Da trat er hinter ihnen aus einem Busch und sagte gemütlich: „Ich habe meine Verfolger lieber vor mir."

„Schickst du uns zurück?" fragte Taowaki rasch gefaßt.

„Dann hätte ich euch wieder hinter mir", erklärte er lachend. „Es ist schon besser, wenn wir beisammenbleiben. Es ist fraglich, Taowaki, ob andere Jaguare dein Zeichen achten."

„Ich fürchte nicht mehr den Jaguar", trotzte sie.

„Dann bist du keine Indianerin. Wir fürchten ihn alle."

„Auch du, Eisenholz?"

„Warum nicht? Gerade weil ich welche erlegt habe, fürchte ich sie. Sie verstecken sich wie Indianer und sind schnell wie ein Pfeil. Wenn sie vom Baum herab durch die Luft geflogen kommen, ist es mit dem eigenen Leben bald vorbei."

„Warum gab ihnen Tupon ein so furchtbares Gebiß?" fragte Vahanitu.

„Uns gab er den Verstand."

„Aber die Weißen wissen noch mehr als wir“, bemerkte Taowaki, „denn sie bauen die großen Vögel.“

„Sie lernten es mit der Zeit. Auch wir werden noch viel lernen.“

„Werden wir auch solche Vögel bauen?“ wunderte sich Vahanitu.

„Eines Tages werdet ihr euch hinsetzen und über nichts mehr staunen“, erwiderte Eisenholz, indem er den Mädchen voraus durch den Wald schritt. „Es gibt Indianer, die mit den Weißen befreundet sind. Sie tragen ihre Waffen und fliegen mit ihren Vögeln.“

„Sind sie weiß geworden?“ entfuhr es Vahanitu.

„Beinah. Es kommt eine neue Zeit von dem großen Wasser herüber.“

„Ich fliege nicht mit dem großen Vogel und will lieber eine Indianerin bleiben“, sagte Vahanitu zu Taowaki.

Eisenholz schritt rasch aus. Er blieb auf einem alten Pfad der Chavantes. Wer ihn nicht kannte, verlor ihn nach kurzer Zeit aus den Augen und stand vor einem so dichten Unterholz, daß ihm kaum noch das Buschmesser helfen konnte. Die Indianer aber sind behender als die Tiere. Sie finden überall einen Durchschlupf und brauchen nur hier und dort ein wenig nachzuhelfen, um einen Pfad zu schaffen. Im dichtesten Gewirr findet sich eine Lücke, die groß genug ist, einen Indianer durchschlüpfen zu lassen.

„Einmal erzähltest du von dem kleinen Mädchen Diacui“, brach Taowaki das entstandene Schweigen. „Vielleicht ist sie eine Weiße geworden und sitzt in einem Vogel.“

„Sie ist keine Weiße und keine Indianerin, und das ist schlimm“, versetzte Eisenholz.

„Das verstehe ich nicht.“

Da er keine Antwort gab, dachte Taowaki lange darüber nach. Sie gab es schließlich auf und achtete auf den Pfad, denn es ging durch Dickicht und über gefallene Baumstämme hinweg. Dabei stachelte das Gehölz, und die Zecken waren wieder einmal ganz schlimm. Überall liefen sie über die Haut und versuchten sich einzubohren.

Der Urwald schwieg nicht mehr. Die Tiere erhoben ihre Stimmen und kündigten die nahende Nacht an.

Ganz plötzlich erreichten sie den Fluß. An dieser Stelle rann er breit und ruhig dahin. Er kam vom Sonnenuntergang und trug einen roten Schein auf seinen Fluten. Zwei Kormorane standen auf einem aus dem Wasser ragenden Ast.

„Wartet hier!“ sprach Eisenholz. „Vielleicht fällt mir etwas Eßbares zu.“

Während er abermals im Urwald untertauchte, gingen die Mädchen ins Wasser, um zu baden. Es war an dieser Stelle flach, so daß sie vor Piranhas und Krokodilen sicher waren. Selbst die Stachelrochen mieden die seichten, schnell strömenden Stellen.

Mit einbrechender Dunkelheit kam Eisenholz zurück. Er brachte ein Wildschweinferkel mit, das groß genug war, einige Mahlzeiten herzugeben. Während er es zubereitete, nahm Taowaki seinen Feuerstein, schlug Funken und blies den Zunder an. Bald züngelten die ersten Flämmchen auf. Vahanitu sammelte trockenes Holz, das überall am Ufer zu finden war. Sie nahm aber auch Grünzeug mit, um Rauch zu erzeugen und die lästigen Mücken zu vertreiben.

Taowaki grub in den Sand eine Mulde, legte sich hinein und buddelte sich zu. Auf diese Weise hatte sie es schön warm und entging ebenfalls den Moskitos. So lag sie und sah verträumt durch die Nacht den Leuchtkäfern zu. Es war eine stille, dunkle Nacht. Eisenholz unterhielt das Feuer, weil es über die Sandbank hinweg viele verdächtige Krokodilspuren gab. –

Wer auf großer Reise ist, pflegt in diesem Land früh aufzubrechen, denn der Tag ist glutheiß. Somit ließ es sich leicht ausrechnen, wann das Kanu der Weißen vorbeigleiten mußte. Eisenholz löschte noch in der Dunkelheit das Feuer. Er begab sich in den Wald und überließ es den Mädchen, ihm zu folgen oder zu bleiben.

Sie blieben, denn sie hatten nichts vor und wollten die Weißen nur sehen. Wozu sollten sie sich verstecken? Die Männer würden vorbeikommen und ihnen zuwinken, und sie wollten so tun, als wären sie zufällig im Wasser.

„Und wenn sie herüberkommen?“ fragte Vahanitu.

„Sie wissen, daß sie das Land nicht betreten dürfen.“

Taowaki sah einem großen blauschimmernden Schmetterling zu, der von den Büschen herüber über die Sandbank gaukelte und wieder nach drüben verschwand.

Plötzlich krachte es im Gehölz. Die Mädchen sahen sich fragend an, und im Nu waren sie drüben im Gebüsch. Es war nicht gut, sich auf einer Sandbank überraschen zu lassen.

Was konnte es sein? Indianer und Panther schleichen lautlos. Ungeschickt benehmen sich dagegen Tapire, Wasser- und Wildschweine. Ein Rudel Wildschweine konnte jedoch sehr gefährlich werden. Die Biester kommen in großen Mengen und greifen alles an, was sich ihnen in den Weg stellt. Selbst der Jaguar flieht vor ihnen.

Ganz nahe prasselte es im Dickicht. Ein dunkler Körper ward sichtbar, und gleich darauf trottete ein mächtiger Tapir zum Wasser hinab. Er ging in den Fluß und durchschwamm ihn, um am jenseitigen Ufer wieder im Gebüsch zu verschwinden.

„Ei, das Kanu!“ rief Vahanitu und zeigte in die Ferne.

Sie sprangen über die Sandbank ins Wasser und taten so, als badeten sie seit langem schon. Langsam näherte sich das Boot der fremden Männer. Plötzlich hielten sie an und fischten etwas aus dem Wasser.

„Der Pfeil!“ rief Taowaki leise.

Das Kanu kam heran. Vorn paddelte ein Mann, der zweite im Heck, während der dritte in der Mitte auf dem Gepäck lag. Taowaki erkannte in dem hinteren den indianisch sprechenden Führer. Sie hatten die Mädchen entdeckt und hielten auf sie zu.

„Sollen wir lieber an Land gehen?“ fragte Vahanitu.

„Hast du Angst? Sie tun uns nichts“, erwiderte Taowaki.

Als das Boot ganz nahe war, stieß es auf Grund. Der liegende Mann hatte sich aufgerichtet. Der hintere lachte freundlich und grüßte indianisch. Er hielt den Pfeil in seinen Händen und warf ihn den Mädchen zu.

„Gebt ihn zurück!“ sprach er freundlich. „Wir danken für die Warnung. Was vereinbart wurde, gilt. Aber wir kommen wieder und bringen Geschenke mit. Wie heißt du?“ wendete er sich an Taowaki.

Sie nannte leise ihren Namen. Als sie einen Blick zum Wald hinüberwarf, entdeckte sie hinter einem Gebüsch Eisenholz, der seinen Bogen halbgespannt in den Händen hielt. Wahrscheinlich traute er den Weißen nicht.

„Dürft ihr ein Geschenk annehmen?“ fragte der weiße Häuptling.

„Warum nicht?“ entfuhr es Taowaki.

Da kramten sie in dem Gepäck herum und wühlten

lange. Sie gaben ihnen zwei kleine Messer, zwei Scheren und ein Stück gerollten Tabak. Der sei für die Warnung, sagten sie und lachten.

Taowaki wußte mit der Schere nichts anzufangen, weil sie so etwas nicht kannte. Der weiße Mann nahm sie ihr wieder aus der Hand und schnitt einige seiner langen Barthaare ab. Alles könne man damit schneiden, meinte er. Dann gab er ihr die Schere zurück.

Sie standen neben dem Kanu und waren gar nicht bange, denn Feinde lachen nicht, auch geben sie keine Geschenke.

„Ist dieser Mann krank?“ fragte plötzlich Taowaki.

„Er hat Fieber“, erwiderte der weiße Häuptling. „Wir müssen zurück und kommen wieder.“

„Wartet!“ sprach sie und ging rasch an Land. Sie sprang den Hang hinauf zu Eisenholz, der immer noch abwartend den Bogen in den Händen hielt. „Darf ich ihm die Fieberwurzel geben?“ fragte sie und zeigte ihm die Geschenke. Er nickte nur. Da lief sie geschwind in den Wald hinein und grub an einer Stelle Wurzeln aus, die sie den Weißen brachte. „Wenn ihr sie trocknet, zerreibt und mit Wasser einnehmt, wird das Fieber weggehen“, sagte sie.

Der Mann im Heck warf ihr einen prüfenden Blick zu und nickte. Nun waren sie quitt, und keiner hatte dem anderen zu danken.

Sie stakten das Boot ein Stück zurück. Taowaki und Vahanitu halfen nach, und bald danach glitt das Kanu mit der Strömung weiter. Die Mädchen begleiteten es ein Stück und folgten ihm dann mit den Blicken. Da sah Taowaki, wie der weiße Häuptling plötzlich die Arme hochwarf und nach vorn zusammensank.

Ein Pfeil ragte aus seinem Rücken.

Mit einem leisen Schrei fuhr Taowaki zusammen. Sie glitt ins tiefe Wasser, kraulte in wahnwitziger Geschwindigkeit stromab und schien vergessen zu haben, daß der Fluß von Krokodilen und Piranhas wimmelte. In rasender Wut glitt sie der Stelle zu, wo der feige Mord geschehen war.

Ono-onoh

Mit spöttischem Gesicht sah Ono-onoh, ein blutjunger Indianer, dem entschwindenden Kanu der Weißen nach, von denen eben einer unter seinem Pfeil zusammengesunken war. Er hielt seinen Bogen noch halb erhoben in der linken Hand. Ganz frei stand er auf der Uferwand, als fürchte er nichts in der Welt und am wenigsten die seltsamen Fremden. Obwohl Ono-onoh kaum der Kindheit entwachsen war, galt er als einer der besten Jäger des Stammes. Spielend ging er mit Pfeil und Bogen um, doch gebrauchte er auch den Wurfspeer mit tödlicher Sicherheit. Einmal hatte er es fertiggebracht, einen winzigen Blumenküsser während des sirrenden Fluges vor einer Blüte abzuschießen. An zwei Überfällen der Chavantes hatte er bereits teilgenommen und jedesmal einen Gegner tödlich getroffen. Es war, als würden seine Pfeile von einer unsichtbaren Hand immer ins Ziel gelenkt.

Er haßte die Weißen ebenso wie die Ihos und andere fremde Indianer. Was nicht zum Stamm gehörte, betrachtete er als Feind. Viele junge Indianer dachten wie er, denn es fehlte ihnen die Erfahrung im Umgang mit anderen Menschen, wie sie Eisenholz besaß. Wer zuerst schoß, war immer im Vorteil. Ono-onoh liebte den offenen Kampf, weil er noch keine schlimmen Zwischenfälle erlebt hatte. Er schickte seine Pfeile mit unerhörter Schnelligkeit von der Sehne und brauchte nicht erst lange zu zielen. Eigentlich schoß er immer. Man sah ihn selten ohne Pfeil und Bogen, und im Dorf zeigte er den Jüngeren, wie einer mit den Waffen umzugehen hat und wie man mit dem Pfeil spielen kann.

Es war ein gefährliches Spiel. Die Knaben legten einen Stein oder irgendein Hindernis vor sich auf den Boden, zielten darauf, und der Pfeil prallte davon ab und flog im hohen Bogen seinem Ziele zu.

Ono-onoh war ein Indianer. Um sich im Schießen üben zu können, war ihm jedes Lebewesen recht. Er schoß die Vögel dutzendweise und ließ sie liegen. Wenn nichts da war, spannte er den Bogen mit aller Kraft und jagte den Pfeil kerzengerade nach oben, bis er in der Helligkeit verschwand und ganz nahe von ihm wieder zu Boden fiel. Das machten ihm nur die besten Männer des Stammes nach.

Um zu zeigen, daß er schon in den Kreis der Männer aufgenommen sei, hatte Ono-onoh spitzgefeilte Zähne und Tätowierungen auf der Brust. Sein Gesicht war immer teuflisch bemalt. Sein muskulöser Körper roch stark nach Urucu.

Das Kanu der Weißen hatte er nun aus den Augen verloren. Da sah er, wie Taowaki dem Fluß entstieg und den Steilhang mit wenigen Sprüngen nahm. Er kam gar nicht dazu, sich über ihr plötzliches Erscheinen zu wundern, denn Taowaki sprang ihn mit der Behendigkeit eines Jaguars an, verbiß sich in seiner Schulter und krallte ihm die Finger ins Gesicht, daß das Blut unter ihren Nägeln hervorschoß. Mit einer jähen Bewegung schleuderte er sie ins Gebüsch. Dort lag sie wie ein Raubtier, zusammengeduckt und mit haßerfüllten Blicken, zum Sprung bereit und dennoch ohnmächtig vor Wut über den weitaus stärkeren Gegner. „Du Iho!“ fauchte sie ihn an.

Er kam auf sie zu, als wollte er sie umbringen, denn mit einem Iho verglichen zu werden, war der größte Schimpf.

„Du bist ein feiger Iho!“ wiederholte sie zornig. „Du hast unser Versprechen gebrochen, du heimtückischer Hund. Wäre ich jetzt ein Mann, würde ich dir den Schädel einschlagen.“

„Die Piranhas werden sich freuen, einen solchen Lekkerbissen zu bekommen“, erwiderte er und näherte sich ihr geduckt und zum Sprung bereit.

Sie fühlte einen Stein unter ihrer rechten Hand. Vor Wut und Angst zitternd, lag sie halb aufgerichtet in dem stachligen Gebüsch. Blut sickerte an ihren Armen herab.

Ono-onoh war jetzt imstande, die Häuptlingstochter umzubringen. Er fragte nicht nach den Folgen, sondern sah nur sie. Mit seinem blutigen Gesicht und der Wunde in der Schulter sah er grauenhaft aus. Im nächsten Augenblick mußte etwas Furchtbares geschehen.

Sie rührte sich nicht, aber alle Muskeln hatte sie angespannt. Jetzt trug sie nicht nur das Zeichen des Jaguars, sondern war selber ein sprungbereiter Panther, der nichts verloren gab. Ihre Faust schnellte hoch und traf den Burschen mitten ins Gesicht. Wahrscheinlich hatte der Stein sein Nasenbein zertrümmert. Wortlos taumelte er zurück. Taowaki war augenblicklich verschwunden.

„Es haben sich Dinge ereignet, die wir nicht gutheißen können“, sprach Pantherklaue zu den Männern der Chavantes. Inću hatte sie zusammengerufen. „Ono-onoh hat gegen unseren Willen gehandelt. Ich wüßte nicht, was ihn entschuldigen könnte.“ Die Indianer schwiegen. Ono-onoh war nicht dabei.

„Ono-onoh hat einen Weißen getötet, dem wir Frieden zugesichert haben. Außerdem hat er im Dorf selber gesagt, daß er Taowaki umbringen wolle. Das sind Vorfälle, wie sie noch niemals zur Besprechung gekommen sind.“

„Weshalb tötete er den Weißen?“ fragte ein Mann.

„Er weiß es selber nicht. Von einem Angriff kann keine Rede sein. Sie steuerten weit drüben an ihm vorbei.“

„Wir pflegten die Caboclos und Weißen anzugreifen, ohne nach einer Erlaubnis zu fragen“, mischte sich der Medizinmann Hlé ins Gespräch. „An deine Ausnahmen, Pantherklaue, wird sich der Stamm erst gewöhnen müssen.“

„Er gewöhnt sich aber nicht an die Übergriffe unerfahrener Burschen!“ antwortete der Häuptling mit erhobener Stimme.

„Wer weiß, ob der Fremde tot ist?“ fragte ein Indianer aus der Runde.

Mehrere lachten, und Jojo sagte ganz richtig: „Wäre es nicht Ono-onoh gewesen, könnte man darüber sprechen.“

„Die erste Strafe folgte schnell“, meinte Eisenholz lächelnd. „Für einen jungen Indianer ist es eine Schande, von einem Mädchen so zugerichtet zu werden.“

„Du nimmst mir das Wort aus dem Mund“, bemerkte der Häuptling kopfnickend. „Zwei Mädchen badeten und bekamen von den Weißen Geschenke. Ono-onoh hat das nicht gesehen. Als er den Pfeil abgeschossen hatte, hat ihm Taowaki einige Kratzer beigebracht. Den Stein schlug sie ihm jedoch aus Notwehr ins Gesicht."

„Soll es bei dieser Bestrafung etwa bleiben?" wunderte sich Inću.

„Ono-onoh wird zeitlebens Narben tragen, an die er sich nicht gern erinnert", fuhr der Häuptling fort. „Wenn er verspricht, Taowaki nichts nachzutragen, und ihre Handlung als gerecht empfindet, sollten wir nicht mehr darüber sprechen."

Eisenholz sah die Männer der Reihe nach an. Einige nickten, andere taten gleichgültig; nur Hlé kniff seinen Mund zusammen, als hätte er gern etwas gesagt, was anders lautete.

„Vielleicht weiß Tucre einen besseren Rat", sagte Pantherklaue nach geraumer Zeit. Der greise Häuptling schüttelte den Kopf.

„Damit ist jedoch noch nicht gesagt, daß die Weißen damit einverstanden sind", bemerkte Eisenholz. „Ich denke an frühere Kämpfe, nach denen sie wiedergekommen sind, um sich zu rächen. Viel Blut ist geflossen. Es wäre gut, nach einiger Zeit den Fluß zu beobachten. Vorläufig treiben sie flußab und dem großen Strom zu. Viele Tage wird das dauern. Bevor der Mond wieder voll am Himmel steht, können sie uns überraschen und uns Schaden zufügen. Denkt an ihren Vogel!"

„Wir haben vor, noch einige Zeit hierzubleiben", versetzte der Häuptling. „Unsere Wachsamkeit muß genügen. Ono-onoh soll kommen."

Damit war die Sache aus der Welt geschafft. Jeder Hund beißt einmal und ist hinterher wieder gut. Warum sollte das bei den Indianern anders sein? Die Jugend vergißt rasch, und die Alten nahmen einen Jugendstreich nicht so wichtig. Ono-onoh aber mußte zeitlebens einige scheußliche Narben tragen. Wer ihn eines Tages ärgern wollte, brauchte nur auffallend auf sie zu sehen und ein klein wenig zu lächeln.

Ono-onoh war jedoch nicht der Mann, diese Anspielung als Scherz hinzunehmen.

Ein Indianer zeigt nicht gern, was er denkt. Er beherrscht seine Gefühle. Deswegen sah es aus, als sei zwischen Taowaki und dem Burschen nichts vorgefallen. Sie sahen sich, sprachen auch miteinander und zeigten sich auffallend unbefangen. In einem so kleinen Dorf kann keiner mit dem anderen verfeindet sein. Sie vergraben ihren Groll, aber sie vergessen ihn nie. Ono-onoh würde sich eines Tages rächen, das wußte der ganze Stamm der Chavantes.

Kam tatsächlich eine neue Zeit?

„Uuh! A-uh! Hohoho!“ heulte es schreckerregend durch das Dorf, das wie ausgestorben dalag, kein Mensch ließ sich sehen. Die Kinder verkrochen sich in die Winkel, die Frauen riefen die Hunde zurück, und die Männer waren überhaupt nicht daheim. Was war geschehen? Vom Festplatz herüber tobte ein seltsames Wesen aus Binsen und Bananenblättern, ein gurgelndes Ungetüm mit tollen Sprüngen, ein Gespenst. Es kam von Zeit zu Zeit aus dem Wald und versetzte den ganzen Stamm in Schrecken. Wer ihm begegnete, wurde geschlagen, denn das Gespenst warf Knüttel um sich und hatte es auf jedes Lebewesen abgesehen.

Sobald die ersten Laute vom Urwald herüber hörbar wurden, flohen die Frauen mit ihren Kindern in die Hütten, während die Männer zur anderen Waldseite liefen. Keiner wollte dem Gespenst begegnen. Es kam immer in der Dämmerung, tanzte und sprang also von der Helligkeit des Tages in die dunkle Nacht hinein.

Daß es zwei richtige Beine hatte, wußten alle. Es waren kräftige Männerbeine. Ganz Kluge behaupteten, ein Chavantes stecke unter der Maske, um den Frauen Angst einzujagen. Keiner konnte es beweisen. Man wußte ziemlich genau, wann es zu kommen pflegte, und hatte ihm Fleisch, Fische und andere Nahrungsmittel in den Wald gestellt, damit es sich beruhige und bald wieder zurückziehe.

Jetzt tobte es also wieder einmal von Hütte zu Hütte, warf Knüppel auf die Palmdächer und gebärdete sich wie toll. Kinder wimmerten, Hunde versuchten zu knurren, aber schließlich fürchteten auch sie sich vor dem Unhold, der von Zeit zu Zeit zu kommen pflegte und dessen Knüppelhiebe sie ihr Leben lang nicht vergaßen.

Vom Urwald herüber erklang das Gebrüll einiger Affen. Es war ein fürchterlicher Spektakel, der das Geheul des Spuks noch unterstrich. Warum zogen sich die Männer zurück, statt als Schutz bei den Familien zu bleiben?

„Das werden wir bald heraushaben“, kicherte Taowaki.

„Aber Angst habe ich“, gestand Vahanitu.

Sie sahen beide genauso aus wie das Gespenst. Beide trugen tolle Masken aus Bananenblättern und Binsen, nur daß sie eben Mädchenbeine hatten und keine so kräftigen Männerbeine wie das Gespenst. In der einbrechenden Dunkelheit fiel das nicht auf. Aber wie würden sie im Dorf gucken, wenn plötzlich drei Gespenster herumtobten! Und was würde das richtige Gespenst dazu sagen? Würde es über sie herfallen und sie umbringen?

„Unsinn, es ist einer der Unsrigen“, zerstreute Taowaki die Bedenken der Freundin.

„Wir Frauen wissen es nicht.“

„Um so besser wissen es die Männer. Ich sage dir, es ist Jojo! Die Stimme kommt mir sehr bekannt vor. Bist du fertig?“

„Bis auf die Angst, ja.“

„Dann los!“

Sie kamen lautlos vom Wald herübergerannt und hielten sich im Schutz der Hütten auf. Plötzlich brachen sie hervor, heulten wie das Gespenst, tanzten und sprangen wie verrückt und warfen mit allem um sich, was sie erwischen konnten. Frauen kreischten auf, Kinder heulten, und Hunde winselten.

Am meisten überrascht war wohl das eigentliche Gespenst. Es rührte sich nicht vom Fleck, als sei es zu Tode erschrocken. Unbekümmert tobten Taowaki und Vahanitu weiter, versetzten dem Gespenst einen derben Stoß und guckten in die Hütten, um noch größeren Schrecken zu verbreiten. Plötzlich kam auch in das erste Gespenst wieder Leben. Es sprang mit den anderen um die Wette und tollte wie noch nie. Wahrscheinlich bangten jetzt sämtliche Frauen und Kinder um ihr Leben.

Das erste Gespenst stieß wie im Scherz mit einem Knüppel nach den anderen beiden, und die wiederum gaben es doppelt zurück. Sie umtanzten einander, heulten sich an und strebten dem anderen Waldrand zu.

„Hu! Hoho! Ho! A-uh!“

Vor lauter Geheul verstummten die Brüllaffen. Wahrscheinlich flohen sie tiefer in den Wald hinein.

Mit Schrecken sahen Taowaki und Vahanitu, daß alle

Männer der Chavantes ihnen entgegenkamen und sie gefangennahmen. Da verging ihnen das Geheul, und sie vergaßen das Springen.

Jojo schälte sich aus der Maske des ersten Gespenstes. Die Mädchen wollten sich losreißen und fliehen, aber gegen die derben Männerhände kamen sie nicht an. Die Vermummung wurde ihnen abgerissen, ihre Köpfe kamen zuerst aus den Bananenblättern hervor, und in ihren Augen stand die Angst geschrieben.

Jojo brüllte so vor Lachen, daß alle mitlachen mußten. Sie schälten die Mädchen aus ihren Hüllen heraus und hielten sie fest, damit sie nicht entkamen. Dann mußten sie sich auf eine Matte setzen und in einen Fleischtopf langen. Die anderen machten es genauso. Sie saßen da und aßen und tranken, als hätte es niemals ein Gespenst gegeben.

„Wenn ihr uns und euch mit einem Wort den Frauen verratet, werfen wir euch den Krokodilen vor", sagte Jojo, mit vollem Munde kauend.

„Gleich?" fragte Taowaki und kaute lustig mit.

„Das kommt auf euch an. Seit wann ist es Sitte, daß Frauen uns nachgehen?"

„Wir hatten Hunger", log Taowaki.

Keiner verübelte den Mädchen diesen lustigen Streich. Es steckte ja nichts Besonderes hinter diesem Fest, das den Männern vorbehalten war. In Wirklichkeit glaubte kein Mensch an das Gespenst. Natürlich fürchteten sich alle Frauen und Kinder vor ihm, weil sie, wenn sie die Hütten verließen, womöglich Prügel bekamen, und wenn gar noch drei zu gleicher Zeit auftraten, konnte es nur noch schlimmer werden.

Taowaki und Vahanitu wollten jedoch nicht stören. Sie aßen wenig und standen auf, um ins Dorf zurückzu-

gehen. Gerade als sie gehen wollten, blickte Taowaki entsetzt in den dunklen Wald hinein und rief: „Dort!“ Alle sprangen auf und folgten ihrem Blick.

Da stand ein Weißer.

Er trug einen großen Strohhut, einen Sack auf dem Rücken und ein Gewehr in der Hand. Mit freundlichem Lächeln kam er den Chavantes entgegen.

Vollkommen überrascht standen die Indianer dem verhaßten Weißen gegenüber. Sie waren waffenlos und besaßen weiter nichts als ihre Fäuste. Die Chavantes schätzten jedoch den Mut ihres Feindes und dachten gar nicht daran, ihn mit den Händen zu erwürgen. Dieser fremde Mann hatte es fertiggebracht, einen ganzen Stamm in Verlegenheit zu bringen.

Immer noch lächelnd trat er in ihre Mitte, reichte mehreren Älteren die Hand und fing an indianisch zu

sprechen. Es klang zwar etwas fremd, doch verstanden sie ihn.

„Ich freue mich, daß euch mein Besuch angenehm ist“, sagte er mit unbekümmerter Ruhe. „Habt ihr von dem Händler José gehört? Der bin ich. Ich will morgen weiter den Fluß hinauf und oben Handel treiben. Das habe ich euch mitgebracht, damit ich eine Nacht an eurem Feuer liegen, ausruhen und essen kann.“

Er drückte Inću den Sack in die Hand und nahm wohl an, daß dies der Häuptling wäre.

„Wenn der Jaguar ein Dorf überfällt, hat er mit einigen Wunden zu rechnen“, ergriff Pantherklaue das Wort.

„Ja, der Jaguar!“ lachte der Händler José. „Ich hörte sein Raunzen. Er scheint es auf euch abgesehen zu haben.“

Der Häuptling setzte sich und gebot dem Händler mit einer Handbewegung, sich neben ihm niederzulassen. Die meisten Indianer setzten sich, und einer schürte das Feuer.

„Es ist das erste Mal, daß ein Händler zu uns kommt“, bemerkte Pantherklaue.

„Weil jeder die Chavantes fürchtet“, versetzte der Händler ernst.

„Du fürchtest sie nicht?“

„Wäre ich sonst hier? Im Sack ist Tabak, wenn ihr rauchen wollt.“

Er selbst zog eine Pfeife hervor, stopfte sie und brannte sie an.

„Die Chavantes haben oft genug bewiesen, wie ihre Pfeile treffen“, fuhr er unbekümmert fort. „Sie haben Mut. Das ist immer ein gutes Zeichen. Offen gestanden, zog es mich nicht zu euch. Mich schickt vielmehr der

Präfekt. Wißt ihr, wer das ist? Ein Mann, der sich einbildet, das Land zu verwalten. Er ist kein schlechter Mensch und läßt schön grüßen. Bei uns Weißen hat er viel zu sagen."

José machte eine Pause, um die Meinung der Indianer zu hören. Da sie schwiegen, fuhr er gelassen fort:

„Ich wohne weiter drunten am Fluß. In meiner Nähe wohnen Männer vom Indianerschutzdienst, dem SPI. Die wollen, daß euch das Land bleibt und daß sich kein Fremder in eurem Bereich ansiedelt. Die SPI-Leute sind anständige Kerle."

„Wir haben davon gehört, doch brauchen wir sie nicht", meinte Pantherklaue.

„Ihr wahrt eure Rechte selbst", lachte José. „Das weiß ich. Tatsache ist, daß der Präfekt kürzlich zu uns gekommen ist. Er brachte eine junge Indianerin mit, ein Mädchen vom Stamme der Chavantes. Sie ist als Kind zu den Weißen gekommen und dort groß geworden."

Der Händler schwieg und drückte den Tabak seiner Pfeife fest. Die Indianer sahen sich betroffen an. Pantherklaue wechselte einen Blick mit dem greisen Tucre.

„Das Mädchen heißt Diacui", sprach der Weiße. Er sah unverwandt in das lodernde Feuer.

Taowaki stieß Vahanitu in die Seite.

„Diacui will zurück zu ihrem Stamm. Nun bin ich hier, um euch das zu sagen."

Immer noch schwiegen die Indianer. Nach geraumer Zeit sagte der Häuptling: „Du wirst hungrig sein. Jojo wird für dich sorgen. Du kannst bei uns bleiben, solange du willst."

„Komm!" flüsterte Taowaki der Freundin zu. Sie verschwanden in der Dunkelheit und liefen zu den Hütten hinüber, um den seltsamen Besuch anzumelden. Neugierig kamen die Frauen und Kinder vor ihre Hütten. Sie schürten die Feuer und beobachteten den Weißen, obwohl es aussah, als sähen sie ihn kaum.

„Wie groß ist Diacui?“ fragte Taowaki, als der Händler José vor ihrer Hütte am Feuer saß. Die Mädchen kauerten ihm gegenüber, um ihn besser zu sehen. Der Mann sah freundlich aus, hatte keinen Bart wie die drei Fremden im Boot und war auch fast so braun wie ein Indianer.

„Sie ähnelt euch“, erwiderte er und meinte damit das Alter.

„Ist sie weiß?“

„Nein, sie ist doch eine Indianerin.“

„Wann kommt sie zu uns?“ wollte Vahanitu wissen.

„Der Häuptling hat darüber zu bestimmen. Sie wohnt jetzt im SPI-Posten und hat es dort sehr gut.“

„Warum bleibt sie nicht bei den Weißen?“ fragte Jojo.

„Ich glaube nicht, daß Diacui bei euch bleiben wird“, erwiderte der Händler. „Sie möchte ihre Eltern sehen und ihre Geschwister. Diacui ist in einer Stadt aufgewachsen und hat dort die Schule besucht.“

„Was ist das?“ fragte Taowaki.

„Dort hat sie viel gelernt. Alle Kinder der Weißen und Caboclos gehen zur Schule.“

Das verstanden die Mädchen nicht. Was gab es denn zu lernen? Sie konnten alles, ohne in eine Schule zu gehen.

„Was weiß sie von ihren Eltern?“ fragte Vahanitu.

Jojo warf ihr einen warnenden Blick zu, denn Diacuis Eltern und Geschwister waren längst tot. Wenn sie kam, traf sie nicht einen Verwandten an, und das war zweifellos das Schlimmste für einen Indianer. Der Indianer ist stolz auf seine Verwandtschaft, und es ist ein Schimpf, ihm keine zuzutrauen.

„Sie weiß nur, daß sie außer den Eltern noch zwei Brüder hat", erklärte José. „Sie wurde sehr jung geraubt und weggebracht. Der Mann, der das tat, ist schon lange tot."

Vom Waldrand herüber kamen Pantherklaue, Eisenholz und Inću.

Sie setzten sich mit ans Feuer und schwiegen eine Zeitlang. Inću stellte den Sack neben den Händler. Sie hatten ihn nicht geöffnet.

Nach einiger Zeit sprach Pantherklaue:

„Wenn Diacui zu uns kommen will, steht ihr nichts im Wege. Sie ist ein Chavantes-Indianerin und hat das Recht, ihren Stamm zu besuchen, da sie gegen ihren Willen geraubt wurde. Aber sage ihr, daß ihre Verwandten gestorben sind!"

„Alle?" wunderte sich der Weiße.

Pantherklaue nickte. „Trotzdem kann sie kommen und auch bleiben, wenn es ihr Wunsch ist."

„Sie wird kommen. Ob sie bleibt, kann ich nicht wissen. Die Mädchen werden ihr ein wenig zur Seite stehen müssen."

Der Händler nickte lächelnd den beiden Freundinnen zu. Und als alle wieder schwiegen, sagte er schließlich:

„Es wird Zeit, Häuptling, daß wir uns etwas näherkommen. Glaubt mir, die Weißen sind nicht schlecht! Es gibt jetzt sehr strenge Gesetze, die jedem Weißen verbieten, sich in eurer Nähe anzusiedeln oder euch Böses anzutun. Der Indianerschutzdienst setzt sich tatkräftig für euch ein, um eure Rechte zu wahren. Es wäre gut, mit ihm freundschaftlich zu verkehren. Je besser ihr mit ihm steht, desto mehr läßt man euch in Ruhe. Auf der anderen Seite findet ihr jederzeit bei ihm Schutz und Hilfe."

„Wir brauchen sie nicht", erwiderte Pantherklaue.

„Wann war es, als die Chavantes in großen Scharen starben? Euer Medizinmann war machtlos dagegen. Damals hätten euch die Weißen helfen können, denn sie kannten diese Krankheit und hatten ein Mittel dagegen."

Finster blickte der Häuptling in die Glut, aber Eisenholz nickte vor sich hin.

„Ich gebe euch einen guten Rat", fuhr der Händler fort. „Lebt wie bisher und verweigert den Weißen jeden Zutritt zu eurem Lager! Besucht den SPI-Posten und sprecht euch mit ihm aus! Das würde sicher für beide Teile von großem Nutzen sein."

„Und wenn wir es nicht tun?" fragte Inću.

„Dann bleibt es so, wie es immer gewesen ist. Caboclos und Weiße werden euch belästigen, ihr werdet sie erschlagen, und sie werden wiederkommen, um sich zu rächen. Das gibt ein ewiges Blutvergießen. Und wenn die Indianer wieder einmal in großen Mengen sterben müssen, hilft ihnen kein Mensch."

„Erst kürzlich starb ein Weißer durch einen Pfeil der Chavantes", sprach der Häuptling, indem er dem Händler einen lauernden Blick zuwarf.

„Das ist nicht abzustreiten. In Zukunft könnte es anders sein."

„Wir müssen damit rechnen, daß diese Weißen zurückkommen, um uns anzugreifen. Die Chavantes werden wachsam sein."

„Sie kommen zurück, doch werden sie sich nicht rächen", erklärte José. „Ich will am längsten der Händler José gewesen sein, wenn ich lüge."

Ringsum brannten die Feuer nieder. Vahanitu ging heim. Taowaki lag mit ihrem Äffchen auf der Matte. Da begaben sich auch die Männer in die Hütte.

Es war eine ruhige Nacht. Nur zwei Indianer blieben wach. Sie hockten auf dem Festplatz am Feuer und wachten, denn keiner traute dem Weißen.

Spiel in der Arbeit

Wie es schien, sollte es bei den Chavantes wieder ruhig werden. Der Händler José hatte den Stamm verlassen, der Fluß lag einsam und still zwischen den Urwaldwänden, während weit und breit kein feindlicher Indianerstamm zu sehen war. Die Tage waren gleichbleibend heiß, es gab weder Gewitter noch Regen, denn es war ja Trockenzeit.

Die Chavantes brauchten wenig Hausrat, weil sie oft den Wohnplatz wechselten und mitunter weite Strecken zurücklegten. Wenn sie das Verlangen packte, wanderten sie tage- und wochenlang nach Süden, bis sie den Fluß Araguaia erreichten, um eine Zeitlang dort zu bleiben. Wo es sich gut leben ließ, pflegten sie zu wohnen. Ihre Unterkünfte waren rasch erbaut, denn sie brauchten nicht viel mehr als ein Palmdach.

Trotzdem besaßen die Chavantes eine eigene Kultur, und sie lebten nicht so primitiv wie die Ihos und andere Stämme. Es gab ja auch nicht nur diesen einen Chavantesstamm, sondern mehrere, die am Rio dos Mortes beheimatet waren und nicht mehr wanderten.

Die Natur gab den Chavantes alles, was sie brauchten.

Hartschalige Früchte wurden als Gefäße benützt. Da man sie jedoch nicht auf das Feuer stellen konnte, brannten sie seit sehr langer Zeit irdene Töpfe und Krüge. Darüber hinaus formten sie den Ton zu anderen Gegenständen, wie beispielsweise zu lustigen Figuren. Damit alles schön aussah, bemalten sie ihre Arbeit mit roter und schwarzer Farbe.

Diese Töpferarbeit fand während der Trockenzeit statt. Ein jeder beschäftigte sich mit ihr, so gut er es eben konnte. In erster Linie ging es um zweckmäßige Gegenstände und nicht um Spielerei.

Die Mädchen dagegen spielten lieber. Vahanitu hatte am Fluß einen großen Klumpen Ton ausgegraben und zur Hütte gebracht. Dort saß sie mit Taowaki, Coniheru, Orchidee und der Roten Blüte. Sie kneteten den Ton zu allerlei lustigen Figuren. Die kleine Orchidee fertigte einen Jaguar nach dem anderen an, doch wußte keiner, ob das nun wirklich ein Jaguar oder ein anderes Tier war. Taowaki versuchte es mit arbeitenden Frauen, und Coniheru hatte Schildkröten gewählt, die sich sehr leicht herstellen ließen.

Abseits schwelte ein Feuer. Dort wurden die Figuren gebrannt. Das Brennen mußte sehr sorgfältig geschehen, um dem Ton die nötige Haltbarkeit zu geben. Bei den Figuren kam es nicht so darauf an, aber die Gefäße mußten um so sorgfältiger bearbeitet werden.

Vahanitu formte ein großes Gefäß. Es sollte ein Wasserbehälter werden. Ihre nassen Hände glätteten den Ton, schufen geschickt die Höhlung und drehten sich immer wieder mit leichtem Druck. Es kam darauf an, die Wandung gleichmäßig dünn zu halten. Den unteren Teil hatte sie bereits am Vortag hergestellt, so daß er schon eine gewisse Festigkeit besaß und den nach innen gewölbten Oberteil tragen konnte. Sie war froh, als sie damit fertig war und das Gefäß zum Trocknen an einen geschützten Platz stellen konnte. Dann wusch sie die Hände, rührte Farbe an und nahm einen bereits gebrannten Krug, um ihn zu bemalen.

Mit ruhiger Hand trug sie zuerst das schwarze Zickzackmuster auf, das dem Schlangenzeichen sehr ähnlich war. Den ganzen unteren Teil machte sie rot.

„Ob Diacui das auch machen wird?" fragte Coniheru.

„Warum nicht?" wunderte sich Taowaki. „Die Weißen brauchen Gefäße genauso wie wir."

„Kann sie auch so gut malen wie Vahanitu?" wollte die kleine Orchidee wissen.

„Die Weißen bringen alles fertig, und Diacui hat es sicher bei ihnen gelernt."

„Dann ist sie also doch eine Indianerin geblieben", stellte Vahanitu zufrieden fest. „Ich freue mich auf Diacui, denn wir wissen von den Weißen nicht viel, und sie wird uns alles erzählen können. Wer hat gesagt, daß sie kleine Kinder äßen?"

„Das ist Unsinn", behauptete Taowaki. „Dann wäre Diacui längst aufgegessen worden. Die Weißen sind keine Ihos."

„Du mußt es ja wissen, denn du kennst sie ganz genau", spottete Coniheru.

„Warum bist du nicht mitgegangen?" lachte Taowaki.

„Wir wußten von nichts."

„Und wir haben es mühsam ausspioniert."

Die Mädchen sagten sich ihre Meinung, doch waren sie sich niemals böse. Bei den Indianern wird nichts nachgetragen. Der Stamm muß sich einig sein, um ungeschwächt und stark zu bleiben. Selbst des Medizinmannes Ränkespiel war nicht von Dauer. Einzelne konnten bösartige Wortgefechte führen, es konnte sogar zu Tätlichkeiten kommen, aber hinterher hatten sie alle wieder freundlich und verträglich zu sein. So verlangte es die Stammessitte.

„Wenn Diacui kommt, wird es ein großes Fest geben“, meinte Taowaki. „Es soll an nichts fehlen, damit sie von uns einen guten Eindruck bekommt. Ob sie wohl unsere Tänze kennt?“

„Und unsere Lieder?“

Es war ein großes Rätselraten um Diacui. Die Jüngeren kannten sie noch nicht, und die Älteren hatten sie nur als kleines Kind in Erinnerung. Damals war sie mit einer Tanzrassel umhergetrippelt und hatte versucht, es den Großen nachzutun. Und dann waren die weißen Männer gekommen und hatten sie gestohlen. Nein, den Weißen war nicht zu trauen. Ob Weiße oder Caboclos, sie waren alle gleich. Sie sprachen versöhnliche Worte und dachten dabei an Verrat. So war es immer gewesen. Die Chavantes aber handelten nach ihren Worten. Sollte es auf einmal anders sein? Nun warteten sie auf Diacui, die von den Weißen kam und es wissen mußte.

Der rasselnde Tod

Weitab vom Dorf der Chavantes, wo der Fluß schmäler wurde und mit kräftiger Strömung durch die Steilufer schoß, gab es wilde Bananen. Das Wasser hatte für die Anpflanzung gesorgt. Nun verdrängten die großen Bananenbüsche alles andere und duldeten nur noch die hohen Stechpalmen mit ihren kleineren Kronen. Uralte

Bananenstauden trugen kleine Fruchtständer mit unscheinbaren Früchten, aber die jüngeren ließen bedeutend schwerere zu Boden hängen.

Dorthin kamen von Zeit zu Zeit die Chavantes, um ihren Bedarf zu decken. Sie benützten zu diesem Zweck einen langen Einbaum, mit dem sie den Fluß hinabtrieben. Die Bananen auf dem Rücken heimzutragen, wäre gar zu beschwerlich gewesen. Das war jedesmal ein Ausflug von etlichen Tagen.

Im Grunde genommen betrachteten ihn die Indianer als ein Fest. Mehrere taten sich zusammen; es waren immer wieder andere, weil jeder einmal dabei sein wollte. Die eingesammelten Früchte wurden schließlich an alle verteilt.

Diesmal fuhren Jojo, Taowaki, Inću, Vahanitu und die kleine Orchidee. Sie holten ihren Einbaum aus dem Versteck und paddelten in einen erfrischenden, sonnenlosen Morgen hinein. Die Tiere lärmten im Urwald, dann und wann schnellten Fische aus dem Wasser.

Vorn im Einbaum kauerte Jojo, hinter ihm saßen Orchidee, Vahanitu und Taowaki, und hinten paddelte Inću. Sie trieben nur ein wenig schneller als die Strömung, sie hatten ja Zeit. Aufmerksam betrachteten sie den Urwald zu beiden Seiten, weil einem Indianer nichts entgehen darf. Er will die Tiere sehen, auch wenn er sie nicht jagt, und er muß auf Menschen achten, die ihn hier und dort beobachten könnten. Die Wildnis ist tückisch, denn sie verbirgt die Gefahr.

Kein Laut verriet das vorbeigleitende Boot. Ein Wasserschwein war vor Schreck wie gelähmt. Jojo konnte es nicht erlegen. Wasserschweine dürfen nur von kinderlosen Indianern geschossen werden, weil andernfalls die Kinder anfangen zu schreien oder sogar daran sterben können. Dabei gelten die Eckzähne der Wasserschweine als ein beliebtes Zahlungsmittel und stehen ihrer Seltenheit wegen hoch im Kurs.

Die Indianer übersahen das Wasserschwein. Als dagegen zwei bunte Araras den Fluß überflogen, wollte Jojo zum Bogen greifen, doch waren sie ihm zu hoch.

„Arara!“ rief Taowaki, und genauso klang es von oben herab. Die Mädchen lachten und wiederholten den Ruf, so daß es lustig hinauf und herunter schallte.

Weit entfernt stand am Wasser ein Hirsch. Er hatte den Einbaum längst erblickt. Da er ihm nicht traute, trollte er dem nächsten Dickicht zu. Wildschweine stoben quiekend aus dem Fluß und den Hang hinauf.

Inću hielt das Kanu in Ufernähe, um die Tiere besser überraschen zu können. Er glaubte nicht an feindliche Indianer, da die nächstliegenden weiter drin im Urwald umherzustreifen pflegten. Hier und noch viel weiter hinab herrschten die Chavantes.

Die Sonne brach durch das Gewölk, vertrieb die morgendliche Kühle und brannte bald danach in alltäglicher Glut. Nun waren auch keine Tiere mehr zu sehen, nur an einer ruhigen Stelle, im Schutze einer Bucht, glitt ein großes Krokodil zu Wasser.

Jojo war plötzlich aufmerksam geworden. Er kniete ganz vorn im Boot, hob Pfeil und Bogen und gab ein Zeichen nach hinten, damit Inću aufhörte zu paddeln. Dann besann er sich anders, legte den Bogen weg und ergriff den Speer. Im nächsten Augenblick stieß er zu!

Ein großer Pirarucu schnellte aus dem Wasser, tauchte weg und versuchte zu entkommen. Er war beinahe so groß wie ein erwachsener Mensch und ist überhaupt der größte Fisch dieser Gewässer. Von einem Speer durchbohrt und von zwei Pfeilen getroffen, taumelte er schließlich empor und drehte sich im Kreis. Jojo bekam den Speer zu fassen. Er ließ ihn nicht wieder los und kämpfte mit dem Riesen. Inću steuerte einer Sandbank zu. Dort liefen sie auf und töteten den Fisch. Mit vereinten Kräften zogen sie ihn an Land, wo sie ihn aufbrachen und weidgerecht zerlegten.

Taowaki und Vahanitu suchten mehrere Stangen, stellten ein Gerüst auf und hängten die langen Fleischstreifen in die Sonne, damit diese bis zur Rückkehr des Kanus trocknen konnten. Getrockneter Pirarucu gilt als Delikatesse, und wo der Fisch im Wasser von Indianern gesichtet wird, ist er so gut wie verloren.

Das Kanu trieb weiter, und es trieb bis in die Nacht hinein. Da hatten sie den Bananenhain erreicht und lagerten unterhalb auf einer Sandbank. Der Fluß hatte um diese Jahreszeit seinen tiefsten Stand erreicht, und Sandbänke waren jetzt keine Seltenheit. Sie wurden von den Indianern gern aufgesucht, weil sie größere Sicherheit boten. Außerdem wärmte der Sand in kühlen Nächten.

„Müssen wir mit den Bananen bis morgen warten?“ fragte Vahanitu.

Inću kratzte sich in den Haaren, als wüßte er es selber nicht. Die Bananen lockten, aber die nächtlichen Gefahren waren groß. Es konnten Jaguare, Schlangen oder gar andere Indianer in der Nähe sein. Wo sie den Urwald nicht ganz genau kennen, sind die Indianer überaus vorsichtig.

„Ich rate zu bleiben“, erwiderte Jojo. „Morgen könnt ihr euch die Bäuche vollschlagen, und bis dahin werdet ihr schlafen!“ Er selber blieb wach, um ein kleines Feuer zu unterhalten.

Noch bevor die Sonne am nächsten Morgen über den Urwald lugte, befanden sich die Indianer unter den Bananenstauden. Sie freuten sich über den großen Reichtum an Früchten und suchten erst die ganz reifen, um sie an Ort und Stelle zu essen. Zum Mitnehmen kamen nur die ausgewachsenen, aber noch grünen in Frage. Jojo und Inću hieben sie mit ihren Buschmessern ab, während die Mädchen sie zum Kanu trugen. Es war eine schwere Last, aber sie plagten sich gern.

„Jetzt mag ich nur noch Bananen“, frohlockte die kleine Orchidee. „Ich esse, bis ich platze.“

„Dann fallen sie dir aus dem Bauch“, gab Vahanitu lachend zurück.

„Wenn wir unser Dorf hier erbaut hätten, gäbe es immer Bananen“, meinte Taowaki.

„Vielleicht können wir es noch tun?“ erwiderte Orchidee.

Sie kamen von der Sandbank und stiegen das steile Ufer empor. Ein grüner Leguan huschte davon. Man hörte droben das Zuschlagen der Messer und das Abbrechen von Zweigen.

„Bei uns ist es trotzdem schöner“, sagte Vahanitu. „Hier ist alles so eng, als versuche uns der Wald zu erdrücken. Daheim ist Platz. Es ist schon richtig so.“

Sie schritten zwischen den Bananenbüschen über abgefallene dürre Blätter. Taowaki bückte sich nach großen abgeschlagenen Früchten. Plötzlich vernahm sie hinter sich einen gurgelnden Laut.

Da stand unbeweglich Vahanitu. Eine Klapperschlange bäumte sich gerade vor ihr auf, zischte und rasselte, wartete noch einen Augenblick und stieß dann zu. Im Nu hatte sie ihr Opfer wieder losgelassen und verschwand.

Das alles war so rasch geschehen, als sei es überhaupt nicht gewesen. Taowaki schrie kurz auf und stürzte zu der Freundin hin, während die kleine Orchidee überhaupt nicht wußte, was geschehen war. Jojo und Inću waren sofort zur Stelle.

Langsam ging Vahanitu in die Knie. Mit großen, verwunderten Augen sah sie auf ihre Wade, wo eine winzige Bißstelle zu sehen war.

Sie kniete jetzt auf dem linken Bein und hatte das rechte ein wenig vorgeschoben. Kein Wort brachte sie über die Lippen. Sie war wie erstarrt.

Inću drückte Vahanitu zu Boden. Er spannte die Haut über der Bißstelle und stach mit seinem Buschmesser zu.

Ein geringes Zucken ging durch Vahanitus Körper. Ihr Blick verlor sich ausdruckslos in der Bläue des Himmels, und es war überhaupt, als sei sie schon tot.

Der alte Indianer drückte an der Wunde. Jojo lief plötzlich davon. Taowaki setzte sich schweigend nieder und nahm Vahanitus Kopf in ihren Schoß. Als Jojo zurückkam, hielt er Blätter in den Händen und kaute auf etwas. Er spuckte es schließlich aus und gab es Inću, der es auf die Wunde strich. Dann legten sie die Blätter drauf und umwickelten die Wade mit rasch abgezogenen Palmfasern.

„Nun wird es gut", sprach Taowaki beruhigend auf die Freundin ein.

„Ist es Nacht?" fragte Vahanitu.

„Nein, es ist Tag. Aber du kannst jetzt ganz ruhig sein und schlafen."

Inću saß auf der Uferböschung, stützte seinen Kopf auf die Hand und sah zu Boden. Die kleine Orchidee lief immer hinter Jojo her, der aber auch nicht wußte, was er anfangen sollte. Schließlich setzte er sich neben Inću und fragte:

„Sollen wir nicht lieber stromauf staken, damit wir zu Hlé kommen?"

„Zwei Tage Fahrt", versetzte der Alte.

„Wenn wir sofort aufbrechen, schaffe ich es bis morgen früh."

Nach einer Weile sagte Inću: „Oder stromab, Jojo? Der Händler José sprach davon, daß die Weißen helfen könnten."

„Wo wohnen sie?"

„Ich weiß es nicht."

„Dann verlieren wir viele Tage."

Inću hatte sich erhoben. Sein Gesicht glich einer Maske. Er beugte sich über Vahanitu und hob sie auf. Sie lächelte und versuchte aufzustehen. Mit seiner Tochter in den Armen schritt der alte Indianer seltsam steif den Hang hinab und dem Einbaum zu. Dort bettete er sie auf Bananenblätter, aber ihren Kopf nahm Taowaki abermals in ihren Schoß.

Jojo warf einige Bananenbündel ins Boot, machte es flott und fing an zu staken. Nie in seinem Leben hatte er seine Kraft so eingesetzt. Seine Muskeln traten hervor, seine Halsadern schwollen an, und er stakte wie besessen, denn er floh vor dem Tode her.

Taowaki beschattete die Freundin mit einem Bananenblatt. Sie sprach immer wieder beruhigend auf sie ein und tröstete sie mit der baldigen Heimkehr. Inću stakte vorn im Boot und hatte zu tun, um überhaupt mitzukommen. Er war nicht mehr der Jüngste und verlor manchmal den Halt.

Vahanitu hatte große Schmerzen. Sie klagte mit keinem Wort. Manchmal versuchte sie ein Lächeln und drückte dankbar Taowakis Hand. Als es jedoch dunkelte, war sie seltsam schwach. Fieber schüttelte ihren Körper, und als es ganz finster war, hatte sie das Bewußtsein verloren.

Taowaki sorgte sich nicht nur um die Freundin, sondern auch um ihren Bruder Jojo, der die Stange nicht einmal aus den Händen legte. Es war unbegreiflich, wie er so lange aushalten konnte. Er blieb immer in Ufernähe, wo es wenig Strömung gab. Dabei mußte er auf die Sandbänke achten, um nicht aufzufahren. Inću gab sich zwar große Mühe, doch war er solchen Anstrengungen nicht mehr gewachsen.

Brüllaffen vollführten ganz nahe ein Höllenkonzert. Vahanitu warf sich von einer Seite auf die andere. Sie stöhnte und war dann wieder ruhig. Ganz fest hielt Taowaki ihren Kopf in ihren Händen. Als der Mond über den Urwald trat und die Landschaft ein wenig erhellte, beugte sich Taowaki tief über die Freundin. Sie lauschte und versuchte ihren Blick zu erhaschen, aber Vahanitu blinzelte seltsam starr zum Mond hinauf, und ihr Gesicht sah aus, als wolle sie weinen.

„Vahanitu!“ flüsterte Taowaki. „Hörst du mich nicht? Bald sind wir daheim. Wir haben schon die Sandbänke erreicht, wo wir beide die vielen Schildkröteneier fanden.“

Aber Vahanitu rührte sich nicht mehr. Da lösten sich Taowakis Hände. Sie bäumte sich ein wenig auf und brach dann schluchzend zusammen.

Ganz langsam glitt das Kanu durch die Nacht. Inću saß zusammengesunken vorn drin und rührte sich nicht. Jojo stakte, als hätte er unendlich viel Zeit. Die kleine Orchidee schien überhaupt nicht mehr dazusein, so still kauerte sie am Boden.

Keinen Blick wendete Taowaki von der toten Freundin. Sie sah und hörte nichts. Ihr Blick versuchte immer noch, Vahanitus Augen zu begegnen, denn sie begriff dies alles nicht und glaubte zu träumen. So saß sie lange Zeit.

Plötzlich lief ein Schauer durch ihren Körper. Sie sah den stakenden Jojo, sah die angsterfüllten Blicke der kleinen Orchidee und gewahrte das vorbeigleitende Ufer. Die Sterne standen über ihr, der Mond schwamm über dem Urwald, und einzelne Vogelstimmen wurden laut. Vom nahen Ufer sirrten die Zikaden und zirpten die Grillen.

Sie dachte an das Dorf, an ihre Kindheit, an ihre Spiele mit Vahanitu und an deren plötzlichen Tod. Sollte das auf einmal nicht mehr sein und ganz anders werden? Tränen liefen aus ihren Augen die Wangen hinab.

Ganz leise sprach sie: „Vahanitu, du bist so plötzlich fortgegangen. Es kann doch nicht sein, denn wir spielten noch vor kurzem miteinander."

Ihre Stimme hob sich zu einem klagenden Gesang. Sie schrie ihren Schmerz in die Nacht hinein und flüsterte dann wieder mit der Toten, vergaß dabei das Boot und die Umwelt, denn sie war nun ganz allein mit der stillen Freundin.

Schaurig klang Taowakis Totenklage durch die Nacht. Sie glich jetzt einer erwachsenen Indianerin, die den Toten zu beweinen hat, die ihn besingt und seine Tugenden preist, die ihn über den Alltag erhebt, als wäre er der beste Mensch unter den roten Kindern Tupons gewesen. Anklagend schwebte ihr trauriger Gesang über der Toten. Ihre Stimme zitterte, als würde sie zerbrechen, aber sie hielt an und durchdrang die ganze Nacht bis zum frühen Morgen. Da deckte sie die Freundin mit einem großen Bananenblatt zu und verbarg ihr Gesicht in den Händen. So saß sie da und rührte sich nicht, und keiner wußte, ob sie schlief oder gar auch gestorben war.

Müde stakte Jojo. Inću sah nicht auf. Er sah unverwandt in das strömende Wasser hinein. Die kleine Orchidee hatte ein verweintes und von roter Farbe verschmiertes Gesicht, und sie wußte nicht, wohin sie blikken sollte. Sie war noch zu klein, um mit dem Geschehenen fertig zu werden.

Wie lang war dieser Weg! Er nahm kein Ende. Jojo spürte seine Muskeln nicht mehr. Und je näher er dem Dorfe kam, desto langsamer wurden seine Bewegungen. Er fürchtete sich vor dem Weg durch den großen Wald, vor der Heimkehr und allen Menschen. Wäre es nicht richtiger gewesen, anzulegen und zu schlafen? Vielleicht sah hinterher alles ganz anders aus. Er hatte so manchen Menschen fallen sehen und war fast gefühllos daran vorbeigegangen, aber das war im Kampf gewesen, wo es für keinen eine Schonung gab. Diesmal war es ganz anders. Und als das Kanu endlich auf die heimatliche Sandbank lief, da kauerte auch er sich nieder und verbarg das Gesicht in den Händen. Da sah es aus, als wären sie alle tot. Nur die kleine Orchidee sprang geschwind an Land, um mit flinken Füßen im Urwald zu verschwinden.

Nächtlicher Überfall

Nun führte Vahanitu tief in der Erde ihr Schattendasein. Mit Urucu eingerieben und geschmückt, mit Speisen und Getränken versehen, ruhte sie in einer sorgfältig abgestützten Höhlung. Kein Tier kam an sie heran, aber ihre Seele fand dennoch den Weg ins Freie, um nächtlicherweise als Leuchtkäfer durch den Urwald zu fliegen. Sie irrte vom Wald herüber zu den Hütten, huschte wieder hinüber und ließ sich nicht fangen; denn eine Seele ist wie ein Hauch, der nicht den Indianern, sondern Tupon gehörte.

Aus vielen Hütten erklang noch die Totenklage um Vahanitu. Immer wieder klang sie von neuem auf, denn sie war bei allen beliebt gewesen. Seit sie nicht mehr da war, fehlte etwas im Dorf. Keiner wollte mehr singen und lachen, und von einem Fest konnte überhaupt keine Rede mehr sein.

Am meisten fehlte sie wohl Taowaki. Sie hatten wie Schwestern miteinander gelebt und alles gemeinsam getan. Nun war Taowaki allein, und selbst der Umgang mit den anderen Mädchen täuschte sie nicht über ihr Alleinsein hinweg.

Täglich brachte sie der Freundin Trank und Speise. Dann hockte Taowaki im Schatten einer Palme und sang ihre Totenklage. Die Speisen waren immer rasch verschwunden, denn die wilden Tiere und die umherstreunenden Indianerhunde sorgten dafür, daß nichts übrigblieb.

Festwohnende Indianer können sehr lange trauern, während die umherstreifenden immer wieder neuen Eindrücken unterliegen und rasch vergessen. Sie müssen vergessen, um zu leben. Wer in der Wildnis träumt, wird eines Tages sterben. Schlangen, Jaguare, Krokodile und feindliche Indianer warten nur darauf, einen unachtsamen Gegner zu treffen.

Viele Stämme löschen das Andenken an ihre Toten geradezu aus. Deren Name darf nicht mehr genannt werden. Sobald sie unter der Erde liegen, gibt es nur noch die Lebenden. Wer die Frau oder den Mann verloren hat, sieht sich sofort nach einem neuen Partner um. Das Leben ist zu hart, um lange zu trauern.

Auch die Chavantes zeigen nicht allzulange ihren Kummer. Die nächsten Verwandten des Toten pflegen noch eine Zeitlang Speisen ans Grab zu stellen, und sie vermeiden es, von den Toten zu sprechen. Bald werden sie wieder wandern, und da heißt es, auf alles zu achten, um am Leben zu bleiben.

Die Wachsamkeit liegt den Indianern im Blut. Sie belasten sich nicht mit unnützen Gedanken. Selbst wenn das ganze Dorf zu schlafen scheint, spähen wenigstens zwei Augen in die Nacht.

Diesmal waren es zwei müde Augen, denn Inću saß am Feuer. Nächtelang saß er dort, als brauche er überhaupt keinen Schlaf. Tagsüber war er freundlich zu jedermann, auch ging er jagen und verrichtete wie jeder andere seine Arbeit. Er war ein alter Indianer und wußte, daß man seinen Kummer nicht zu zeigen hat, daß man ihn selbst vor der Familie verschließt und so tut, als sei das Leben ein Kinderspiel. Nur nachts versank er mit offenen Augen in Träume. Da sah er Vahanitu, und es war ihm, als sei sie gar nicht gestorben. Sie hockte mit ihm am Feuer und spähte mit ihm durch die Nacht.

Ganz dunkel war diese Nacht. Die Sterne standen am hohen Himmel. Kein Laut kam auf, denn auch die Tiere schliefen. Bald kam der Mond, um alles schlagartig zu erleuchten.

Glühwürmchen zuckten hin und her. Die Seelen der Toten! Versonnen lächelnd sah ihnen der alte Inću zu.

Da löste sich eine nackte Gestalt vom Urwald und huschte lautlos über den freien Platz bis an die Hütten. In einer solchen Nacht hätte ein Jaguar leichtes Spiel gehabt, ins Dorf einzubrechen und einen Hund oder gar einen Menschen zu rauben, denn noch war nichts zu erkennen.

Ein Feuerschein zuckte auf. Inću wunderte sich darüber. Und als der Feuerschein größer wurde, stand er auf, um einmal nachzusehen.

Gleichzeitig gellte ein Schrei durch die Nacht. Es war wie ein Hilferuf.

Kopés Hütte brannte lichterloh!

Da jagte auch schon Pfeilfeder mit Riesensätzen über

den Platz, schleuderte seinen Speer und sah einen Menschen fallen.

Im Nu war die Schar der Chavantes auf den Beinen; wie aus dem Boden gestampft. Weiber rissen die brennende Hütte nieder, Kinder schleppten Matten und Geräte ins Freie, Hunde sprangen wildkläffend umher, Flammen knisterten.

Ein einziger Ruf genügte, um die Männer zu unterrichten. Sie tauchten wie schwarze Schatten in die finstere Nacht.

Pfeilfeder beugte sich über den gefallenen Feind. Ein junger Krieger vom Stamme der Assuri? Er wußte genug und huschte weg.

Pfeile flogen vom Urwald herüber, ohne Unheil anzurichten. Diesmal hatten sich die feigen Gegner verrechnet, denn mit den Chavantes war nicht zu spaßen. Da wußte ein jeder, was er bei einem Überfall zu tun hatte. Eine brennende Hütte genügte eigentlich, um das ganze Dorf einzuäschern, nur durfte es keine Hütte der Chavantes sein. So wie das Feuer aufflammte, so rasch erlosch es wieder. Dunkle Nacht breitete sich über das Dorf, in dem kein Mensch zu leben schien und nur einige Hunde kläfften.

Taowaki drückte ihr Äffchen Jo ganz fest an sich. Sie lag in einem Gebüsch, hatte Laub und Erde auf sich geworfen und wäre selbst bei Tageslicht nicht zu sehen gewesen. Nur ihre Augen blickten hervor und versuchten die Finsternis zu durchdringen. Mit halbgeöffnetem Mund lauschte sie, doch vernahm sie nichts.

Ein Mensch kroch plötzlich vorbei. Sie hätte ihn pakken können. Wer es war, wußte sie nicht. Es konnte einer der Chavantes oder ein fremder Krieger sein.

Pantherklaue, Jojo und Pfeilfeder waren tief in den

Urwald eingedrungen. Lautlos schlugen sie einen Bogen, um den Feind von hinten anzugreifen. Sie wußten genau, wo er anzutreffen war, denn der gefallene Assuri hätte zur Irreführung woanders hinlaufen müssen. Da er keine Waffen trug, hatte er nach der Brandlegung seine Leute schnellstens zu erreichen versucht und dadurch deren Stellung verraten.

Es war für Taowaki kein Vergnügen, wie ein Gürteltier unter der Erde zu liegen und sich von Ameisen und Zecken plagen zu lassen, aber sie rührte sich nicht. Die kleinste Bewegung hätte genügt, um den Tod herbeizulocken. Mehrmals sah sie vorbeihuschende Gestalten. Einmal glaubte sie, einen fremden Indianer zu sehen.

Ziemlich rasch trat der Mond über den Urwald und hinter einer Wolke hervor. Jetzt lag alles in seinem Silberschein, der sogar den Urwald erhellte. Indianer huschten umher, duckten sich, gingen zu Boden, kletterten auf Bäume und ergriffen die Waffen.

Pantherklaue griff mit Jojo und Pfeilfeder einen ganzen Trupp Assuri an. Der Feind war so überrascht, daß er kampflos im Dickicht untertauchte und drei Sterbende zurückließ.

Taowaki mußte ganz still dem Kampf zusehen, denn die Pfeile der eigenen Leute hätten sie treffen können.

Furchtbar rächten sich die Chavantes. Sie wüteten ohne Erbarmen. Von allen Seiten griffen sie an, und die Angreifer, die nun selbst die Angegriffenen waren, konnten sich nicht so rasch zurückziehen, da sie den Urwald an dieser Stelle zu wenig kannten. Wo sie sich versteckten, wurden sie von den Chavantes aufgestöbert, und in das dichteste Gestrüpp hinein verfolgten sie deren Hunde.

Aus dem geplanten Überfall wurde eine wilde Flucht

der Assuri. Die Frauen und Kinder kamen nun wieder aus ihren Verstecken hervor. Aber nur ganz vorsichtig wagten sie sich aus dem Urwald heraus. Doch als sie sahen, daß kein Feind mehr in der Nähe war, liefen sie rasch zum Bach hinüber, um sich zu baden.

„Ein feindlicher Indianer ist mir auf den Bauch getreten", behauptete Coniheru. „Ich habe ihn ins Bein gebissen. Meine angefeilten Zähne werden ihm nicht gutgetan haben."

„Hoffentlich war es keiner von uns", lachte die schlanke Spinne.

„Und wo bist du gewesen?"

„Ganz oben auf einem Baum. Ein Faultier hing daneben und glotzte mich dumm an."

„Kommt und laßt uns das Lager in Ordnung bringen!" sagte Maikäfer.

Da gingen sie zu den Hütten hinüber und waren froh, daß alles so gut abgelaufen war. Kopé hatte seine Hütte verloren. Nun gut, dann bekam er eine neue. Eine Hütte war sehr rasch erbaut. Seine junge Frau und die beiden Kinder gingen inzwischen zu Inću, der mit seiner Familie nebenan wohnte.

„Ob von uns welche gefallen sind?" fragte Maikäfer ihre Tochter Taowaki.

Es war jedoch nicht ratsam, den Wald zu betreten. Irgendwo konnte noch ein Assuri stecken, oder ein Chavantes erkannte zu spät die umherstreifende Gestalt und schoß. Sie mußten auf die Rückkehr der Männer warten, auch wenn es noch solange dauerte.

Nach und nach kamen erst die Hunde zurück. Es war eine wilde Meute; die meisten waren einzeln feige Burschen, aber gefährlich in der Masse. So mancher hatte einen Assuri aufgespürt und zugebissen. Einige der

Hunde taugten für die Jagd und griffen sogar den den Jaguar an, andere versagten vollkommen und liefen nur mit. Da sie immer hungrig waren, konnte ihnen kein Mensch trauen. Sie bissen mitunter ganz grundlos zu.

Bevor der Morgen graute, waren auch die Männer zurückgekehrt. Dabei stellte sich heraus, daß nicht einer fehlte. Einige trugen leichte Verletzungen, und drei blieben hinter den Assuri her, um sie noch eine Zeitlang zu beobachten.

Das war Chavantes-Art! Sie waren furchtbare Gegner, die wildesten Indianer im Kampf. Ihre geschickte Tarnung täuschte den Feind, ihr Mut schlug den kühnsten Gegner in die Flucht.

„Es wäre sehr traurig gewesen, ausgerechnet von den Assuri überrumpelt zu werden", sprach Pantherklaue, als er mit den Männern auf dem Versammlungsplatz saß. „Jetzt haben wir lange Zeit Ruhe, denn der Wind hat Augen und eine Zunge. Alle Tribus werden erfahren, wie dieser Kampf ausgegangen ist."

„Wir sind jedoch nicht mehr die Unsichtbaren", bemerkte Eisenholz.

„Das ist es, was auch mir nicht gefällt", versetzte der Häuptling. „Sind wir müde geworden?"

„Es ist an der Zeit, die Hütten abzubrechen", warf der alte Inću ein.

„Wir haben uns immer nach dem Wild gerichtet", meinte der Medizinmann Hlé. Er war alt und hatte die Lust am Wandern verloren.

„Wo andere Tribus verhungerten, fanden die Chavantes immer noch genügend Wild zum Leben", erwiderte der Häuptling.

„Denkst du an den Araguaia?" fragte Eisenholz.

„Es könnte woanders sein."

„Flußab war mit den Assuri zu rechnen. Sie werden sich jetzt zurückziehen.“

„Sie sollen aber auch nicht wissen, wo wir geblieben sind. Wir haben immer hinter uns die Spuren verwischt.“

„Vergeßt nicht, daß wir ein Wort vergeben haben“, sprach Eisenholz. „Es ist damit zu rechnen, daß das Mädchen Diacui zu uns kommen will und uns nicht findet. Einige Männer sollten zurückbleiben und warten.“

„Das ist die geringste Sorge“, erwiderte der Häuptling. „Jojo, Pfeilfeder, Raro und Taowaki bleiben hier. Sie werden das Mädchen entgegennehmen, die Weißen wegschicken und uns finden.“

„Denkst du an den Platz, wo wir die vielen Tapire erlegten?“ fragte der greise Häuptling Tucre.

„Eben daran“, bestätigte Pantherklaue.

Sie waren alle damit einverstanden. Plötzlich merkten sie, daß sie viel zu lange an diesem Ort gewesen waren. Die alte Wanderlust hatte sie gepackt. Noch waren sie die unsteten Chavantes, die unsichtbar zu leben pflegten, die gewaltige Strecken zurücklegten und die ihre Gegner narrten, indem sie immer dort auftauchten, wo sie nicht vermutet wurden.

In Erwartung der jungen Indianerin

Als der nächste Morgen graute, befanden sich die Chavantes auf dem Weg zum Tapirland, wie sie ihren neuen Wohnplatz nannten. Zurück blieben Taowaki und die drei Männer. Wie ausgestorben war das Dorf. In langer Reihe zogen die Indianer durch den großen Wald, eine Schlange mit vielen Köpfen. Sie trugen keine schweren Lasten, denn sie brauchten nicht viel zum Leben und fanden alles, wohin sie auch kamen. Nicht einmal die Matten nahmen sie mit.

Voraus gingen Pantherklaue, Eisenholz und einige andere rüstige Männer. Sie hatten nur die Waffen bei sich, damit sie ungehindert gehen und im Notfall zuschlagen konnten. Hinter ihnen kamen Frauen, alte Leute und Kinder. Sie trugen Kleinigkeiten, hatten am Stirnband ein geflochtenes Körbchen hängen oder einen Stock, an den sich ein Arara klammerte. Die Tiere gingen alle mit, selbst wenn es ein kleiner Ameisenbär war. Da sie jedoch nur leichte Gegenstände trugen, kamen sie gut voran. Den Zug beendeten wiederum rüstige Burschen und Männer.

Obwohl sich der ganze Stamm auf Wanderschaft befand, war kein Laut zu hören. Selbst die Hunde schwiegen. Nur selten knackte ein Ast. Die flinken Füße huschten dahin, als berührten sie kaum den Boden.

Hoch stand die Sonne. Sie lugte an vielen Stellen durch die Baumkronen. Die Luft stand still, und sie war feucht und heiß. Die braunen Leiber glänzten.

Erst als die Sonne unterzugehen begann, eilte Pantherklaue mit zwei Männern voraus, um nach Wild Ausschau zu halten. Sie brauchten nicht lange zu suchen und trafen einen Ameisenbär, den sie rasch erlegten und in ein Feuer warfen, damit sein borstiges Fell abbrannte. Als der Haupttrupp herankam, wurde das Fleisch auf einige Männer aufgeteilt, und drei andere Jäger setzten sich in Bewegung. Sie schossen ein Faultier und gruben ein Gürteltier aus, so daß der ganze Stamm zu essen hatte und man lagern konnte.

Es floß ein Bach vorbei, in dessen kühlem Wasser sich die Chavantes tummelten. So waren sie zufrieden und hielten es aus. Kein Weg war ihnen zu weit, wenn sie genügend Wasser und Nahrung fanden. Das Laufen strengte sie nicht an. Nur der greise Tucre stöhnte ein wenig und legte sich nieder. Aus Palmwedeln flochten sie Hängematten für die Nacht, denn es war nicht ratsam, auf der nackten Erde zu schlafen. Allenthalben loderten die Feuer. Sie sollten die Tiere und die bösen Geister fernhalten, damit sie alle ruhig schlafen konnten.

Für Taowaki, die mit den drei Männern in dem verlassenen Dorf zurückgeblieben war, begann ein neues Leben. Sie schloß sich Jojo an und wich kaum von seiner Seite. Allein wollte sie nicht bleiben, weil sie den großen Wald, die Tiere und Geister fürchtete. Dazu kam die Angst vor neuen Überfällen. Als der Stamm noch hier war, brauchte sie sich nicht zu fürchten, aber so allein in dem leeren Dorf zu leben, war schlimmer als eine lange Wanderung. Pantherklaue hatte es gewußt und sie trotzdem zurückgelassen, weil sie sich immer tapfer gezeigt hatte. Ein Mädchen mußte schließlich auch hierbleiben, damit Diacui nicht nur einige Männer antraf.

Jojo lachte über die Angst seiner kleinen Schwester, obwohl auch er den nächtlichen Urwald mied. Kein Indianer ist frei von Aberglauben. Aber Jojo fürchtete den Jaguar mehr als die bösen Geister; dem Mädchen gegenüber wollte er es nur nicht eingestehen.

Sie wohnten alle in einer Hütte. Da sie nur zu viert waren, brauchten sie nicht viel zum Leben. Als sie am ersten Tag ihres Alleinseins einen Hirsch erlegten, trockneten sie das Fleisch und hatten Nahrung für etliche Tage. Häufig lagen sie auch im Schatten herum, denn sie brauchten ja nichts zu tun. Dann kam es vor, daß sie Geschichten erzählten, alte Sagen oder wahre Begebenheiten. Raro berichtete einmal von einer seltsamen Blume. Er nannte sie die „Schöne“*.

„Sie kommt in unserem Gebiet nicht vor“, erzählte er. „Weiter drüben am großen Strom soll ihre Heimat sein. Ich ging damals mit drei anderen, um neues Jagdgebiet zu suchen. Da war ein stilles Wasser mitten im Wald. Viele Krokodile lagen drin. Der böse Geist Yurupari verfolgte uns.“

Raro schüttelte sich vor Grauen.

„Da sahen wir die ‚Schöne‘. Sie überzog das ganze Wasser mit großen Blüten und Blättern. Die einen blühten weiß, die anderen rot. Ein Blatt hätte genügt, um uns Schatten zu geben. Aber sie stacheln und sind sehr schwer.“

„Ich hörte davon“, bemerkte Jojo. „Die Krokodile sollen auf sie achtgeben.“

„Ist es weit bis zu dieser Blume?“ fragte Taowaki.

„Viele Tage. Sie blüht nicht für die Chavantes.“

„Für wen denn sonst?“

„Dort leben überhaupt keine Indianer.“

„Vielleicht die Weißen?“

* Gemeint ist die Viktoria regia, die berühmte Seerose des Amazonasgebietes

Raro kam in Verlegenheit, denn er wußte nicht viel. Er hatte damals nur einen See mit der großen Blume gesehen, aber keinen Weißen und keinen Indianer.

„Die Weißen sind überall", bemerkte Pfeilfeder. „Als ich am großen Strom war, sah ich ihre Boote. Sie brummten und fuhren ganz schnell. Keiner konnte staken, denn die Boote sind viel zu groß."

„Wie sollen sie denn sonst gefahren sein, wenn sie nicht staken oder paddeln?" wunderte sich Taowaki.

„Was weiß ich! Vielleicht ist es ein Geist."

„Unsinn, Eisenholz spricht von einem Ding, das alles tut. Es soll sich für die weißen Männer drehen und auch in dem großen Vogel sein. Deshalb brauchen sie sich nicht mehr zu plagen", sprach Jojo.

„Was kann sich von allein drehen?" fragte Taowaki.

„Sie bauen es, und dann arbeitet es für sie."

„Warum bauen wir es nicht?"

Die Männer sahen sich an, als schöbe einer dem anderen die Beantwortung zu. Warum bauten sie also nicht solch ein Ding?

„Du fragst zuviel", meinte schließlich Jojo.

„Dann wird es mir Diacui sagen. Sie kommt von den Weißen und muß es wissen."

Raro kratzte sich in den Haaren und sagte:

„Diacui muß alles wissen. Dann weiß sie womöglich mehr als wir. Wozu liegen wir hier und warten auf sie, wenn sie ja doch alles weiß?"

„Oder sie weiß gar nichts", antwortete Jojo. „Eisenholz behauptet, die Weißen wären im Urwald dumm. Sie finden sich in ihm nicht zurecht, kennen die Früchte nicht und stellen sich schlimmer an als kleine Kinder."

„Werden sie von den Tieren gefressen?" wollte Taowaki wissen.

„Nein, denn ihre Waffen sind gut."

„Warum gibt es Weiße und Indianer?" fragte sie schon wieder.

Jojo schüttelte unwillig den Kopf, aber Raro sprach:

„Der Vater der Weißen war ein Indianer. Er ging weit weg und kam in ein fremdes Land, wo die Sonne nicht mehr scheint. Dort wurde er weiß."

„Weshalb blieb er nicht bei uns?"

„Er war sehr klug, aber sein Stamm konnte ihn nicht leiden."

„Und bei den Weißen scheint nicht die Sonne?"

Die Männer sahen sich schon wieder fragend an.

„Warte mit der Fragerei, bis Diacui kommt!" sagte Jojo. „Du solltest selber mal zu den Weißen gehen und nachsehen."

„Ja, gern", gab sie zur Antwort. Da schüttelten sie alle die Köpfe und sahen das Mädchen an, als hätte es plötzlich den Verstand verloren. –

Wenn ihnen die Zeit zu lang wurde, gingen sie hinüber zum Fluß, wo sie Schildkröteneier fanden und im Sand schlafen konnten. Taowaki dachte immer noch oft an Vahanitu und war dann sehr traurig. Manchmal ging sie vom Lager weg, ließ sich irgendwo nieder und sang leise klagend vor sich hin.

So verging eine lange Zeit. Kein Kanu war zu sehen.

„Man kann den Weißen nicht trauen", sagte eines Tages Pfeilfeder. „Wenn sie gar nicht kommen, warten wir vergebens."

„Sie sollen nicht sagen können, daß wir unser Wort gebrochen hätten", erwiderte Jojo. „Ihr Weg ist weit, denn so weit wir den Fluß kennen, wohnen keine Weißen."

Um sich die Zeit zu vertreiben, fertigten die Männer

Pfeile an. Sie suchten das passende Bambusrohr, schnitten es zurecht, setzten eine Knochenspitze vorne drauf und banden an den Schaft zwei Federn.

Das war eine Arbeit, die viel Geduld erforderte, denn auf die Genauigkeit der Arbeit kam es an, ob der Pfeil treffen konnte oder nicht. Ein vorbeifliegender Pfeil hatte schon oft genug Unheil angerichtet.

Taowaki sammelte weiße Samenkapseln und Muscheln, um daraus Ketten anzufertigen. Pfeilfeder, der noch keine Kinder besaß, schoß zwei Wasserschweine und schenkte ihr die Zähne, weil sie die beiden Tiere entdeckt hatte. Nun fühlte sie sich ungeheuer reich.

Bald kam die Regenzeit. Die Flüsse hatten längst ihren tiefsten Stand erreicht, der Himmel hatte sein ewiges Blau verloren. Fast täglich zogen Wolken auf, doch kam es noch nicht zum Regen. Das waren lediglich die ersten Vorboten der langen nassen Zeit.

„Unsere Leute werden inzwischen die Hütten ausbessern und das Dorf herrichten", meinte Jojo. „Wenn die Regenzeit kommt, sind wir daheim gut aufgehoben. Wir werden noch das große Fest der Masken feiern, bevor es nässer wird."

Das war das größte Fest der Chavantes. Die Anfertigung der schweren Tanzmasken dauerte lange Zeit. Wenn der Mond noch einmal zunahm und dann ganz rund am Himmel stand, war der Festtag gekommen.

Träge rann der Fluß vorbei; die Strömung hatte immer mehr nachgelassen, weil das Wasser noch weiter gefallen war. Die Indianer lagen auf der Sandbank und schauten in den hereinbrechenden Abend.

Plötzlich vernahmen sie fernes Gebrumm. Sie sprangen auf und sahen zum Himmel. Sollte es schon wieder ein großer Vogel sein? So klang es aber nicht, auch kam das Geräusch nur langsam heran. Viel weiter flußabwärts schien es zu sein.

Da huschten die braunen Gestalten geschwind durch den Urwald am Ufer entlang, um zu sehen, was da kam. Sie waren bemalt und trugen ihre Waffen. Sogar Taowaki hielt einen Speer in der Hand.

Ganz deutlich kam das Gebrumm den Fluß herauf. Ein Kanu näherte sich in flotter Fahrt. Seit wann brummte ein Kanu? Pfeilfeder hatte es bereits drüben am großen Strom erlebt, nur daß diese Boote dort bedeutend größer waren.

„Greifen sie an?“ fragte Taowaki den großen Bruder.

„Man kann es nicht wissen“, erwiderte er. „Wir werden uns nicht zeigen und sie beobachten.“

„Es sind Weiße! Ein Mädchen ist dabei!“

„Diacui“, sprach Jojo. Er trat auf die Uferwand hinaus, stand dort groß und drohend zugleich, mit den Waffen in der Hand und ernstem Gesicht. Verborgen blieben die anderen.

Diacui

Als die Weißen den alleinstehenden Indianer erblickten, schwenkten sie die Arme und riefen auf indianisch: „Freunde!“

Jojo rührte sich nicht. Er hielt die Waffen gesenkt.

Im Heck des Kanus knatterte ein seltsam glitzerndes Ding. Der Indianer hatte keine Ahnung, was das war. Er zeigte jedoch keine Neugier.

Das Geknatter hatte aufgehört. Langsam trieb das

Kanu an das Ufer. Vorne drin stand der Händler José.

Jojo schüttelte den Kopf, hob den Arm und zeigte stromauf, dann trat er in den Wald zurück.

Langsam setzte sich das Boot wieder in Bewegung. Es lärmte, doch gehorchte es den Männern.

„Es ist Diacui!“ rief Taowaki unterdrückt und versuchte dicht hinter ihrem Bruder zu bleiben. Er sagte nichts und schritt kräftig aus.

Ein schwarzhaariges Mädchen saß im Kanu der Weißen. Es sah anders aus als eine Indianerin und hatte ein Kleid am Leib. Taowaki kannte so etwas nicht. Aber das Mädchen sah freundlich aus und lächelte.

An der Sandbank angekommen, stieß das Boot auf Grund. José kam an Land, während die anderen sitzenblieben. Jojo trat ihm entgegen und gab ihm die Hand. Er wußte, daß dies eine Sitte der weißen Männer war.

„Wir kommen mit dem Mädchen, das eine Chavantes-Indianerin ist“, sagte der Händler.

„Es ist schon gut. Die Weißen sollen kommen. Das Mädchen aber auch.“

Nun kamen sie alle und reichten ihm die Hand. Etwas zögernd tat es Diacui. Sie war sehr blaß dabei. Jojo lächelte und drehte sein Gesicht dem Walde zu, wo die anderen Indianer standen.

Als Diacui Taowaki erblickte, ging sie langsam auf sie zu. Ihre Blicke begegneten sich und schienen einander zu prüfen.

„Wie heißt du?“ fragte Diacui in der Sprache der Chavantes.

„Taowaki. Ich bin die Tochter des Häuptlings Pantherklaue“, gab Taowaki zurück.

Diacui lächelte freundlich und umarmte Taowaki. Sie sahen sich an und wußten nichts zu sagen.

Der Händler José hatte das Kanu festgemacht. „Das sind zwei Männer vom SPI", sagte er und nickte nach den beiden anderen. „Antonio spricht ein wenig Indianisch, aber Carlos will es erst noch lernen. Wirst du uns zum Häuptling führen?"

Jojo schüttelte den Kopf.

„Warum nicht?" wunderte sich José.

„Er ist nicht da."

„Wir können warten."

„So lange könnt ihr nicht warten", versetzte der junge Indianer.

„Aha, du bist sein Sohn und vertrittst ihn?"

„So ist es."

„Zum Dorf können wir trotzdem gehen."

„Ihr werdet enttäuscht sein, denn das Dorf ist verlassen."

Der Händler blickte den Indianer mit zusammengezogenen Augenbrauen an und rief unwillig: „Habt ihr uns getäuscht? Wir sind einen weiten Weg gekommen und glaubten euch anzutreffen."

„Ihr habt uns angetroffen", erwiderte Jojo ruhig. „Die Chavantes halten ihr Wort."

„Diacui wollte das Dorf besuchen und sich entscheiden, ob sie bleibt oder wieder zurückfährt. Wie kann sie das jetzt, wenn niemand da ist?"

„Ihr sagtet, sie wollte uns besuchen. Vom Dorf war nicht die Rede. Wir sind bereit, sie mitzunehmen."

„Wohin?" mischte sich der als Antonio vorgestellte Weiße ein.

Jojo hob die Schultern und lächelte. „Wer weiß, wo die Chavantes sind?" fragte er freundlich.

„O ihr Gauner!" entrüstete sich der Händler und setzte sich in den Schatten eines Baumes.

Antonio rief Diacui zu sich und erklärte ihr den Fall. Sie zeigte sich ebenfalls enttäuscht und sah Taowaki fragend an.

„Es ist nicht weit“, sagte die junge Indianerin und nickte Diacui aufmunternd zu.

„Nicht weit!“ knurrte José böse. „Ihr lauft bis zum Rio Araguaia und sagt, es wäre gar nicht weit. Unsereiner käme niemals hin.“

Die Indianer lachten.

„So weit ist es nicht“, meinte Taowaki.

„Die weißen Männer, die mich herbrachten, müssen wieder umkehren?“ fragte Diacui.

„Sie können bleiben, aber das Dorf ist leer“, antwortete Jojo.

„Ich hätte gern gewußt, wie Diacui bei euch aufgenommen wird“, sprach Antonio. „Du mußt wissen, daß ich die ganze Verantwortung trage und sie nicht gern allein lasse. Diacui kennt die Sitten der Chavantes doch nicht.“

Jojo erwiderte nichts.

„Warum trägst du das Zeug am Leib, wenn du eine Indianerin bist?“ fragte Taowaki, weil ihr die Unterhaltung zu langweilig wurde, und faßte das dünne Kleid an. Darüber mußte Diacui herzlich lachen, und sie rief entschlossen: „Ich bleibe bei dir, Taowaki! Wo du bist, wird es schon richtig sein.“

„Wozu trägst du es?“ beharrte Taowaki eigenwillig.

„Ich bin doch bei den Weißen erzogen worden. Die gehen nicht nackt, Taowaki.“

„Was haben sie zu verbergen? Sind sie krank? Nur wer krank ist, wird bei uns mit Blättern oder einer Matte zugedeckt.“

„Nein, sie sind nicht krank. Es ist ihre Sitte. Du, ich

habe mich so darauf gefreut, eine richtige Indianerin zu sein!“

„Bist du es nie gewesen?“ wunderte sich Taowaki.

Diacui schüttelte traurig den Kopf. „Die Weißen sagen, ich wäre eine Chavantes-Indianerin, aber ich selber weiß es nicht. Ich kenne euch doch gar nicht. Und eine Weiße bin ich erst recht nicht. Ich weiß gar nichts, Taowaki. Wenn du mir ein wenig weiterhilfst, werde ich es bald wissen.“ –

Die Nacht brach herein. Wozu sollten die Leute ins Dorf gehen, wenn sie auf der Sandbank genauso gut schliefen? Die Weißen hatten viele Lebensmittel bei sich und luden die Indianer zum Abendessen ein. Da gab es seltsame Dinge. Ein Feuer brannte, und die Tiere vollführten ihr abendliches Konzert.

Die Mädchen saßen drüben am Fluß, während die Männer um das Feuer lagen.

„Die Chavantes sind sehr gefürchtet“, begann Antonio das Gespräch. „Sie haben nie aus Habgier zur Waffe gegriffen, sondern um ihre Freiheit zu verteidigen. Wir vom Indianerschutzdienst erkennen das an. Wir werden von uns aus verhindern, daß Caboclos und Weiße in euer Gebiet eindringen. Deswegen wäre es gut, die Begrenzungen festzulegen. Wir müßten alles in Ruhe besprechen. Ihr sollt bei diesem Abschluß Vorteile haben. Wir geben euch Buschmesser, vor allem Medikamente und eben das, was ihr dringend braucht. Dafür seid ihr uns nichts schuldig.“

„Was sind das für Medikamente?“ fragte Jojo.

„Sehr viele. Es kommt auf die Krankheit an.“

Jojo sann ein wenig nach. Dann fragte er: „Könnt ihr einen Schlangenbiß heilen?“

„Natürlich können wir das“, erklärte Antonio. „Diacui bekommt von uns ein Kästchen mit verschiedenen Dingen, so daß sie auch Schlangenbisse heilen wird."

Die Indianer sahen sich an und dachten an Vahanitu. Warum kamen die Weißen so spät?

„Ich kann nichts sagen", sprach Jojo weiter. „Der Stamm hat über deinen Vorschlag zu entscheiden. Ich möchte euch nicht raten, unser Gebiet zu durchstreifen. Wenn wir es wünschen, werdet ihr es hören."

„Meine Sorge gilt Diacui", erwiderte Antonio. „Was wird, wenn sie zurückkehren will?"

„Dann wird sie zu euch kommen", sagte Jojo erstaunt. „Wir halten sie nicht."

„Sie findet nicht den Weg."

„Wir bringen sie schon hin. Wir sind immer da, auch wenn wir unsichtbar bleiben."

„Ich verlasse mich auf dein Wort", antwortete Antonio. Er wickelte sich in eine Decke und legte sich zum Schlafen hin. –

Das Feuer brannte nieder, alle anderen schliefen, aber die Mädchen fanden keine Zeit dazu. Sie hockten am Wasser, Taowaki ganz nackt, Diacui im leichten Kleid, und sie hatten beide die Arme um ihre Knie geschlungen.

„Was bedeuten die Ringe auf deinem Körper?" fragte Diacui, denn sie fand die Bemalung lustig.

„Ich bin die Freundin der Jaguare", erwiderte Taowaki. „Mir tun sie nichts. Das ist ihr Zeichen. Und welches trägst du?"

„Überhaupt keins."

„Kein Zeichen?" wunderte sich Taowaki. „Auch nicht das des Totems? Früher gehörtest du zu den Aasgeiern, doch gibt es die nicht mehr."

„Die Weißen kennen das nicht."

„Der Häuptling wird bestimmen, zu welchem Totem du gehörst. Ich male dir das Zeichen der großen Feste auf, denn es ist doch ein Fest, daß du zu uns gekommen bist."

Taowaki erschrak plötzlich, warf einen verächtlichen Blick auf das Kleid und sagte befehlend: „Wirf es fort!"

Diacui erschrak nun ebenfalls. Sie wußte nicht, was sie tun sollte. Erzogen war sie wie eine Weiße, als Indianerin glaubte sie sich zu fühlen, und jetzt saß sie fremd und ungewohnt einer jungen Indianerin gegenüber, die von ihr scheinbar Ungeheuerliches verlangte. Taowakis Blick war befehlend. Wenn sie sich weigerte, verletzte sie die Stammesbräuche und konnte wieder umkehren. Dann war sie weder eine Indianerin noch eine Weiße.

Langsam senkte sie ihren Blick auf das schöne Kleid. Sie hatte ihr bestes angezogen, um keinen schlechten Eindruck zu erwecken. Dennoch wußte sie, daß jetzt die große Entscheidung gekommen war. Entweder blieb sie in dem Kleid und eine Fremde, oder sie wurde augenblicklich zur wirklichen Indianerin.

Taowaki huschte über die Sandbank zum Feuer, wo ihr Körbchen lag. Als sie mit den Farben zurückkam, saß Diacui nackt am Ufer und weinte. „Du bist ja ganz blaß!" rief Taowaki verwundert aus. „Warum bist du heller als wir?"

„Mein Körper hat die Sonne nie gesehen", schluchzte Diacui.

Taowaki lächelte. Sie rieb die rote Farbe zurecht und fing an, Diacui zu bemalen, zuerst Brust und Leib, dann die Arme und Schenkel. Neugierig sah Diacui zu. Sie weinte nicht mehr.

„Wie schön du das machst!" sagte sie anerkennend.

„Auch du wirst es lernen", erwiderte Taowaki. Sie

machte aus der neugewonnenen Freundin ein lebendes Kunstwerk. „Wir haben uns immer gegenseitig bemalt. Vahanitu trug das Zeichen der Schlange."

„Wer ist Vahanitu?"

„Sie ist nicht mehr bei uns. Sie war mir wie eine Schwester. Die Klapperschlange hat es anders gewollt. Seitdem hasse ich die Schlangen."

„Ist das lange her, Taowaki?"

„Nein, es ist wie gestern."

Die Mädchen schwiegen. Diacui sah versonnen den geschickten Händen der jungen Indianerin zu. Dann sagte sie:

„Wäre ich früher gekommen, dann wäre Vahanitu noch am Leben. Ich habe gelernt, wie man Schlangenbisse heilt, auch andere Krankheiten, Taowaki. Ich komme nicht mit leeren Händen."

„Bist du ein Medizinmann?" staunte Taowaki.

„Einer mit den Mitteln der Weißen", lachte Diacui.

„Dann wirst du in unserem Medizinmann Hlé einen Gegner finden. Er ist sehr gefährlich, Diacui, doch brauchst du keine Angst zu haben. Du gehörst von dieser Nacht an zu uns, und wenn er dir etwas täte, lebte er keinen Augenblick länger. Halte dich immer an mich, damit ich dir alles sagen kann!"

„Du bist gut, Taowaki. Als ich deinen Bruder sah, hatte ich Angst, aber du hast alles wieder gutgemacht."

Taowaki lachte, zog Diacui in die Höhe und betrachtete sie mit kritischen Blicken. Hier und dort zog sie einige Linien nach. Jetzt sah Diacui wie eine Indianerin aus, sogar wie eine sehr schöne, mit halblangem Haar, prächtigem Körperbau und festlicher Bemalung. Sie freute sich selber darüber und empfand die Malerei wie ein seltsam schönes Kleid. In überwallender Freude zog sie die Freundin an sich und gab ihr einen Kuß. Darüber wunderte sich Taowaki, weil sie so etwas nicht kannte.

„Jetzt erst bin ich eine Chavantes!“ rief Diacui. „Mir ist so leicht, Taowaki, als könnte ich fliegen. Ob das so bleibt?“

„Bei uns ist das immer so“, sagte Taowaki.

„Und kann ich baden, ohne daß die schöne Malerei darunter leidet?“

„Du darfst sie nicht verreiben. Das Wasser allein tut nichts.“

Da sprang Diacui aufjauchzend in den dunklen Fluß.

Diacuis neues Leben

Nicht oft, aber dann und wann kommt es vor, daß im Innern Brasiliens Kinder verschwinden. Sie werden geraubt und verschleppt. Indianer überfallen eine Siedlung der Caboclos und nehmen bei dieser Gelegenheit ein kleines Kind mit. Umgekehrt kann es jedoch auch passieren, daß umherstreunende Abenteurer ein Indianerkind verschwinden lassen.

Auf diese Weise war Diacui zu den Caboclos gekommen und schließlich in ein städtisches Waisenhaus. Sie konnte darüber nicht viel Gutes berichten, weil sie sich nicht unterordnen konnte. Ihr indianisches Blut drängte zu Ungehorsam und verlangte immer wieder nach Freiheit.

Da kam eines Tages ein alter Mann, den sie später Vater Ernesto nannte. Der holte sie zu sich und seiner Frau Donna Lisa in ein alleinstehendes Haus. Er war beim

SPI gewesen, sprach Indianisch und brachte es Diacui bei, die er wie seine eigene Tochter behandelte. Diacui ging zur Schule, um das zu lernen, was allen Weißen beigebracht wird. Sie vergaß beinah, daß sie eine Indianerin war, da in diesem Land kein Rassenhaß besteht und auch der Neger als gleichberechtigt neben dem Weißen sitzt.

„Du sollst später zu den Chavantes gehen und sie befrieden", sagte der alte Ernesto. „Es ist dein Stamm, Diacui, der dir nichts tut, aber dem du viel Gutes tun könntest. Führe ihn mit den Weißen zusammen, damit die Totschläge endlich aufhören! Bring den Chavantes Geschenke und das, was sie brauchen! Hilf ihnen bei Krankheiten und unterrichte die Kinder! Das wäre eine gute Tat."

Andere Männer vom SPI griffen diesen Gedanken auf und unterrichteten Diacui in besonderer Weise. Und als die Pflegemutter Donna Lisa starb und auch der alte Ernesto das Zeitliche segnete, beschloß Diacui, mit Hilfe des Indianerschutzdienstes den Stamm der Chavantes und ihre Eltern aufzusuchen. Daß sie weder Eltern noch Geschwister vorfand, versetzte sie in keine allzu große Trauer, weil sie sich an nichts erinnern konnte, was mit den Chavantes zusammenhing. Im Grunde genommen war sie ein Stadtkind, das den Urwald nur vom Hörensagen kannte. Indianer waren für sie etwas furchtbar Wildes.

Um das Vertrauen der Chavantes zu gewinnen, mußte sie zur echten Indianerin werden. Plötzlich merkte sie, daß das gar nicht mal so einfach war. Als erstes mußte sie ihre Kleidung, die die Indianer als unanständig betrachteten, ablegen. Daran hatte sie überhaupt nicht gedacht. Und als sie sich dazu entschloß, merkte sie, daß sie eine viel hellere Haut besaß als die an und für sich braunen und noch dazu sonnenverbrannten Indianer. Darüber täuschte nicht einmal die Bemalung hinweg. Ihr blauschwarzes Haar trug sie halblang und gepflegt. Jetzt gab sie sich Mühe, es glatt und strähnig zu bekommen. Von Kindheit an war sie daheim barfuß gegangen, doch besaß sie nicht die harten Fußsohlen der Eingeborenen, die überhaupt kein Schuhwerk kennen und denen es nichts ausmachte, über glutheißen Sand und durch stachligen Urwald zu gehen. Die Sonne brannte unbarmherzig auf ihre zarte Haut, und die Büsche schlugen nach ihr.

Tapfer hielt Diacui auf dem Weg ins neue Dorf aus. Sie ließ sich nichts anmerken und tat unbefangen. Jojo trug ihr Bündel. Alle drei Männer gingen voraus. Als letzte folgte Diacui. Dadurch sah keiner, wenn sie ungeschickt hüpfte oder über etwas erschrak. Den ganzen Tag über liefen sie bereits durch den Wald.

Manchmal glaubte sie zu träumen. Es kam ihr fast unwirklich vor, mit Indianern durch den Urwald zu gehen, mit Menschen also, die sie vor kurzem noch als wild betrachtet und vor denen sie sich im Grunde genommen gefürchtet hatte. Plötzlich gehörte sie zu ihnen, war nackt und bemalt, wild und tierhaft. Wohin führte dieser Weg? Und kam sie jemals wieder zu den Weißen zurück? Furchtbares hörte man über die Chavantes. Sie sollten in ihrer Art grausam sein.

„Wollen wir ausruhen?“ fragte Taowaki und drehte sich um. „Dort drüben stehen Palmen. Jojo! Wir wollen rasten! Kletterst du mit auf die Palme?“

Diacui nickte. Sie wollte ja alles tun, um eine Indianerin zu sein. Als sie zu der Palmengruppe kamen, band Taowaki ihre Füße zusammen, um mit Hilfe der gedrehten Bastschnur das Klettern zu erleichtern. Jojo half Diacui. Etwas ängstlich schaute sie der Freundin nach, die geschickt nach oben stieg und ein Buschmesser zwischen den Zähnen hielt.

„Ist das Mädchenarbeit?“ fragte Diacui den Indianer.

Er nickte und lachte.

Da packte sie der Trotz. Sie machte es genauso wie Taowaki und fand, daß es gar nicht so schwer war. Nur war die Palme sehr hoch, und sie fürchtete sich vor der Tiefe.

Tapfer blickte sie nach oben und zu Taowaki hinüber, die sich in der Palmkrone festklammerte, um die Fruchtstaude loszuschlagen.

„Das kannst du auch!“ hämmerte es in Diacuis Hirn. „Nur festhalten und nicht nach unten blicken! So, da ist die Staude!“

Wozu brauchten sie eigentlich zwei? Eine hätte vollkommen gereicht. Aber jetzt gab es kein Zurück. Sie legte sich über eine Blattrippe und atmete ganz tief. Nur ruhig sein! Sie warf einen Blick nach unten und sah in das lächelnde Gesicht Jojos. Eine Schwäche überkam sie. Wenn ich falle, ist alles vorbei, dachte sie. Warum sind die Palmen so hoch?

Sie umklammerte ein großes Blatt, beugte sich vor und hieb mit dem Messer zu. Zweimal, dreimal, aber die Staude rührte sich nicht. Sie war wie aus festem Holz. Immer wieder hieb sie drauflos und vergaß dabei ihren luftigen Stand. Endlich knackte es, die schwere Fruchtstaude neigte sich nach unten, kippte und brach ab. Aufatmend warf sie das Buschmesser hinterher. Als sie wieder unten stand, betrachtete sie ihren zerschundenen Körper und sagte bedauernd: „Nun ist die ganze schöne Bemalung hin.“

„Das macht doch nichts“, lachte Taowaki. „Gelegentlich wäschst du sie ganz ab, damit ich dich wieder bemalen kann.“

Am liebsten wäre Diacui liegengeblieben. Sie war wie zerschlagen. Die Fußsohlen schmerzten, die Haut brannte, Zecken bohrten sich ein, der Schweiß brach aus allen Poren. Aber was Taowaki konnte, das wollte auch sie vollbringen. Jetzt war sie froh, daß sie keine Kleidung zu tragen brauchte, denn sonst wäre sie vor Ermattung umgefallen.

„Du bist keine Chavantes“, sagte Raro, doch wollte er Diacui nur necken. „Chavantes tätowieren sich. Sieh auf meine Brust!“ Diacui erschrak, aber Taowaki lachte und zeigte auf ihre eigene, wo keine Tätowierung zu sehen war.

„Du scheinst es mit den Sitten der Tribus nicht sehr genau zu nehmen“, erwiderte Diacui schlagfertig. Die Männer lachten.

„Bist du verheiratet und hast du Kinder?“ fragte Pfeilfeder.

„Aber ich bin doch erst siebzehn Jahre alt!“ entsetzte sich Diacui.

„Wie alt ist das?“ wunderte sich Taowaki. „Sind wir nicht gleichaltrig?“

„Zählt ihr nicht die Jahre?“

Taowaki schüttelte den Kopf. „Ich sollte längst verheiratet sein“, sagte sie. „Aber ich mochte nicht. Vielleicht wird es noch.“

„Sind die Weißen schlecht?“ wollte Pfeilfeder nun wissen.

„Sie sind nicht anders als die Indianer, nämlich gut und schlecht“, erwiderte Diacui. „Ich glaube, daß es viel mehr gute als schlechte gibt.“

„Essen sie Kinder?“

„Aber wo denkt ihr hin! Das tut ihr doch auch nicht.“

„Die Ihos essen Menschen.“

„Das ist gemein! Kommt ihr mit ihnen zusammen?“

„Ab und zu. Es bekommt den Ihos sehr schlecht. Nun gehen sie uns aus dem Wege.“

„Ihr tötet sie?“

„Es ist eine alte Feindschaft.“

„Kein Mensch hat das Recht, einen anderen umzubringen.“

„Sagen das die Weißen, die unsere Vorfahren gejagt und in Scharen umgebracht haben?“ fragte Jojo lauernd.

„Sie haben ihr Unrecht längst eingesehen“, antwortete Diacui. „Die das taten, leben längst nicht mehr.“

Taowaki warf Diacui einen warnenden Blick zu. Das verstand Diacui, und sie rief belustigt: „Mich haben sie jedenfalls nicht umgebracht.“

„Wäre das der Fall gewesen, wäre ich hingegangen und hätte sie alle getötet“, erwiderte Pfeilfeder.

Sie lachten und packten schon wieder ihre Bündel, um weiterzuwandern. Jojo folgte einem Pfad, den nur die Indianer als solchen erkennen. Es ging kreuz und quer durch den Urwald, denn das dichte Unterholz ließ keine gerade Richtung zu. Die vielen Füße der Chavantes hatten eine flüchtige Spur hinterlassen, hier und dort absichtlich einen Ast abgetreten oder abgefallene Blätter gewendet, um den Nachfolgenden den Weg zu zeigen. In kürzester Zeit war alles wieder zugewachsen, und selbst der geübteste Indianer sah keine Spuren mehr.

Nur selten ließ sich ein Tier erblicken. Pfeilfeder schlug eine Schlange tot. Einige Affen sprangen in den Baumkronen umher, hier und dort saß ein Taubenpaar, aber die meisten Tiere vernahmen die nahenden Menschen und wichen ihnen aus. Erst als der Abend kam, gab Jojo das Zeichen zu größerer Vorsicht. Nun war nichts mehr zu hören, und sie überraschten einen Ameisenbär, den sie erlegten und ausweideten. An einem Bach schlugen sie das Lager auf. Raro flocht für Diacui eine Hängematte. Sie legte sich hinein und schlief, als hätte sie nur darauf gewartet.

Am zweiten Tag erreichten sie einen schmalen Flußlauf, der auffallend dunkles Wasser führte. Dort lagerten sie. Die Männer sammelten dicke Bambusstangen, und Taowaki zeigte Diacui, wie man aus jungen Palmschößlingen dünne Streifen gewinnt und sie zu festen Stricken dreht.

„Unsere Wanderung ist hier zu Ende", erzählte sie während der Arbeit. „Wir binden ein Floß zusammen und treiben stromab. Zwei Tage lang. Dann gehen wir noch ein kleines Stück waldein."

„Weißt du, wie weit es dann noch bis zum großen Strom ist, den wir Amazonas nennen?"

„Mit dem Kanu sind es soviel Tage, wie du Finger an einer Hand hast."

Diacui wollte baden, doch warnte Taowaki vor den Piranhas. Hier seien sie besonders gefährlich.

Im Ufersand waren viele auffallend große Krokodilspuren zu sehen.

Mit gemischten Gefühlen sah Diacui dem Floßbau zu. Gebündelte Bambusstangen wurden zusammengebunden. Das war alles. Es ragte kaum aus dem Wasser.

Die Mädchen und Pfeilfeder setzten sich in die Mitte, Jojo stand vorn mit einer Stange und Raro hinten. Das Floß war so klein, daß es zu kentern drohte.

„Und unter uns sind Krokodile und Piranhas“, seufzte Diacui.

„Auch noch andere Tiere, die auf uns warten“, erwiderte Pfeilfeder lachend.

Aber es war eine schöne Fahrt. Sogar die Indianer sahen dem wechselvollen Spiel der Uferlandschaft zu. Es ging durch dunkle Wälder, enge Felsschluchten und überhängende Bäume. Überall zwitscherten Vögel. Viele Affen turnten im Gezweig. Ein Fischotter stand am Ufer, sah herüber und lief weg.

„So habe ich mir den Urwald vorgestellt“, sagte Diacui.

„Kanntest du ihn nicht?“ wunderte sich Taowaki.

„So nicht, denn bei den Weißen ist kein Urwald. Sie legen große Pflanzungen an mit Kaffee, Tee, Bananen und anderen Früchten. Ihre Viehherden sind groß und brauchen Weideflächen. Der große Wald ist ihnen im Wege.“

„Wozu machen sie das?“

„Um zu leben.“

„Wir tun es nicht und leben auch.“

Diacui gab der Freundin recht und mußte lachen. Bei den Indianern war alles viel einfacher und leichter. Sie brauchten nicht an den kommenden Tag zu denken und sorgten sich nicht einmal um die nächste Mahlzeit. Irgend etwas lief ihnen in den Weg, das sie erlegen und verzehren konnten.

Diacui erkannte aber auch mit Schrecken, daß sie keine Indianerin war. Ihr fehlte so vieles. Bereits nach wenigen Tagen entbehrte sie Kaffee, Zucker und Salz. Sie wagte sich nicht mit Seife zu waschen und versuchte ebenso zu leben, wie es ihr ihre indianischen Freunde vormachten.

Taowaki durchwühlte mehrmals Diacuis Haar, bis Diacui fragte, wozu sie das täte. „Hast du keine Läuse?“ fragte Taowaki.

Diacui war entsetzt. Sie hatte noch nie eine Laus gesehen, geschweige denn in ihren Haaren gehabt.

„Habt ihr Läuse?“ fragte sie voller Ekel.

Die Indianer lachten. Da wurde Diacui ganz wild. Sie wusch Taowakis Kopf, seifte ihn ein, tauchte ihn unter Wasser, durchkämmte das Haar, seifte wieder und durchsuchte alles, bis keine einzige Laus mehr zu finden war.

„Wenn du jetzt noch einmal Läuse hast, laufe ich davon!“ rief sie böse.

Die Indianer wußten nicht, weshalb sie sich vor den kleinen Tieren ekelte. Sie gehörten doch zu den Menschen, wie die Zecken zu Hirsch und Reh.

Taowaki war bei dieser gründlichen Reinigung halb ertrunken. Die Seife brannte in ihren Augen, denn sie hatte bisher so etwas noch nicht gekannt. Diacui entnahm ihrem Bündel ein Fläschchen und schüttelte seltsam riechende Tropfen auf Taowakis Haar. Und als das Haar trocken war, fiel es leicht gewellt über Taowakis Schultern. Es roch nach Blumen, und die Männer wunderten sich, daß Taowaki solch schönes, duftendes Haar besaß.

Nun sollte Taowaki in einen kleinen Spiegel sehen, doch erschrak sie darüber, denn sie kannte nur das Spiegelbild im Wasser. Sie wunderte sich immer mehr über Diacui, die mehr konnte als der Medizinmann Hlé.

„Wie fühlst du dich?“ fragte Diacui.

„Der Kopf ist ganz leicht“, erwiderte Taowaki.

Nun wollten auch die Männer gewaschen werden und solch gutriechendes Haar besitzen. Diacui erfüllte ihnen den Wunsch. Sie arbeitete wie besessen und sagte sich, daß jetzt ihre Erziehungsarbeit begann. Langsam wollte sie den Indianern bessere Sitten beibringen, wollte sie befrieden und ihnen Gutes tun, wie es Vater Ernesto von ihr verlangt hatte.

Nach dieser großen Reinigung benahmen sich die Indianer wie Kinder. Sie sahen mit ihren welligen Haaren ganz anders aus. Etwas Neues war mit Diacui gekommen. Das machte sie übermütig, und Pfeilfeder rang mit Raro, als wollten sie sich ins Wasser werfen. Das Floß schwankte ganz bedenklich, und Jojo drohte, alle beide den Piranhas vorzuwerfen.

„Was hast du noch in deinem Bündel?" fragte Taowaki neugierig. Diacui öffnete es und zeigte ihr alles. Da waren Kamm und Bürste, Zahnputzzeug, Seife, ein Fläschchen Parfüm, zwei Kleider, Unterwäsche, Medikamente, Sandalen, zwei Bücher, Schreibzeug und einige andere Kleinigkeiten.

Mittendrin lag eine Pistole. Diacui erschrak. Wie kam die Schußwaffe in ihr Bündel hinein? Hatte sie ihr Antonio heimlich zugesteckt?

Pfeilfeder wollte danach greifen. Sie kam ihm zuvor, riß die Waffe an sich und warf sie wie versehentlich in den Fluß.

„Was war das?" fragte der Indianer.

„Schade", erwiderte sie, „ein Feueranzünder. Nun ist er weg."

Sie lachte gezwungen und ordnete ihre Sachen.

Mit großen Augen bewunderte Taowaki die seltsamen Dinge.

„Man sollte alles über Bord werfen", sprach Diacui, und wie zur Entschuldigung fuhr sie fort: „Wer bei den Weißen groß geworden ist, braucht dieses Zeug. Es gehört zum täglichen Leben. Wenn ich mir nicht die Zähne putze, fühle ich mich nicht wohl."

„Auch wir putzen sie", erklärte Taowaki, „aber nicht so wie du. Läßt du es mich probieren?" Und sie fand es schön.

So trieb das kleine Floß den Fluß hinab, und es war, als käme mit ihm die neue Zeit, von der Eisenholz längst gesprochen hatte.

Der verborgene Feind

Mit großem Pomp wurde Diacui von den Chavantes aufgenommen. Als die Kunde von ihrer Annäherung zu ihnen kam, bemalten sie sich festlich, schmückten sich mit Federn und liefen durch den Wald ihr entgegen. Diacui war ebenfalls schön bemalt. Sie unterschied sich durch nichts von den Indianerinnen des Stammes, nur daß ihr Haar etwas kürzer war.

Pantherklaue hatte sie begrüßt, der greise Häuptling Tucre umarmte sie, und alle waren zu ihr freundlich. Die Älteren wunderten sich, daß aus der kleinen Diacui ein so großes Mädchen geworden war, und die Jüngeren nahmen sie als eine der Ihrigen auf.

Vom ersten Augenblick an fühlte sich Diacui bei den Chavantes wohl.

Nach dem Wunsch des Häuptlings sollte Diacui in Inćus Hütte ziehen und sozusagen Vahanitus Stelle einnehmen. Inću lächelte nachsichtig und stellte es dem Mädchen frei, Taowaki brachte es jedoch geschickt dahin, daß sie mit zu ihr in die Häuptlingshütte kam. Dort blieb sie aber nur einen Augenblick, denn Kaiman rief zum Fest, das ihretwegen abgehalten wurde.

Da tanzten und sangen sie bis in die Nacht hinein.

Diacui war überwältigt. Es kam ihr alles traumhaft vor. Die vielen wilden Gestalten, die grotesken Bemalungen, der bunte Federschmuck, der zuckende Schein des Feuers, die seltsamen Melodien, das Aufpeitschen der Rassel, das harte Stampfen der Füße, und sie immer mittendrin. Sie war eine Indianerin und gehörte diesen Menschen und dieser aufregenden Nacht an. Obwohl sie sich an Taowaki hielt, geriet sie immer wieder zwischen andere, fremde, aber freundliche Menschen. Sie sprachen mit ihr, nickten ihr zu, faßten sie an den Händen und tanzten mit ihr im Kreis. Immer wieder, so daß es kein Ende nahm.

Sie selbst trug eine gedrehte Hüftschnur, eine Kette um den Hals und zwei feuerrote Federn im Haar. Frei und unbeschwert gab sie sich dem Zauber dieser Nacht hin. Wunschlos glücklich sank sie am Feuer nieder, bis sie wieder emporgezogen und mitgerissen wurde.

„Das ist ein großes Fest“, sagte Pantherklaue, indem er sich in einem günstigen Augenblick zu ihr ans Feuer setzte. „Wie gefällt es dir?“

„Es ist wunderbar“, erwiderte sie.

Sie dachte an frühere Feste in der Stadt, wo es ohne Alkohol nicht ging, wo jedes Mädchen nur in Begleitung der Eltern und Geschwister auszugehen wagte. „Hütet euch vor den Burschen!“ pflegten die Mütter mit drohend erhobenem Zeigefinger zu sagen. Und hier tanzten die so oft geschmähten Wilden fröhlich und harmlos wie Kinder. Sie brauchten keine Rauschgetränke, und die jungen Männer benahmen sich den Mädchen und Frauen gegenüber so rücksichtsvoll, als hätten sie es gelernt.

„Diacui, wo bist du?“ rief Taowaki. Und wieder ging es im Kreis um einen Vorsänger herum, der sich entgegengesetzt drehte und mit den Füßen den Takt angab.

Nur einer blieb abseits und beachtete Diacui nicht. Das war Hlé, der Medizinmann. Mit undurchdringlichem Gesicht und schmalen Augen sah er dem Treiben zu. Er hatte es verstanden, dem Mädchen aus dem Weg zu gehen, so daß es noch kein Wort mit ihm gesprochen hatte. Diacui dachte gar nicht an ihn, aber Taowaki hielt es für ratsam, sie mit ihm bekannt zu machen. Es gehörte sich für jeden Fremden, neben dem Häuptling und dem greisen Tucre auch den Medizinmann zu besuchen. Als sie Diacui darauf aufmerksam machen wollte, war er plötzlich verschwunden.

Erst am nächsten Tag gelang es den beiden Mädchen, den Medizinmann zu überraschen. Er kauerte am Feuer, als wolle er sich wärmen. Taowaki sprach ihn an, worauf er lächelte und sehr freundlich tat. Keinen Blick warf er nach Diacui.

„Du wirst dich an seine Launen gewöhnen müssen“, sagte Taowaki, nachdem sie ihn verlassen hatten.

„Hat er viel zu sagen?“ fragte Diacui.

„Nein, nicht mehr. Wir haben ihn früher sehr gefürchtet. Seit unsere Männer mit anderen Tribus und sogar einigen Caboclos zusammenkommen, ist sein Einfluß nicht mehr groß.“

„Er haßt mich.“

„Weil er alles haßt, was von den Weißen kommt.“

Diacui hütete sich, nur mit Taowaki zu verkehren und die anderen zu vernachlässigen. Sie versuchte, mit allen befreundet zu werden, um keine Mißstimmung aufkommen zu lassen. Deswegen besuchte sie alle und war überall gern gesehen.

Die Chavantes hatten ihr altes Dorf bezogen und ihre Hütten so vorgefunden, wie sie sie vor langer Zeit verlassen hatten. Wahrscheinlich war inzwischen kein einziger Mensch in diese Gegend gekommen. Der Platz lag so verborgen im großen Wald, daß er schwer zu finden war. Er ähnelte dem soeben verlassenen, wie auch ein Dorf dem anderen gleicht und die Bauweise der Hütten immer dieselbe ist.

Auch hier galt wieder die Zweiteilung des Lagers; auf der einen Seite wohnten die Tapire, auf der anderen die Fische. Jetzt gaben sich alle große Mühe, den Platz vom Gestrüpp zu säubern und übersichtliche Flächen zu schaffen. Ein breiter Weg teilte das Dorf und führte zum Versammlungsplatz.

Vom ersten Tag an war Diacui bestrebt, das Leben der anderen Mädchen zu führen. Sie holte Wasser, kletterte mit den anderen auf Bäume, sammelte Früchte und versuchte sich nützlich zu machen. Das ging gut, bis eines Tages ein Fieber ausbrach und zwei Frauen und ein Mann sich zu gleicher Zeit auf die Matten legten. Hlé hatte zu tun. Aber es kamen neue Fälle dazu. Das Fieber steigerte sich und schüttelte die Kranken.

Da setzte sich Diacui zu dem Häuptling und sagte: „Ich könnte vielleicht helfen, wenn es der Medizinmann zuließe."

„Er läßt sich nicht dreinreden", erwiderte Pantherklaue.

Am nächsten Tag legte sich auch Taowaki nieder. Das Fieber kam ganz plötzlich. Die Kranken verloren die Besinnung oder phantasierten.

„Warum darf ich nicht helfen?" drang Diacui in den Häuptling.

Ohne daß es der Medizinmann erfuhr, wurde Eisenholz um Rat gefragt. Der nickte nur und lächelte über Diacuis Eifer. Rasch holte sie eine Flasche mit Pillen. Noch am selben Abend fühlte sich Taowaki besser. Am nächsten Tag war sie geheilt.

Darauf befahl Pantherklaue, allen Kranken solche Pillen zu geben. Jetzt ging es nicht mehr um die Meinung des Medizinmannes, sondern um das Leben vieler Indianer. Einige Tage später gab es im Dorf keine Kranken mehr.

Das ganze Dorf freute sich über Diacuis Hilfe, nur Hlé nicht. Diacui hatte ihre Flasche wieder weggepackt, denn es gab jetzt nichts mehr zu tun. Doch bald erkannte sie den Haß des Medizinmannes und hütete sich vor ihm. –

„Kannst du zaubern?" fragte Taowaki ängstlich, als sie allein waren und badeten.

„In der Medizin steckt kein Zauber", meinte Diacui.

„Zaubere nicht, auch wenn du es kannst! Wer zaubern kann, wird umgebracht. Das ist ein altes Gesetz unseres Stammes."

„Kein Mensch kann zaubern", versetzte Diacui. „Aber wenn mich deswegen jemand umbringen will, dann sei so freundlich und sag es mir!"

„Du meinst Hlé."

„Man kann es nicht wissen."

„Ich werde auf der Hut sein. Wenn er Schlimmes plant, und das tut er, fliehen wir."

„Auch du?" wunderte sich Diacui.

„Glaubst du, ich lasse dich im Stich? Hab keine Angst! Der Medizinmann ist gegen dich, aber alle anderen haben dich lieb. Allein kann er nichts gegen dich unternehmen, und ich wüßte nicht, auf wen er sich noch verlassen könnte."

„Ich kenne einen, der mir nicht gutgesinnt ist. Ihr nennt ihn Ono-onoh."

Taowakis Augenbrauen zogen sich unwillig zusammen. Sie schien ein wenig nachzudenken. Plötzlich lachte sie und rief: „Das ist ein Irrtum, Diacui. Sein böser Blick galt bestimmt nicht dir, sondern mir. Er liebt mich nicht, denn ich habe ihm das Gesicht zerkratzt."

„Sinnt er auf Rache?"

„Schlimm wird es nicht werden", meinte Taowaki wegwerfend, „aber einen Streich wird er mir eines Tages spielen. Die Narben ärgern ihn gar zu sehr. Weiß du, um was es ging?"

Taowaki zog die Freundin aus dem Wasser, und während sie die Geschichte erzählte, gingen sie tiefer in den Wald hinein. Hinter ihnen löste sich eine Gestalt aus den Büschen. Es war der junge Indianer Ono-onoh.

Wie so oft in letzter Zeit hing Pantherklaue ernsten Gedanken nach, die ihn sehr beunruhigten. Er erkannte den tiefen Abgrund zwischen seinem Stamm und den Weißen. Bisher glaubte er, alles richtig gemacht zu haben, doch waren die letzten Vorkommnisse nicht dazu angetan, sein Selbstbewußtsein zu stärken. Vieles war falsch gewesen. Sein alter Grundsatz, kein Weißer dürfe das Gebiet der Chavantes betreten, war ins Wanken gekommen, denn der Händler José kümmerte sich nicht darum und hatte den ganzen Stamm in Verlegenheit gebracht. Wäre es nach der alten Regel gegangen, hätten sie in letzter Zeit eine Menge Weiße umbringen müssen. Das hatten sie nicht getan. Im Gegenteil: Sie hatten mit ihnen am Feuer gesessen und Vereinbarungen getroffen.

Vahanitu war gestorben. Die Weißen behaupteten, daß sie hätten helfen können. Durfte ein Mädchen sterben, nur weil die Chavantes an dem Grundsatz festhielten, mit den Weißen nicht zu verkehren?

Viele Chavantes waren vor wenigen Tagen ernstlich erkrankt. Pantherklaue hatte sofort die große Gefahr erkannt, denn von Zeit zu Zeit wiederholten sich diese Krankheitserscheinungen, denen der Medizinmann machtlos gegenüberstand. Trotz seiner Beschwörungen und Tänze waren früher viele Indianer gestorben, und die anderen retteten sich, indem sie das Dorf verließen und weiterwanderten. Diesmal griff Diacui ein und heilte die Kranken mit den Mitteln der Weißen.

Überhaupt war Diacui ein Fremdkörper im Stamme der Chavantes. Obwohl sie sich anzupassen versuchte, blieb sie eine Fremde, eine Indianerin, die zwischen ihren Leuten und den Weißen stand. Darüber täuschte auch ihre Bemalung nicht hinweg.

Nun ging es darum, das Alte zu wahren und die gefürchtete Macht der Chavantes ungebrochen zu erhalten. Nur auf diese Weise war es möglich, die Sicherheit zu wahren und den großen Wald freizuhalten von fremden Eindringlingen. Wer den Tod zu fürchten hatte, wagte sich nicht ohne weiteres in das Gebiet der roten Kinder Tupons. Also mußten sie wieder mit grausamer Strenge vorgehen und Blut vergießen.

Das Mädchen Diacui war dagegen, denn es hielt zu den Weißen. Taowaki hielt zu Diacui; also konnte man sich nicht mehr auf sie verlassen. Diacui schmeichelte sich in die Herzen der Chavantes. Jojo sprach oft mit ihr. Eisenholz blickte wärmer, wenn er sie in seiner Nähe sah. Der alte Inću lud sie in seine Hütte ein.

Das waren Begebenheiten, die dem Stamm gefährlich

werden konnten. Wenn es eines Tages zum Kampf mit den Weißen kam, würde Diacui dazwischenstehen und große Verwirrung anrichten. Deswegen war es wohl besser, sie rechtzeitig zu entfernen. Den Stachel zieht man aus der Haut, bevor er anfängt zu eitern.

„So einfach ist das nicht“, erklärte Eisenholz, nachdem Pantherklaue ihm gegenüber seine Bedenken ausgesprochen hatte. „Diacui ist vom Stamm der Chavantes. Du kannst sie nicht ausschließen, denn du hast kein Recht dazu. Sie gibt sich redlich Mühe, sich uns anzupassen. Oder bist du anderer Meinung?“

„Das gebe ich zu.“

„Diacui hat recht. Die Kämpfe mit den Weißen müssen aufhören.“

„Das sagst du?“ rief der Häuptling finster.

„Sieh dir doch die vielen Stämme an, die mit den Weißen in Verbindung stehen! Wir wollen uns nicht anpassen, weil dabei nichts herausspringt. Wir sollten lediglich nicht ihre Feinde sein.“

„Du denkst genau wie Diacui“, meinte Pantherklaue, indem er Eisenholz verließ.

Da war also auch von Eisenholz kein Rat zu holen. Tucre war friedlich gestimmt, denn er war alt. Inću trauerte noch um seine Tochter, die anderen waren nicht so erfahren, und Jojo stand schon wieder mit Diacui vor der Hütte.

Am Abend setzte sich der Häuptling neben Diacui auf die Matte und sprach:

„Wir leben einfach. Du wirst es ganz anders gewöhnt sein.“

„Ich finde es schön“, erwiderte Diacui.

„Dann ist es bei den Weißen schlechter?“

„Nein, nur anders.“

Der Häuptling schwieg. Nach einer Weile fuhr er fort: „Werden dich die weißen Männer eines Tages besuchen?"

„Ich glaube nicht, denn sie fürchten die Chavantes."

Also immer noch! Pantherklaue war mit dieser Auskunft sehr zufrieden. Er ging bald danach zu Hlé, den er am Feuer sitzend antraf. Mit ihm schwieg er eine lange Zeit. Sie rauchten ihre kurzen Pfeifen und sahen den Flammen zu.

„Jäger kamen zurück und berichteten von einem

Haus in unserem Gebiet“, brach der Medizinmann das Schweigen.

„Es gehört dem Indianerschutzdienst“, erwiderte der Häuptling.

„Dorthin gehört es nicht.“

Sie schwiegen daraufhin und zogen an ihren kurzen Pfeifen.

„Man kann es ändern“, fuhr Hlé böse lächelnd fort.

„Dann gibt es wieder neuen Streit.“

„Die Weißen müssen unser Recht achten!“

„Das ist ganz meine Meinung, Hlé, doch haben unsere Männer mit den Männern vom SPI freundlich verkehrt. Das erschwert das Ganze.“

„Wir aber doch nicht. Jojo und einige andere waren es. Sie brauchten diesmal nicht dabeizusein.“

„Du vergißt, daß wir sie zurückließen und daß sie den Stamm vertraten.“

Nach kurzem Nachdenken sagte der Medizinmann schlau: „Es braucht kein Blut zu fließen. Das Haus geht in Flammen auf, weiter nichts.“

„Dann werden sie es neu errichten.“

„Es kann immer wieder abbrennen. Wir hatten auch bei den Caboclos große Geduld.“

„Die Jäger berichten auch von scharfen Hunden“, bemerkte der Häuptling.

„Haben wir uns jemals vor Hunden gefürchtet? Gift läßt keinen Verdacht aufkommen.“

„Wir werden die Sache noch besprechen. Es muß gesagt werden, Hlé, daß Diacui von den Weißen gekommen ist. Sie hat auch Gutes mitgebracht.“

„Mit Zauberei ist vieles zu erreichen“, bemerkte der Medizinmann unter zusammengekniffenen Lidern hervor.

„Das ist keine Zauberei. Die Weißen können tatsächlich mehr als wir. Man sollte das Gute nicht übersehen."

„Dann geh doch hin und errichte das Dorf neben den Weißen."

„Das ist ein guter Gedanke", versetzte Pantherklaue. Er sagte es im Spott, aber Hlé sah ihm betroffen nach, als er sich plötzlich erhob und fortging.

Der Häuptling war unzufrieden. Er sprach wenig und mied die Gesellschaft der anderen. Oft ging er jagen und blieb lange aus. Eines Tages geschah es, daß er mit einer tiefen Fußwunde zurückkam und sich legen mußte. Beim Kleinschlagen von Brennholz war ihm das Buschmesser abgerutscht und ihm in den Fuß gefahren.

Hlé kam und wendete seine Mittel an.

Von diesem Tag an mußte der greise Häuptling Tucre wieder Häuptling sein, denn Pantherklaue fieberte und konnte keinerlei Entscheidungen treffen. Diacui hütete sich, den Medizinmann zu reizen und dem Häuptling zu helfen. Sie fürchtete sich vor Hlé mehr, als sie sich eingestand.

Hlé hielt seine Zeit für gekommen. Solange Pantherklaue nichts zu sagen hatte, konnte viel geschehen, zumal Eisenholz mit Kopé weit nach Süden gegangen war, um sich nach den feigen Assuri umzusehen.

Tucre hatte sein Leben lang mit feindlichen Tribus, Caboclos und Weißen gekämpft. Nun war er zu alt, um noch einmal den Bogen zu spannen, doch umschattete sich seine Stirn, wenn von den alten Feinden die Rede war. Was man ihm zutrug, mußte er glauben, denn er kam nicht mehr aus dem Dorf heraus.

Er glaubte auch Hlé, als der von einer Hütte sprach, die seit kurzem im Gebiet der Chavantes stand. Den Weißen gehörte sie? Das durfte natürlich nicht sein.

„Pantherklaue will kein Blut vergießen", sagte der Medizinmann, als sie gemeinsam am Feuer saßen und Pfeife rauchten.

Der greise Häuptling schüttelte den Kopf. Wenn es gegen die verhaßten Weißen ging, hatten sie niemals auf ein Menschenleben Rücksicht genommen. Aber Pantherklaue mußte es ja wissen, denn er war der Häuptling.

„Ich bin dafür, daß einige Männer zum Fluß gehen und die Siedlung niederbrennen", fuhr der Medizinmann fort. „Wenn es nottut, müssen einige Weiße ihr Leben lassen. Es kommt auf die Umstände an."

„Der Mond steht nicht gut", erwiderte der Alte. „Erst in einigen Tagen ist es soweit."

Hlé wagte nicht zu widersprechen. So wie die großen Feste auf eine bestimmte Jahres- und Mondzeit fielen, mußte auch bei einem Kriegszug darauf geachtet werden. Die Umwelt der Indianer ist voller böser und guter Geister. Sie zu reizen, ist gefährlich.

Die Warnung

Der Medizinmann Hlé hatte bei seinen Plänen ein kleines Mädchen übersehen: Blaufalter, die Tochter von Cetjo und Turé. Da sie viele Geschwister besaß, hatte sie der greise Häuptling zu sich genommen, um sie wie sein eigenes Kind zu erziehen. So wie es ihr gerade einfiel, war sie mal daheim bei den Eltern, mal bei ihm. Als Hlé mit Tucre am Feuer saß und den Überfall auf die Siedlung der Weißen besprach, saß sie in der Hütte, spielte mit zwei kleinen Papageien und hörte jedes Wort. Sie dachte nicht groß darüber nach und freute sich höchstens, daß wieder etwas geschah, daß sie den Freundinnen etwas Neues erzählen konnte, oder gar Diacui, die es ja auch gewissermaßen etwas anging, da sie von den verhaßten Weißen kam. Diacui war verschleppt worden, so erzählten die Leute, und jetzt würde sie sich gewiß freuen, wenn es gegen die Weißen ging.

Als Hlé gegangen war, huschte Blaufalter zur Hütte hinaus und zu Taowaki, wo sie auch Diacui vermutete. Sie traf die beiden im Schatten eines Baumes beim Essen an. Sie aßen eine aus Manioka und Früchten zubereitete Suppe mit gekochtem Fisch. Es waren viele um den Suppentopf versammelt: Jojo mit seiner Frau und den beiden Kindern, Maikäfer, Taowaki und Diacui.

Sie schöpften mit kleinen Schalen die Suppe und aßen den Fisch aus der Hand.

Blaufalter war viel jünger als die beiden anderen Mädchen. Da die Indianer die Jahre nicht zählen, konnte man nur sagen, daß sie einen Kopf kleiner war. Trotzdem war die Rede davon, sie in nächster Zeit zu verheiraten. Ihr war es gleich, denn wenn es ihr nicht gefiel, konnte sie den Mann wieder verlassen.

Jetzt saß sie im Schatten der Hütte, hielt einen jungen Hund fest und ärgerte ihn, da er zu den anderen Hunden wollte, die sich um die hingeworfenen Fischgräten stritten. Taowaki warf ihm schließlich einen Fischkopf zu.

Als die Mahlzeit beendet war, fragte Blaufalter: „Wollen wir baden?“ Sie blinzelte dabei Taowaki zu.

Eigentlich waren die Mädchen viel zu faul, nach dem Essen und in der Sonnenglut bis zum Fluß zu gehen. Sie konnten aber auch in einem Bach baden, der allerdings ganz flach war und der sehr kühles Wasser führte. Dorthin gingen sie also. Und als sie in dem Wasser planschten, erzählte Blaufalter den Plan des Medizinmannes vom Überfall auf die Weißen.

„Hast du auch alles richtig gehört?“ fragte Taowaki überrascht.

„Ich habe jedes Wort verstanden.“

„Was geht es uns an?“ lachte Diacui.

Taowaki sah die Freundin verdutzt an, verstand ihren Blick und gab ebenfalls zu verstehen, daß das eine Männerangelegenheit sei.

Nun war Blaufalter enttäuscht und hielt es für überflüssig, noch ein Wort darüber zu verlieren.

Nachdem Blaufalter gegangen war, blieben Taowaki und Diacui nachdenklich am Bach zurück. Taowakis erster Gedanke war der, Jojo sofort zu verständigen. Was hatte jedoch Blaufalter gesagt? Pantherklaue wäre mit dem Abbrennen der Siedlung einverstanden gewesen. Wenn das der Fall war, teilte Jojo seines Vaters Meinung.

Dann war also der ganze Stamm gegen die Weißen. Die Folge waren Mord und Brandstiftung.

„Wie habe ich zu gehen, um den SPI-Posten zu warnen?“ fragte Diacui.

„Jedenfalls nicht allein“, versetzte Taowaki. „Allein kommst du nicht hin. Ich weiß überhaupt nicht, wo es ist.“

„Versteh doch, Taowaki, daß ich nicht hierbleiben kann, während neues Unheil droht! Ich muß hin!“

„Dann warnst du die Weißen, damit sie uns zuvorkommen. Das gibt auf unserer Seite viele Tote.“

„Sie werden es nicht zum Kampf kommen lassen. Ich verspreche es dir. Du kennst die Weißen nicht. Der Posten gibt keinen Schuß auf die Indianer ab.“

„Was werden sie sonst tun?"
„Das weiß ich nicht. Ich weiß nur, daß sie niemals gegen die Chavantes kämpfen werden."
„Ich glaube dir, Diacui. Wir müssen feststellen, wo das Haus ist."
Mit viel Schläue versuchte Taowaki, es aus Jojo herauszubekommen, doch gelang es ihr nicht. Diacui selbst hatte keine Ahnung, wohin sie in den Urwald gewandert waren. Pfeilfeder mußte es wissen, aber der zeigte nur flüchtig zum Wald hinüber und meinte, es sei gar nicht weit. Damit war nichts anzufangen, denn ein Weg von mehreren Tagen war für die Chavantes keine große Sache.
Ono-onoh schied aus. Er war zwar einer der Jäger, die die neue Siedlung entdeckt hatten, aber er würde niemals Taowaki den Weg verraten. Sie dachte gar nicht daran, ihn danach zu fragen.
„Einer könnte es von den Jägern erfahren haben", meinte Taowaki. „Inću. Versuche, es aus ihm herauszuholen! Aber sei vorsichtig! Er ist ein Chavantes."
Bis zum Abend blieb Diacui in Inćus Hütte. Er und seine Familie liebten Diacui. Sie sahen sie gern kommen und luden sie immer zum Essen ein. Und als sie diesmal ging, wußte sie, was sie erfahren wollte. Inću hatte gesagt, die Siedlung könne man auf dem Wasserweg erreichen, doch sei es viel näher, querwaldein zu gehen und einem Pfad zu folgen, den eben jene Jäger angelegt hatten.
„Schöpfte er Verdacht?" fragte Taowaki.
„Weiß er denn von dem Überfall?"
Taowaki dachte eine Weile nach und fragte schließlich: „Was willst du tun?"
„Den Posten warnen."

„Allein kannst du nicht gehen, denn du kennst nicht unsere Zeichen. Ich werde dich begleiten.“

„Was wird, wenn sie daheim Verdacht schöpfen?“

„Ich sage, wir werden zum Fluß gehen, um Schildkröteneier zu sammeln. Wenn wir nicht genügend finden, bleiben wir zwei Tage.“

Das war ein guter Gedanke. Schildkröteneier werden gern gegessen, und wenn man dabei gar noch eine Schildkröte fängt, nimmt die Schlemmerei kein Ende.

„Jojo könnte mitgehen“, meinte Maikäfer, aber Taowaki war nicht dafür, denn sie wollte mit Diacui allein sein.

Ganz früh am Morgen, die Sonne war noch nicht aufgegangen, huschten die Mädchen aus der Häuptlingshütte und zum Wald hinüber.

Ono-onoh kam soeben mit einem Wasserbehälter vom Bach. Er sah die beiden, blickte ihnen finster nach und ging schließlich seiner Hütte zu. Bald darauf verließ er mit den beiden jungen Chavantes Catengqui und Gojaca das Dorf.

Taowaki hatte es eilig. Sie lief mit der ihr eigenen Behendigkeit und mit der Ausdauer eines Knaben. Um der Freundin so rasch folgen zu können, hatte Diacui ihre Sandalen angezogen. Ein Kleid trug sie als Bündel unterm Arm.

Der Urwald regte sich. Tierstimmen wurden laut, Brüllaffen tobten irgendwo in den Bäumen. Taowaki war es lieb, daß Diacui nicht so lautlos lief wie sie selbst, damit die Tiere davongingen. Ihr Blick suchte auf dem Boden und in allen Winkeln, um die Gefahr rechtzeitig zu erkennen. Die Schlangen flohen nicht so schnell, und sie mußte darauf achten, nicht auf eine zu treten. Dabei versuchte Taowaki, den Pfad im Auge zu behalten. Ein abgebrochener Ast oder irgendein kaum sichtbares Zeichen zeigte die neue Richtung an.

Diacui wunderte sich über die Sicherheit, mit der Taowaki den Weg fand. Sie gestand sich ein, daß sie ohne die Freundin nicht weit gekommen wäre. Noch fühlte sie sich fremd in dem großen Wald, wo in jedem Gebüsch der böse Geist Yurupari zu stecken schien. Das Schweigen des Waldes ängstigte sie, doch fürchtete sie ebenso sein geheimnisvolles Rauschen. Jede davonhuschende Eidechse schien eine Schlange zu sein und jeder Affe ein Panther. Um mit diesen Eindrücken fertig zu werden, mußte sie langsam gehen und alles beobachten. Dieses Dahinjagen war wie eine Flucht vor unsichtbaren Feinden.

Im Grunde genommen war es auch eine Flucht vor den eigenen Leuten und ein Lauf zu jenen, die ihr eigentlich näherstanden als die Rothäute. Im Augenblick der Gefahr wußte sie, wohin sie gehörte. Sie verriet damit die Chavantes nicht, sondern vereitelte lediglich ihren teuflischen Plan, der neue Zwietracht schuf.

„Warum läufst du so schnell?“ fragte Diacui, als Taowaki endlich unter einem Baum stehenblieb, um einige Früchte zu pflücken.

„Ich traue unseren Leuten nicht“, erwiderte sie. „Wenn sie uns durchschaut haben, sind sie schneller als wir.“

„Noch schneller?“

„Du kennst sie noch nicht. Wir haben Männer, die sind wie der Wind.“

„Woher sollen sie etwas wissen, Taowaki?“

„Wir Indianer sehen viel.“

Kopfschüttelnd aß Diacui die mehligen Früchte.

„Können sie uns zur Umkehr zwingen?"

„Es kommt auf die Leute an. Eisenholz fehlt. Er weiß alles. Wir brauchten nicht so zu laufen, wäre er hier."

Schon setzte sich Taowaki wieder in Trab und lief, bis die Sonne direkt über ihnen stand. Da erreichten sie einen See mit grasgrünem Wasser. Diacui wollte trinken, doch hielt Taowaki sie zurück.

„Nicht hier", warnte sie. „Du trinkst das Fieber. Außerdem wimmelt es von Krokodilen. Siehst du nicht ihre Augen?"

Diacui sah nichts.

Taowaki las Holz auf und schleuderte es nach runden Erhebungen, die wie Holzstückchen aussahen. Die Krokodile rührten sich nicht. Nur wenn sie getroffen wurden, tauchten sie unter.

„Möchtest du hier baden?" fragte Taowaki lachend.

„Mir ist mein Leben lieber", gab Diacui zurück. „Trotzdem bin ich durstig, als hätte ich seit vielen Tagen nichts getrunken."

„Komm!" sagte Taowaki.

Sie gingen ein Stück in den Wald hinein. Dort suchte Taowaki eine bestimmte Liane, hielt sie gegen einen Baum und hieb mit einem Knüppel darauf. Da spritzte klares Wasser aus ihr heraus, und die Mädchen brauchten nur den Mund aufzutun.

„Das ist wie Zauberei!" wunderte sich Diacui.

Taowaki hatte keine Zeit zu langen Erklärungen, denn sie lief schon wieder am See vorbei und achtete hier besonders auf Wasserschlangen. Ein Kaiman schrak vor ihr auf und schoß blitzschnell ins Wasser. Diacui wunderte sich über die Schnelligkeit dieses sonst so trägen Tieres. Krokodil und Kaiman wären in der Lage, jedes Tier einzuholen, doch greifen sie tagsüber auf dem Land nicht an. Ihnen in der Nacht zu begegnen, ist dagegen nicht ratsam.

Ein Wasserschwein stob aus dem Schilf und ins Gebüsch hinein. Taowaki beachtete es kaum. Solange die Sonne am Himmel stand, hatte sie keine Furcht. Am Abend hoffte sie den Fluß und die Hütte erreicht zu haben.

Seltsamerweise machte der Pfad einen großen Bogen. Indianer gehen selten geradeaus und legen ihre Wege lieber so an, daß sie den etwaigen Verfolger irreführen, aber dieser Pfad bog gar zu weit nach Sonnenaufgang ab. Taowaki stellte sich vor, daß sie viel Zeit hätten sparen können, wenn sie geradeaus gegangen wären. Dann hätten sie den großen See zur Rechten liegenlassen statt zur Linken.

Sie durchquerten eine kurze Strecke mit Schilf und kniehohem Gras. Taowaki ging langsamer, denn in solchem Gelände hielten sich mit Vorliebe der Jaguar und die Riesenschlange Anakonda auf. Wer ihnen in den Weg lief, brauchte nicht erst zu fliehen. Aber es blieb alles still, nichts rührte sich, und Taowaki schritt wieder rascher aus und hatte soeben den Waldrand erreicht, als ihr drei Pfeile entgegenflogen und sich vor ihr in die Erde bohrten.

„Verrat!“ zischte sie leise und prallte zurück.

„Was ist?“ rief Diacui entsetzt.

Taowakis Blick glitt nach oben und entdeckte im Laubwerk der Bäume drei rote Gestalten. Ihr erster Gedanke galt den Assuri, doch hätten die Pfeile in diesem Fall treffen müssen. Also waren es Chavantes. Sie zog die Pfeile aus dem Boden und schleuderte sie weg.

„Was soll das?“ fragte sie zornig.

Drei dunkle Gestalten rutschten von den Bäumen. Es waren Ono-onoh, Catengqui und Gojaca.

„Bist du überrascht?“ frage Ono-onoh, indem er die Pfeile auflas und Taowaki höhnisch ansah.

„Paß auf, daß ich dich nicht beiße!“ versetzte Taowaki.

„Diesmal nicht“, lachte der junge Indianer.

„Komm!“ sagte sie, nickte der Freundin zu und wollte an ihm vorbei.

Aber da standen die beiden anderen ihr im Weg.

„Wir nehmen es mit euch auf“, zischte sie wütend.

Die Burschen lachten, und Ono-onoh sagte: „Spitze Zähne beißen tiefer.“ Er meinte damit seine eigenen angefeilten.

„Du bist vom bösen Geist besessen“, erwiderte sie verächtlich. „Wenn ihr den Weg nicht freigebt, sehen wir das als Feindschaft an.“

„Das ist es auch“, höhnte der Bursche. „Ihr kommt hier nicht vorbei. Der Stamm hat es beschlossen.“

Taowaki lachte hell auf. „Seit wann kümmert sich ein Tribus um zwei Mädchen? Das kannst du mir nicht erzählen, Ono-onoh.“

„Es kommt auf die Umstände an.“

„Dann sag sie doch, wenn es besondere sind.“

„Ihr wollt die Weißen warnen.“

„Vor dir? Dazu wäre mir der Weg zu weit“, spottete Taowaki.

„Sag es doch!“

„Was soll ich sagen? Daß Diacui zu den Weißen will, um Medizin und Geschenke zu holen? Das braucht durchaus kein Geheimnis zu sein.“

„Und deswegen lauft ihr so schnell?“

„Weil es eilt. Der Häuptling ist sehr krank, wie auch ihr wißt.“

„Seit wann braucht der Häuptling die Hilfe der Weißen?“ fragte Ono-onoh mit einem schiefen Blick auf Diacui.

„Seit er fast von Sinnen ist und der Medizinmann ihm nicht helfen kann. Nun wißt ihr es. Gebt den Weg frei!“

Die Indianer schüttelten den Kopf. „Es geht nicht“, mischte sich Gojaca in die Unterhaltung. „Tucre hat bestimmt.“

Tucre? Hinter dem Alten steckte Hlé. Dagegen war nichts zu machen. Taowaki senkte den Kopf, drehte sich um und ging den Pfad zurück.

Die geheime Botschaft

Im Schatten eines großen Mangobaumes, umgeben von Palmen und einigen Bananenstauden, standen hoch überm Fluß die beiden Bungalows des Indianerschutzdienstes. Sie waren erst neu errichtet worden und beherbergten eine Familie und zwei Helfer. Die ganze Siedlung bestand also aus sechs Personen, zwei Kühen, einem Pferd und drei Hunden. Es kamen noch ein kleiner zahmer Wickelschwanzaffe und ein grüner Papagei dazu, der so tat, als könne er überhaupt nicht fliegen, obwohl er unverschnittene Flügel besaß.

Der Platz war gut gewählt, denn er wurde nie vom Hochwasser betroffen. Senhor Antonio hatte ihn selbst ausgesucht, und er war ein alter Mateiro, ein Kenner und Bewohner des Urwaldes, der alles gut durchdachte, bevor er eine Sache in Angriff nahm. Von hier aus sollte er mit seinen Leuten versuchen, mit den Chavantes in Fühlung zu treten und sie allmählich zu befrieden. Am

Rio Araguaia war dieser Versuch fehlgeschlagen, weil die Chavantes erst einmal alle Siedlungen auf ihrem Gebiet zerstörten, bevor sie weiterzogen, um sich in der dortigen Gegend jahrelang nicht mehr sehen zu lassen. Es war durchaus möglich, daß der neuen Station Santa Katharina dasselbe Schicksal beschieden war. Von den vielen SPI-Posten im Indianergebiet gibt es mehrere, die mit Überfällen rechnen müssen.

Antonio brauchte nur an den Stamm der Gavoés zu denken, um ein grausiges Beispiel vor Augen zu haben. Auch diese sollten vor Jahren befriedet werden. Statt dessen kamen sie von den Bergen herab, wo sie ein unbeobachtetes Dasein führten, und metzelten den ganzen Posten nieder. Die Gavoés zogen sich in ihre Bergwelt zurück, und der Posten wurde neu besetzt. Nach einem Jahr waren sie wieder da und benahmen sich so unschuldig, als könnten sie kein Wässerlein trüben. Sie bekamen allerlei schöne und nützliche Dinge, worüber sie sich angeblich freuten. Ja, es sei wirklich Zeit, freundschaftliche Beziehungen zu pflegen, sagten sie reuevoll. Ihr Dorf wäre nicht weit, und die Männer könnten ja mitkommen. Also gingen die drei Postenmänner mit. Sie kamen jedoch nicht weit und blieben mit eingeschlagenen Schädeln unter den Bäumen liegen.

Da kam Antonio als Postenführer zu den Gavoés, die wieder jahrelang unsichtbar blieben. Aber eines Tages waren sie wieder da. Sie litten große Not, hatten Wildmangel und Fieber. Der Posten mußte helfen. Da es ihnen bald wieder gutging, verließen sie fröhlich den Posten, schlugen rasch noch einen Mann tot und verschwanden in der Wildnis, wo sie zwei lange Jahre nicht mehr gesehen wurden.

Die Chavantes waren anders. Die standen zu ihrem

Wort. Sie warnten die Siedler: „Geht über den Fluß und meidet unser Gebiet!“ sagten sie und gaben den Kolonisten Zeit. Welcher Sertaneiro gibt jedoch sein mühsam bebautes Land und seine Hütte auf? Also kamen eines Tages die Indianer und ließen Tote und rauchende Trümmer zurück.

Jeder Caboclo und jeder Fremde sollte wissen, daß er auf einsamen Flußfahrten das Gebiet der Chavantes zu meiden hat. Die Chavantes haben oft genug gewarnt. Aber wo stecken sie? Sie sind unsichtbar. Sorglos geht der Kanumann an Land, lagert am Feuer – und steht nicht wieder auf.

Das sind die Chavantes! Sie richten sich nach ihren eigenen Grundsätzen und überlassen es den Fremden, sich danach zu richten oder zu sterben. Antonio wußte die Chavantes zu schätzen, und er hütete sich, ihren Zorn herauszufordern.

Als Santa Katharina errichtet wurde, glaubten alle, die Station befände sich zwar außerhalb des Gebietes der Chavantes, aber immerhin so nahe, um mit ihnen in Verbindung treten zu können. Daß das eine Dorf des gefürchteten Stammes in Wirklichkeit ganz nahe lag, ahnte niemand. Kein Mensch ging durch dieses Urwaldgebiet, weil es dort fast keine Gummibäume gab. Aus einem anderen Grund ins Ungewisse zu gehen, fiel wohl keinem ein.

Der Händler José wohnte unweit des Postens auf einer großen Insel. Er hatte einige Caboclo-Familien um sich geschart und betrieb seinen Handel stromauf und -ab. Mit seinem kleinen Motorboot rutschte er bis zum Amazonas hinab und andere Flüsse hinauf, wo auch viele befriedete Indianer seine Kunden waren. José war ein freundlicher Mann, ehrlich und heiter, doch ging seine

Kugel mitten hinein ins Ziel. Das verschaffte ihm große Achtung. Hier gilt der Mann etwas, der zu schießen versteht. Es war jedenfalls nicht ratsam, sich mit dem Händler José in einen Streit einzulassen, und das wußten auch viele Indianer.

José war es auch gewesen, der Diacui abgeholt und nach Santa Katharina gebracht hatte. Antonio besaß zwar selbst ein großes Motorboot, doch war er noch mit dem Aufbau der Station beschäftigt gewesen. In dieser menschenarmen Einsamkeit hielten die wenigen Siedler zusammen und halfen sich gegenseitig. Das brachte allen Vorteile und erleichterte das Leben.

Oft sprachen sie in Santa Katharina von Diacui. Bevor sie bei den Chavantes untertauchte, war sie mehrere Wochen dort gewesen. Sie hatte sich mit Donna Rosa so gut angefreundet und mit den Kindern gespielt, daß sie zuletzt zur Familie gehörte.

Antonio sorgte sich ebenso wie seine Frau und die anderen um das Mädchen, das zwar eine Indianerin war, aber trotzdem zu den Weißen gehörte. Er hatte geglaubt, sie immer im Auge behalten zu können, um ihr im Notfall beizustehen. Jetzt war sie tatsächlich zu einer unsichtbaren Chavantes-Indianerin geworden.

Der große Wald hatte sie verschluckt.

„Ich kenne einen, der sie finden könnte“, sagte eines Tages José, als er wieder einmal nach Santa Katharina gekommen war. Sie saßen beim Abendessen und zerlegten gekochte Piranhas. Die anderen sahen ihn fragend an. Gemächlich kauend fuhr er fort: „Es ist Diniz, ein einfacher Gummisucher. Er lebt viel weiter oben am Fluß im Gebiet der Ihos. Aber keiner tut ihm etwas. Was eigentlich vorgefallen ist, weiß kein Mensch, und er schweigt darüber. Jedenfalls soll er mehrere Indianer gerettet haben. Sie danken es ihm, indem sie ihn in Ruhe lassen. Seine Hütte steht jenseits des Flusses im indianerfreien Gebiet, doch geht er auf der anderen Seite die Gummibäume ab, ohne von den Rothäuten behelligt zu werden. Er wäre der Mann, die Chavantes aufzuspüren und nach Diacui zu sehen."

„Hm, nicht schlecht", meinte Antonio, „aber aus welchem Grund will er es tun? So weit drin hat er keine Gummibäume zu suchen."

„Sucht er eben etwas anderes, Gold, Edelsteine oder was weiß ich."

„Die Chavantes sind mißtrauisch. Sie durchschauen das Spiel."

„Das wäre seine Sache. Ich glaube schon, daß er es uns zuliebe tut."

Bis jemand zu Diniz kam, vergingen viele Wochen. Im Urwald steht die Zeit fast still. Trotzdem konnte José mit ihm darüber sprechen, wenn er mit seinem Boot in dessen Nähe kam. Vorläufig war also nichts zu machen.

In Santa Katharina vergingen die Tage mit Arbeit. Sie bauten und pflanzten Bäume an, gedachten eine richtige Fazenda anzulegen und beschäftigten Caboclos, damit sie dem Wald zu Leibe rückten und Platz schufen für eine Viehherde. Dadurch machte sich im Laufe der Jahre die Station bezahlt, und sie war kein allzugroßes Zuschußunternehmen mehr für den Indianerschutzdienst. Der SPI ist eine gewaltige Organisation, der so manches Dorf sein Entstehen verdankt.

Um die Mittagszeit eines glutheißen Tages ruhten die Männer im Schatten des großen Mangobaumes, Donna Rosa klirrte im Haus mit dem Geschirr, die Kinder badeten im Fluß, und die Hunde dösten vor sich hin. Da geschah es, daß Carlos eine Gestalt zu sehen glaubte, die er für einen Indianer hielt. Sie befand sich hinter den Bananenstauden und war auffallend klein, wahrscheinlich noch ein Kind.

„Bewegt euch nicht“, sagte er halblaut zu den anderen. „Guckt hinter die Bananen! Der Böse soll mich holen, wenn das dort keine Rothaut ist!“

Antonio lag ungünstig und sah nichts, aber ein Caboclo bestätigte Carlos' Beobachtung.

„Man könnte die Hunde draufhetzen“, schlug ein anderer Caboclo vor.

„Damit ist keinem gedient“, meinte Antonio. „Seht ihr Genaueres?“

„Es ist ein Knabe.“

„Die Krieger pflegen keine Knaben mitzunehmen. Das hat also etwas anderes zu bedeuten. Bleibt liegen! Ich nehme das Gewehr und versuche, von hinten an den Burschen heranzukommen. Behaltet aber die Hunde hier!“

Antonio sprang auf, gähnte und reckte sich, ging langsam ins Haus und schlenderte mit dem Gewehr flußabwärts, als hätte er es auf einige Enten abgesehen. Sobald er außer Sichtweite war, straffte sich seine gedrungene Gestalt. Scharf ausspähend schlich er durch den Wald. Nichts rührte sich.

So kam er von Baum zu Baum, immer die Deckung suchend und hinter jedem Gebüsch eine Rothaut vermutend. Die Sache mit dem Knaben war rätselhaft, denn Kinder bedeuten keine Gefahr. Kinder kommen jedoch nicht allein zum Posten. Wo steckten die anderen? Was wollten sie von den Weißen?

Nichts ließ auf die Anwesenheit von Indianern schließen. Selbst der Bananenhain lag wie ausgestorben in der

Sonnenglut. Unverrichteterdinge kam Antonio zu dem Mangobaum zurück.

„Plötzlich war er weg“, erklärte Carlos.

„Wir wollen vorsichtig sein und bei den Häusern bleiben“, erwiderte Antonio. „Mit den Indianern ist nicht zu spaßen.“

Der Nachmittag verging, ohne daß sich etwas ereignete. Die Männer sprachen bereits davon, die Nacht im Freien zu verbringen.

Sie saßen beim Abendessen, als vorm Fenster ein kurzes kratzendes Geräusch erklang und ein wenig Sand bis in die Stube spritzte. Im Nu stand Antonio mit dem Colt in der Hand am Fenster. Draußen steckte ein Pfeil in der Erde.

„Was soll das bedeuten?“ rief er, während er durchs Fenster stieg. „Ein Zettel von Diacui, wahrhaftig! Eine Warnung! Die Chavantes planen, unsere Siedlung anzuzünden. Das hat das Mädchen fein gemacht!“ Er kam lachend ins Haus zurück.

„Du scheinst das lustig zu finden“, bemerkte Donna Rosa.

„Bis zum Anzünden ist noch viel Zeit“, meinte er, indem er sich auf seinen Stuhl niederließ. „Diacui scheint es gut zu gehen.“ Er überlegte und fuhr fort: „Die Chavantes müssen doch ganz in der Nähe liegen. Wenn Diacui einen Jungen zum Posten schickt, kann es nicht weit sein. Das besagt, daß wir uns in ihrem Gebiet befinden.“

„Deswegen die geplante Brandstiftung“, sprach Carlos kopfnickend.

Sie schwiegen und dachten eine Zeitlang nach.

„Die Chavantes hüten sich vor eigenen Verlusten“, sagte schließlich Antonio. „Es ist bekannt, daß sie wochenlang eine Siedlung beobachteten, bevor sie zum

Angriff übergingen. Wo viele Männer sind, warten sie einen günstigen Zeitpunkt ab, bis einige auf Jagd oder mit dem Kanu unterwegs sind. Nun gut, wir werden noch einige Männer heranholen. Um die Leute zu beschäftigen, bauen wir noch einen Bungalow dazu."

„Die Chavantes haben Zeit und können jahrelang warten", antwortete ein Caboclo. „Je mehr wir bauen, desto mehr brennen sie eines Tages nieder."

„Bis dahin muß eine Verständigung erzielt worden sein", erklärte Antonio mit einem Fausthieb auf den Tisch. „Ich bin dafür, daß wir ihnen zuvorkommen. Mit José gehe ich mitten in ihr Lager hinein!"

Das Abenteuer mit der Anakonda

Aus Diacui war eine Indianerin geworden. Blutsmäßig war sie es schon immer gewesen, doch hatte sie nie so wild und frei wie beim Stamm der Chavantes leben können. Immer mehr gewöhnte sie sich an die Arbeit, an das Leben in den Palmhütten, an die Kost und die seltsamen Bräuche. Sie tanzte mit den anderen bis zum nächsten Morgen und lernte ihre Lieder. Nichts unterschied sie von den gleichaltrigen Mädchen des Stammes.

Daß sie trotzdem eine andere war und es auch bleiben würde, wußte nur sie allein. Sie konnte das Vergangene nicht auslöschen und so tun, als wäre sie nie bei den Weißen gewesen, ebenso hielt sie es für unmöglich, ihr Leben lang bei den Chavantes zu bleiben.

Hätte sie noch die Eltern und Geschwister angetroffen, wäre es vielleicht anders gewesen.

Der einzige, der das verstand, war Eisenholz. Ihm konnte sie nichts vormachen, doch sprachen sie auch nicht darüber. Mit diesem alten Indianer verband sie eine herzliche Freundschaft.

Pantherklaue war wieder gesund. Er humpelte noch ein wenig und konnte nicht weit gehen, aber seinen Häuptlingspflichten kam er wieder nach. Darüber freute sich Tucre, während Hlé eine finstere Miene machte.

Der geplante Überfall auf den Posten war vereitelt worden. Als die Chavantes zur Station kamen, herrschte dort emsige Bautätigkeit. Die Männer blieben auch nachts im Freien, denn sie hängten ihre Hängematten zwischen die Bäume und schliefen in der kühleren Nachtluft besser als in den Hütten. Sechs Hunde streunten in der Gegend umher. Im Augenblick war also nichts zu machen, oder es hätte auf beiden Seiten große Verluste gegeben. Das lag jedoch nicht im Sinne der Indianer.

Diacui frohlockte. Ihr Zettel war rechtzeitig angekommen und hatte die SPI-Leute gewarnt. Das alles hatte sie Taowaki zu verdanken, die dem Jungen mit fürchterlicher Strafe drohte, wenn er nicht zum Posten lief und die Mitteilung abgab. Sie sagte ihm, daß es um die Gesundung des Häuptlings ginge, daß aber das Bürschchen sterben müsse, wenn es ein Wort darüber verliere. Und der Knabe gehorchte.

Nach der Genesung des Häuptlings war von einem erneuten Angriffsversuch nicht mehr die Rede. Was Pantherklaue plante, das behielt er für sich, und Hlé hütete sich, auf eigene Faust zu handeln.

So lebten die Chavantes in Ruhe und Frieden, als gebe es weit und breit keinen einzigen Feind. Aus Coniheru und Blaufalter waren Frauen geworden, eine ältere Indianerin war ins Grab gekommen, und zwei Neugeborene schrien in den Hütten. Es verlief alles wie seit uralten Zeiten.

Diacuis Einfluß machte sich bisher nur im Häuptlingsheim bemerkbar. Dort gab es kein Ungeziefer mehr. Pantherklaue lernte etwas von der Sprache der Weißen, während Taowaki sie nicht nur erlernte, sondern sogar zu schreiben versuchte. Indianer begreifen sehr rasch, auch sind sie wißbegierig und stellen immer wieder neue Fragen.

Das gefiel Diacui. Dadurch stand sie nicht abseits, sondern wurde gebraucht. Sie hegte keine großen Pläne und fühlte sich durchaus nicht berechtigt, in das tägliche Leben der Chavantes einzugreifen. Was der Indianerschutzdienst wünschte, hatte sie fast vergessen. Ihr lag nicht die Rolle einer Mittlerin zwischen Indianern und Weißen.

„Warum bist du nicht bei den Weißen geblieben?“ fragte eines Tages Taowaki.

„Da fragst du mich zuviel“, erwiderte Diacui. „Die Weißen sagen, ich sei zu wild und ungezogen, und dabei bin ich nicht anders als du.“

„Deswegen bist du zu uns gekommen?“

„Vater Ernesto sagte, ich müßte zu euch gehen und Gutes tun. Ich soll euch Medizin geben, euch schreiben und lesen lehren und von Gott erzählen.“

„Wozu brauchen wir das?“ wunderte sich Taowaki.

„Das frage ich mich auch“, versetzte Diacui sorglos.

„Möchtest du wieder zurück zu den Weißen?“

„Manchmal schon. Würdest du mitgehen, Taowaki?“

Taowaki erschrak. „Was soll ich denn bei den Weißen?“

„Nur so“, meinte Diacui leichthin. „Du siehst mal, wie sie leben, die vielen Menschen.“

„Für einige Tage wäre es ganz schön“, gab Taowaki zu.

Vorläufig war gar nicht daran zu denken, aus dem Urwald herauszukommen. Wozu auch? Taowaki hatte nie diesen törichten Wunsch besessen.

Wieder einmal gingen sie zum Fluß, um diesmal tatsächlich Schildkröteneier zu suchen. Taowaki trug ein kleines Bastkörbchen und Diacui ein Buschmesser.

Die Schildkröten pflegen nachts an Land zu gehen. Dann suchen sie die Sandbänke auf, ziehen ihre seltsamen Schleifspuren weit darüber hinweg, graben an geeigneter Stelle ein Loch, legen die Eier hinein und ebnen das Ganze so geschickt wieder ein, daß nichts Auffälliges zu sehen ist. Schildkröten sind nicht klug. Um die Verfolger irrezuführen, müßten sie nach der Eierablage weitergehen. Das tun sie jedoch nur zufällig. In den meisten Fällen kehren sie um und watscheln wieder dem Wasser zu. Das Gelege ist meist dort zu finden, wo die Spur einen scharfen Knick macht oder ganz aufhört.

Diacui grub eifrig und fand nichts. Sie besaß noch nicht den scharfen Blick der Indianer.

Taowaki lachte und rief: „Du gräbst an der falschen Stelle! Dort ist nur harter Sand, und die Spur ist verwischt. Da geht sie weiter! Siehst du sie?“

Diacui verfolgte die Spur weiter und grub schon wieder an einer falschen Stelle. Es war gar nicht so einfach, die richtige zu entdecken. Taowaki machte es anders. Sie rannte an einer Spur entlang, ob sie zu sehen war oder nicht, kniete nieder, steckte die Hände in den Sand und holte ein Dutzend Eier daraus hervor.

„Wie machst du das nur?“ wunderte sich Diacui.

„Paß auf! Folge dieser Spur. Lauf doch! Dort ist der Knick!“

Diacui freute sich, denn jetzt sah sie deutlich den aufgewühlten Sand. Sie griff hinein, wühlte immer tiefer – und fand wieder nichts. Taowaki kam dazu und erklärte lachend:

„Wo ein Kaiman gewesen ist, braucht man nicht noch einmal nachzusehen. Er läßt nicht ein einziges Ei zurück."

„Woher weißt du, daß es ein Kaiman gewesen ist?" fragte Diacui.

„Du darfst die Kaimanspur nicht mit einer Schildkrötenspur verwechseln. Des Kaimans Schwanz schneidet tiefer ein."

Sie suchten die ganze lange Sandbank ab und fanden mehrere Gelege. An verschiedenen Stellen waren Fischotter und Raubvögel am Werk gewesen und hatten die Nester geplündert. Es sah fast aus, als würden sämtliche Gelege ausgenommen und als käme demzufolge nicht eine einzige kleine Schildkröte zum Ausschlüpfen.

„Das ist nicht so", meinte Taowaki, „denn die meisten werden nicht gefunden."

Inzwischen waren sie noch ein großes Stück flußaufwärts gegangen und kamen an eine Stelle, wo die sandige Uferbank aufhörte und sich als flach überspülte Untiefe bis zu einer langen Insel hinüber erstreckte. Mit Piranhas und Stachelrochen war nicht zu rechnen. Sie durchwateten also das flache Wasser und wollten die Suche fortsetzen, als Taowaki stehenblieb und rief: „Die Riesenschlange!"

Diacui folgte ihrem Blick und entdeckte am Ufer einen unförmigen graudunklen Haufen.

„Eine Anakonda?" fragte sie ängstlich.

„Ich weiß nicht, wie ihr sie nennt. Sie beobachtet uns."

„Geht sie ins Wasser, Taowaki?“
„Warum nicht?“
„Und greift sie an?“
„Wenn sie hungrig ist.“
„Laß uns zurückgehen!“

Taowaki schüttelte den Kopf und sagte: „Vielleicht wartet sie nur darauf, daß wir ins Wasser gehen. Wenn sie will, kann man ihr nicht entgehen. Sie ist zu schnell.“

„Wir haben ein Buschmesser“, flüsterte Diacui aufgeregt.

Taowaki nahm es ihr aus der Hand. Sie schritt langsam über die Sandbank einem Gebüsch zu, um sich dahinter zu verstecken. Keinen Blick ließ sie von dem Tier, das zu den gefährlichsten des brasilianischen Urwaldes gehört. Sie wird höchstens noch vom Buschmeister übertroffen, der anderen Riesenschlange, die fast ausnahmslos anzugreifen versucht und sogar den schwarzen Panther nicht verschont. Vor ihr ist überhaupt kein Lebewesen sicher, denn sie tötet selbst den stärksten Stier, wenn es ihr gelingt, mit dem Schwanz einen Widerstand zu finden und sich womöglich um einen Baum zu winden. Anakondas und Buschmeister greifen überall an, zu Wasser ebenso wie zu Lande. Dabei wird eine Anakonda bis zu zwanzig Meter lang!

Taowaki gebot der Freundin zu schweigen. Reglos lagen sie hinter dem Gebüsch, um das Untier zu beobachten.

Ganz langsam löste sich der dunkle Haufen auf. Der Kopf der Anakonda glitt zu Boden und verschwand im Gras. Ohne Zweifel schlug sie die Richtung zum Wasser ein.

„Was sollen wir tun?“ hauchte Diacui.

„Mal sehen, ob sie herüberkommt. Ich glaube schon.“

„Und dann?“

„Dann dürfen wir uns nicht blicken lassen. Hat sie es auf uns abgesehen, locken wir sie auf die andere Inselseite. Wir schleichen uns zurück, durchwaten das Wasser und müssen sehen, daß wir unbemerkt entkommen.“

Der Schlangenleib nahm kein Ende. Der Haufen löste sich immer mehr auf, während der Kopf viel weiter unten und ganz nahe am Wasser zum Vorschein kam. Jetzt sah man deutlich, wie sie züngelte und alles beobachtete. Lautlos glitt sie über eine dicke Wurzel, steckte den Kopf über die Böschung und kam herab. Schenkeldick folgte der graubraune Leib mit den dunklen Ringen.

Diacui erschauderte. Taowakis Augen waren zwei schmale Schlitze. Da kniff auch Diacui die Lider zusammen, um das Weiße ihrer Augen nicht zu zeigen.

Langsam glitt die Anakonda in den Fluß. Sie verschwand darin, ohne wieder aufzutauchen.

Diacui freute sich und sagte leise: „Jetzt ist sie weg!“

„Das ist schlimm, denn sie wartet auf uns“, erwiderte Taowaki.

„Greift sie in dem flachen Wasser an?“

„Ich sage dir, sie greift überall an, wenn sie will. Solange ich sie sehe, ist mir nicht bange.“

„Und jetzt ist sie weg“, seufzte Diacui.

Die Anakonda blieb verschwunden. Vielleicht jagte sie irgendwo im Wasser und dachte gar nicht daran, den Mädchen aufzulauern. Ebensogut konnte sie sich am Ufer verborgen halten und im günstigen Augenblick herangeschossen kommen. Ihr war keinesfalls zu trauen.

„Beobachte von hier aus alles!“ riet Taowaki. „Ich suche auf der anderen Seite Eier. Wenn etwas ist, schreist du wie ein Arara.“

Bevor Diacui etwas erwidern konnte, war Taowaki rückwärts durch den Sand gerutscht und weg. Nun lag sie allein in der glühenden Hitze und fürchtete sich vor der Schlange und allen anderen Tieren des großen Waldes, die plötzlich überall auf sie zu lauern schienen. Das Buschmesser lag neben ihr, doch spendete es ihr wenig Trost.

Zwei rosafarbige Löffelreiher flogen über sie hinweg, zwei Kormorane setzten sich auf einen aus dem Wasser ragenden Ast. Irgendwo erklang das kurze Prusten eines Schweinsfisches.

Taowaki suchte inzwischen Eier. Sie fand noch zwei Gelege. Den Blick hatte sie überall, um nicht überrascht zu werden. Als sie umkehrte, war ihre Korbtasche halb angefüllt mit Eiern.

„Was tun wir jetzt?" fragte Diacui.

„Jetzt holen wir tief Luft und rennen los!"

Sie rannten durch die seichte Flußstelle, daß das Wasser nur so spritzte, schrien aus voller Kehle und erreichten den Wald, wo sie rasch verschwanden.

Der stille Gummisucher

Mit einem kleinen Bündel auf dem Rücken, ein altes Gewehr um die Schulter gehängt, mit einem langen Buschmesser auf der zerschlitzten und vielfach geflickten Hose und einem in die Stirn gezogenen Strohhut, schritt ein schwarzbärtiger Mann durch den Wald. Es war im Gebiet der Chavantes. Zweifellos war er ein Caboclo, ein Mateiro, wie man diese erfahrenen Buschläufer nennt. Seine Heimat war der große Wald, irgendwo stand seine Hütte.

Die flinken Augen dieses kleinen Mannes waren überall. Sie suchten wahrscheinlich nichts Bestimmtes, denn er ging an allem vorbei, an den Bäumen sowie an den Tieren. Als er eine Schlange sah, beachtete er sie kaum, denn sie wollte schließlich genauso leben wie er. Über ihm zwitscherten einige kleine Äffchen, doch sah er sie nicht. Auf bloßen Füßen ging er leicht dahin; die Hosenbeine hatte er an den Knöcheln zugebunden.

Warum blieb er nicht stehen, als ein Webervogel rief? Sah er nicht die dahinhuschenden rotbraunen Gestalten? Fürchtete er nicht den losen Pfeil auf dem Bogen des Indianers?

Er war ein sonderbarer Mann. Er schien mit dem Urwald vertraut zu sein und tat doch, als übersehe er mit seinen listigen dunklen Augen die nahe Gefahr, als sei er ein Neuling und soeben von den Weißen gekommen. Die Rothäute gaben sich zuletzt gar keine Mühe mehr, sich vor ihm zu verbergen.

Sie setzten ihm einen Pfeilhagel vor die Füße und schienen sich zu wundern, daß er weiterging und ihnen geradezu in die Arme lief.

„Seit wann seid ihr in dieser Gegend?“ fragte er gutgelaunt und klopfte Pfeilfeder auf die Schulter.

Die Indianer grinsten ihn freundlich an, und Pfeilfeder sagte:

„Diniz wird nie lernen, die Chavantes zu fürchten.“

„Als hätte er das nötig!“ gab der Mateiro lachend zurück. „Was gehen mich die Chavantes an? Ich suche meine Gummibäume.“

„Da wirst du nicht viel finden“, meinte Pfeilfeder, der das Wort zu führen schien.

„Ja, die Zeiten werden schlechter“, gab der Gummisucher Diniz zu. „Die Weißen wollen für den Baumsaft nicht mehr viel bezahlen. Ich muß mich nach neuen Bäumen umsehen.“

Die Indianer schwiegen. Das tat auch Diniz. Er klopfte plötzlich Pfeilfeder auf die Schulter und wandte sich zum Gehen.

„Hör zu, Diniz!“ sagte der Indianer, „du wirst vielleicht hungrig sein. Auch wir wollen lagern.“

Der Buschläufer wußte, daß das keine Frage, sondern eine warnende Aufforderung war. Die Rothäute hatten längst einen Boten zum Häuptling geschickt und wollten Zeit gewinnen. So leicht gaben sie einen Fremden nicht wieder her. Diniz blieb gern, denn er wollte ja zum Dorf der Chavantes.

Als sie am Feuer saßen, schmorte ein Gürteltier in der Glut. Kopé briet es mit kundiger Hand, während die anderen vier Indianer zusahen. Pfeilfeder lag halb aufgerichtet neben dem Caboclo.

„Was machen die Ihos?“ fragte er wie nebenbei.

„Das wirst du besser wissen als ich. Seit ihr sie verdroschen habt, lassen sie sich nicht mehr sehen“, erwiderte Diniz.

„Und die Männer vom SPI?“

Der Mateiro hob gleichgültig die Schultern. „Ich habe sie lange nicht mehr gesehen. Ihre beiden Hütten sind fertig.“

„Drei“, entfuhr es Pfeilfeder.

Diniz tat, als hörte er nicht drauf. Das Feuer knisterte, und alle Indianer schwiegen, und Diniz sprach sowieso nur, wenn er gefragt wurde. Als das Gürteltier gar war, rissen sie es in Stücke und verzehrten es aus der hohlen Hand.

Ein junger Indianer trat aus den Büschen, warf Pfeilfeder einen Blick zu und setzte sich zwischen die anderen, um ebenfalls ein Stück Fleisch zu essen.

Seelenruhig wischte Diniz seine klebrigen Hände an den Hosenbeinen ab und streckte sich aus, als wollte er ein wenig schlafen. Das Bündel diente ihm als Kopfkissen, das Gewehr hatte er hinter sich an einen Baum ge-

lehnt. Er fühlte sich so wohl wie daheim in der Hängematte, denn von den Indianern hatte er keine Feindseligkeiten zu befürchten. Entweder ließen sie ihn laufen, ode sie nahmen ihn mit in ihr Dorf.

„Bald wird es dunkel sein", sprach plötzlich Pfeilfeder. „Wenn du nichts anderes vorhast, kannst du mit uns kommen."

„Meine Gummibäume laufen mir nicht davon", knurrte der Buschläufer zufrieden.

Also löschten sie das Feuer und gingen in langer Reihe durch den Wald, voraus Pfeilfeder und hinter ihm der Mateiro. Obwohl Diniz kaum aufsah, prägte er sich genau die Richtung ein, um nötigenfalls den Weg auch allein zu finden. So gingen sie eine lange Zeit.

Als sie das Dorf erreichten, war es dunkel. Die Tiere lärmten im Wald, aber es waren wohl mehr die Brüllaffen, die immer spektakelten, bevor sie zur Ruhe gingen.

Pantherklaue, Eisenholz, Tucre und Inću saßen vor der Häuptlingshütte am Feuer, Taowaki und Diacui lagen ganz nahe und stocherten anscheinend gleichgültig in der Glut eines kleinen Feuers herum. Maikäfer, Jojo und seine Familie waren in der Hütte.

Diniz begrüßte die indianischen Männer der Reihe nach, wobei er zuerst Tucre und dann Pantherklaue die Hand gab. Er wußte, was sich gehörte. Der Häuptling forderte ihn mit einer Handbewegung auf, Platz zu nehmen.

„Ich hoffe, daß es dir recht ist, mit den Chavantes am Feuer zu sitzen", begann Pantherklaue das Gespräch.

„Sind wir nicht immer Freunde gewesen?" heuchelte der Caboclo mit harmlosem Gesicht.

Eisenholz lachte, aber die anderen lächelten nur.

„So ist es", fuhr Pantherklaue fort. „Du hast den Indianern geholfen und wärst dabei fast ums Leben gekommen. Es waren nicht unsere Leute, doch hast du damals nicht nach der Stammeszugehörigkeit gefragt. Wir haben dich lange nicht mehr gesehen."

Diniz nickte vor sich hin.

„Du suchst Bäume mit der weißen Milch?"

„So ist es", sagte der Caboclo.

„Du wirst sehen, daß hier nur wenige sind."

„Ich werde wieder zurückgehen zu meinem alten Platz."

Eisenholz liebäugelte mit dem Buschmesser und fragte: „Was willst du dafür haben?"

„Gebe ich es her, kostet es mich vielleicht das Leben", meinte Diniz.

Eisenholz lachte: „Bei den Ihos wäre es umgekehrt. Wolltest du es ihnen nicht geben, schlügen sie dich tot."

„Mich nicht", gab der Buschläufer freundlich zurück.

„Was willst du dafür haben?"

„Ich mache euch einen Vorschlag", sagte Diniz. „Der Posten hat viele Messer und anderen Kram, den ihr bekommen sollt. Ich gebe euch das Messer und hole mir beim Posten ein anderes."

„Wie du willst", knurrte Eisenholz. „Ich hätte dir dafür eine Matte gegeben."

„Wann warst du beim Posten?" fragte Pantherklaue anscheinend gleichgültig.

„Es ist schon lange her", antwortete Mateiro und hatte recht, denn er war mit Antonio und José viel weiter oben am Fluß zusammengekommen. Dort hatten sie alles besprochen.

„Was will der Posten?" forschte Pantherklaue weiter.

„Er hat den Auftrag, keinen Fremden in euer Gebiet zu lassen und euch mit Buschmessern und anderem

Zeug zu versehen. Sie schaffen viel Vieh an, und wenn ihr Milch und Fleisch braucht, sollt ihr es euch holen."

„Wir brauchen es nicht", gab der Häuptling verächtlich zur Antwort.

Diniz kicherte vor sich hin und sprach: „Ich weiß es, Häuptling, aber die Weißen sind komische Menschen. Sie sind nicht schlecht, aber anders als wir. Ihre Buschmesser sind gut. Die kann man brauchen. Mich geht es nichts an."

Als hätte er damit zuviel gesagt, hüllte er sich in Schweigen. Er kroch förmlich in sich zusammen und sah keinen Indianer an. Die beiden Mädchen schien er überhaupt noch nicht gesehen zu haben.

Tucre erhob sich, wünschte dem Caboclo eine gute Nacht und ging. Da standen auch die anderen auf, um in ihre Hütten zu gehen. Diniz blieb allein am Feuer zurück. Er hatte den Kopf auf die hochgezogenen Knie gestützt und war anscheinend eingeschlafen.

Er wußte jedoch genau, daß er beobachtet wurde. Irgendwo belauerte ihn ein Indianer. Der Mond schien sehr hell, und es war unmöglich, unbemerkt über den Platz zu gehen. Die Feuer krochen immer mehr in sich zusammen. Der Urwald schwieg.

Diniz wandte den Kopf ein klein wenig zur Seite und sah die Blicke der beiden Mädchen auf sich gerichtet. Sie sprachen seit langem kein Wort und lagen da, als seien sie eingeschlafen. Nur ihre Augen waren wach. Er kannte weder Taowaki noch Diacui.

Da schien er aufzuwachen. Umständlich stopfte er seine Pfeife, legte ein Stückchen Glut auf den Tabak und paffte dicke Wolken in die Luft. „Bist du das Mädchen Diacui?" fragte er halblaut und sah beide an, denn eine mußte sich jetzt verraten.

Diacui nickte. Er brummelte unverständlich etwas vor sich hin und war schon wieder dabei einzuschlafen. Als er eine Zeitlang so gesessen war, rappelte er sich zurecht, zog ein kurzes Stück Bambusrohr unter sich hervor und warf es beiseite. Nun saß er wahrscheinlich bequemer und konnte besser schlafen.

Das Stöckchen lag jetzt ganz nahe bei den Mädchen. Taowaki angelte es zu sich heran und spielte damit. Bald darauf verschwanden die Mädchen.

Der Buschläufer Diniz war jetzt tatsächlich eingeschlafen.

Zum ersten Mal bei den Weißen

Bevor die Sonne aufging, befanden sich Taowaki und Diacui drüben am Bach, um Wasser zu schöpfen und zu baden. Heute hatten sie es besonders eilig, von den Hütten weg ins Gebüsch zu kommen, um unbemerkt miteinander sprechen zu können, denn Diacui hatte den Zettel gefunden, der in dem Bambusstück stak. Es war eine kurze Mitteilung aus Santa Katharina, ein Gruß und eine Aufforderung zurückzukommen, wenn sie es möchte.

„Ich möchte schon", ereiferte sich Diacui. „Nur für einige Tage, um wieder einmal bei ihnen zu sein. Sie waren sehr gut zu mir. Ob wir beide hingehen dürfen?"

„Wie soll ich das meinen Eltern beibringen?" seufzte Taowaki.

„Frag Eisenholz!"

„Oder Jojo?"

„Einfach davonlaufen können wir nicht. Du weißt, daß die anderen schneller sind als wir."

„Als du", berichtigte Taowaki, denn sie nahm es mit allen Chavantes auf.

„Meinetwegen: als ich. Sag deinem Vater, daß ich gern etwas holen möchte, das mir gehört und beim Posten liegt. Alles andere findet sich."

„Warum sagst du es ihm nicht?"

„Tun wir es beide!"

Pantherklaue zeigte sich nach all dem, was in letzter Zeit geschehen war, nicht überrascht. Er hörte die Mädchen an und erwiderte:

„Diacui kann gehen, wohin sie will. Sie wird den Chavantes immer willkommen sein."

„Und ich?" Taowaki wagte es kaum zu fragen.

„Du mußt es wissen", meinte der Häuptling ernst.

„Ich bringe sie bestimmt wieder zurück", freute sich Diacui.

„Soll ich auf euch warten?" fragte der Buschläufer.

Taowaki schüttelte energisch den Kopf. Sie brauchten keine Begleitung, denn sie fürchteten sich nicht, allein durch den großen Wald zu gehen. Da ging er und gab vorher allen die Hand.

„Komm, laß uns einander bemalen!" schlug Taowaki der Freundin vor, aber Diacui rief lachend:

„Ganz im Gegenteil, Taowaki! Wir müssen den letzten Rest Farbe abwaschen und ein Kleid anziehen, wenn wir zu dem Posten kommen."

„Das tue ich nicht!" entsetzte sich Taowaki.

„Du willst nackt gehen?"

„Ich bin eine Indianerin!" sagte Taowaki stolz.

„Ja, aber bei den Weißen kannst du unmöglich nackt gehen. Tu mir den Gefallen und zieh das Kleid an!"

„Dann geh ich nicht mit“, trotzte Taowaki.

„Ich weiß etwas“, lenkte Diacui ein. „Ich habe ein Stück Stoff. Das paßt wunderbar als Schurz. Schau her! Wie steht es dir?“

Maikäfer lachte und schlug die Hände zusammen. Taowaki riß sich das Tuch vom Leib und sprang zur Tür hinaus.

„Taowaki, tu es mir zuliebe!“ bat Diacui. „Nur dieses Tuch! Es ist kaum etwas.“

„Warum denn keine Bemalung?“ schmollte Taowaki immer noch.

„Die Weißen verstehen das nicht. Wenn es sein muß, dann bemale nur den Oberkörper und wickle das Tuch um die Hüften. So siehst du wirklich schön aus.“

„Wozu soll ich schön aussehen?“

„Die Weißen wollen immer schön aussehen“, erklärte Diacui.

„Ich bleibe eine Chavantes!“

„Das sollst du ja auch. Können wir jetzt gehen? Wenn es sich dein Vater anders überlegt, kommen wir niemals weg.“

Jojo ließ es sich nicht nehmen, sie ein großes Stück zu begleiten. Da die Indianer keinen großen Abschied kennen, war also weiter nichts zu tun, als Taowakis kleines Bündel unter den Arm zu klemmen und zu versichern, daß sie bald wieder zurückkämen.

„Wir warten auf euch“, sprach Pantherklaue schlicht. Er stand mit Maikäfer an der Hüttentür und blickte lange den Davongehenden nach. Jetzt wußte er, daß die Weißen wiederum einen großen Sieg davongetragen hatten. Er hatte ihn nicht verhindern können und wollen.

Bei den Weißen war aber auch alles anders. Taowaki wagte sich nicht in ihren Bungalow hinein. Sie saß draußen unter dem Mangobaum und beobachtete das Treiben in der Station. Sie waren alle sehr freundlich zu ihr gewesen, hatten sie ebenso wie Diacui umarmt und ihr ein Getränk angeboten, das sie Kaffee nannten und das sie nicht kannte. Es schmeckte ihr nicht, und sie goß es weg.

Donna Rosa wollte mit ihr reden, doch verstand sie kein Wort. Die beiden Kinder staunten sie an und liefen davon, wenn sie nur den Mund auftat.

Antonio gab sich große Mühe, ihr alles zu erklären; Diacui dagegen war hier wie zu Hause; sie sprach und lachte mit allen und war sehr fröhlich.

Am besten verstand sich Taowaki mit dem kleinen Äffchen, das auf ihren Arm geklettert kam und sie nicht mehr verlassen wollte. Ihr war es lieb, wenn man sie vorerst in Ruhe ließ und sie alles betrachten konnte. Sie fürchtete sich nicht, doch war sie wie ein Tier, das sich an die neue Umgebung erst gewöhnen mußte.

Als Donna Rosa zum Essen rief, wagte sie sich zusammen mit Diacui in den einen Bungalow hinein. Dort saßen die anderen bereits am Tisch. Diacui setzte sich ebenfalls, aber Taowaki wußte nicht, wozu der Stuhl, der Tisch, Teller, Bestecke und Tassen da waren. Um nichts falsch zu machen, blieb sie stehen. Von Donna Rosa wurde sie auf einen Stuhl geschoben, und Diacui sagte: „Du brauchst nur alles so zu machen wie ich."

Das war leicht gesagt, da sie es konnte, aber Taowaki rührte nichts an. Sie war viel zu stolz, um sich vor allen Leuten zu blamieren. Obwohl sie nagenden Hunger verspürte, erklärte sie, im Augenblick nichts essen zu können.

Als alle aufstanden, ging sie mit Diacui unter den Mangobaum zu dem Äffchen. Da sie selber nicht zu sprechen anfing, sagte Diacui:

„Genauso ging es mir bei euch. Ich wußte nicht, was ich anfangen sollte, und wäre am liebsten davongelaufen. Alles war neu und fremd. Es kostete mich große Überwindung, das Kleid auszuziehen und mich bemalen zu lassen. Weißt du noch, wie ich geweint habe?“

Taowakis Gesicht heiterte sich auf, und sie lachte belustigt vor sich hin.

„Jetzt bist du an der Reihe, dich für kurze Zeit umzustellen. Wenn man den guten Willen hat, geht alles.“

Von nun an war Diacui eine geduldige Lehrmeisterin. Sie führte Taowaki umher, erklärte ihr alles und freute sich, daß die Freundin so rasch begriff. Bereits am ersten Abend aß Taowaki mit den anderen, ohne sonderlich aufzufallen, und sie legte sich in die Hängematte, als hätte sie seit ihrer Kindheit drin gelegen.

Die Bekleidungsfrage war eine heikle Angelegenheit, denn Taowaki sah gar nicht ein, wozu sie etwas anziehen sollte. Mit dem Schurz erklärte sie sich einverstanden, doch fand sie alles andere überflüssig. Als sie Diacuis Sandalen anzog, fiel sie hin.

„Laß Taowaki so gehen, wie sie will!“ riet Senhor Antonio.

Dagegen liebte Taowaki den Schmuck. Sie sah bei Donna Rosa Ketten und Ringe und wollte sie haben. Da sie nicht echt waren, bekam sie eine ganze Menge von dem glitzernden Zeug. Das Ticken einer Uhr versetzte sie in große Begeisterung. Sie glaubte zuerst an einen kleinen Geist, der in dem Gehäuse säße.

Mit Vorliebe stand Taowaki am Fenster, um von draußen die Vorgänge im Haus zu beobachten. Auf diese Weise schuf sie zwischen sich und den Weißen eine Trennwand und war doch den seltsamen Ereignissen ganz nahe. Ihre sanften Augen verfolgten jede Bewegung der fremden Menschen, und ihr hübscher Mund schien einen jeden anzulächeln. So stand sie stundenlang und prägte sich alles ein.

Mit immer neuen Ereignissen vergingen für Taowaki die Tage. Sie lernte die geheimnisvolle Kraft der Motoren kennen, wie sie Strom und Licht erzeugten und Boote antrieben. Mit dem Motorboot fuhren sie den Fluß hinab bis zum großen Strom Amazonas. Keiner brauchte etwas zu tun, und dabei verlief die Fahrt viel schneller als im Einbaum. Sie gewöhnte sich auch an den Knall der Gewehre, ohne sich noch über etwas zu wundern. Jeder Weiße und Caboclo schien ein zauberkundiger Geist zu sein.

Der Händler José schenkte ihr Rock und Bluse, und sie zog beides auch an. Nun sah sie wie jedes andere Mädchen aus, wenn sie unter andere Leute kam. Alle waren so nett zu ihr.

Taowaki ließ sich nach langem Sträuben willenlos treiben. Sie lehnte sich gegen nichts mehr auf, weil es ja doch zwecklos war. Was Diacui für richtig hielt, das machte sie. So wie jeder Indianer nur in der Gegenwart zu leben scheint, hatte sie mit der Vergangenheit abgeschlossen. Wenn Diacui sagte, sie würden irgend etwas unternehmen, war sie damit einverstanden. Ihr ruhiges, freundliches Wesen brachte ihr viel Freundschaft ein. Nur wenn sie gefragt wurde, sprach sie immer noch wie mit Fremden. Am liebsten unterhielt sie sich mit Diacui und Antonio, denn die Sprache der Weißen verstand sie kaum, so wie sie auch die gelernten Worte und Sätze nicht gern anwendete.

Eines Tages erklang vom Urwald her das Gebrumm des großen Silbervogels. In Santa Katharina zeigten sich die Leute sehr aufgeregt, und alle eilten zum Steilufer am Fluß.

„Das Flugzeug kommt!" rief auch Diacui in freudiger Erregung. „Es landet auf dem Fluß, und du brauchst keine Angst zu haben. Komm rasch!"

Da donnerte auch schon der Riesenvogel vom Himmel herab, brauste den Fluß entlang, zog knapp über dem Wald eine Kurve, kam zurück und setzte aufspritzend auf das Wasser. Langsamer wurde seine Fahrt. Dann drehte er bei und kam zu der Steilwand herüber.

In atemloser Spannung hatte Taowaki diesem neuen Ereignis zugesehen. Trotz ihrer Furcht blieb sie bei den anderen, die gar nicht ängstlich aussahen und fröhlich lachten.

„Was will der große Vogel?" fragte Taowaki die Freundin.

„Er bringt Post und Lebensmittel. Paß auf, gleich wird sich eine Tür öffnen und mehrere weiße Männer kommen heraus! Senhor Antonio ist mit dem Kanu herangefahren, um sie an Land zu bringen."

Tatsächlich entstand in dem großen Vogel ein Loch, aus dem etliche Männer gekrochen kamen. Taowaki hatte geglaubt, es sei nur einer drin. Jetzt kamen sie den Hang herauf und gaben allen die Hand, auch Diacui und Taowaki. Mit Diacui schienen sie zu scherzen, denn sie lachten laut.

„Komm, wir gehen ins Flugzeug!" rief Diacui und sprang den Hang hinab.

Sie stakten mit dem Kanu hinüber, und immer noch hatte Taowaki Angst vor dem großen Vogel.

Diacui rief etwas hinein. Da kam in der Türöffnung

ein Kopf zum Vorschein, und zwei Hände streckten sich Diacui entgegen. Da war also noch ein Mann, der die Freundin zu kennen schien.

Taowaki wunderte sich überhaupt nicht mehr. Sie stand plötzlich im Bauch des Silbervogels und wurde von Diacui in einen weichen Sitz gedrückt. Sie selber hüpfte übermütig auf einem anderen und wollte damit der Freundin beweisen, daß sich der große Vogel alles gefallen ließ. Der Mann gab ihnen süßes Wasser und gebakkene Fladen, die ganz anders waren als die aus Manioka der Chavantes.

„Schmeckt es dir?" fragte Diacui.

„Vielleicht", erwiderte Taowaki, denn sie wußte es selber nicht genau.

„Paß auf, so fliegt der Vogel!"

Sie kletterte über ein Hindernis, das wie ein Loch aussah, und stand in einem anderen Raum, wo es viele seltsame Dinge zu sehen gab. Taowaki konnte gar nicht alles so rasch begreifen.

„Das sind Schalter und Knöpfe, die Steuerung und der ganze Kram, der zum Fliegen gehört", erzählte Diacui. Sie setzte sich an dieses komische Zeug und tat so, als brummte der große Vogel. Der Mann stand dabei und lachte.

„Läßt uns der große Vogel wieder hinaus?" fragte Taowaki beklommen.

„Jederzeit", erwiderte die Freundin unbesorgt. „Ich bin damit geflogen, Taowaki. Hoch über den Wolken! Die Häuser waren unten ganz klein. Dich hätte ich gar nicht gesehen, so klein wärst du gewesen."

„Das glaube ich nicht", antwortete Taowaki.

Nun sprach Diacui mit dem Mann, und der nickte.

„Möchtest auch du mitfliegen?" fragte Diacui. Plötzlich wurde sie noch lebhafter und sprudelte hervor: „Ich frag den Kommandanten, ob er uns mitnimmt. Er sagt bestimmt nicht nein. Dann fliegen wir zur Stadt. Ich habe dort viele Freunde, die freuen sich, wenn wir zu ihnen kommen. Auch gehört mir eine kleine Hütte ganz allein. Sag nicht nein, Taowaki! Wir kommen bald wieder zurück."

Sie hatte es plötzlich eilig, aus dem Vogel heraus und an Land zu kommen. Ungestüm sprang sie den Hang hinauf und ins Haus, wo die Männer am Tisch saßen und Kaffee tranken. Als sie mit dem einen gesprochen hatte, kam sie mit schmollendem Gesicht zu Taowaki unter den Mangobaum und erzählte:

„Er will nicht. Wir sollen deinen Vater fragen, nämlich den Häuptling der Chavantes, ob er es erlaubt. Das geht aber nicht so schnell. In vierzehn Tagen kommt er wieder nach Santa Katharina und will uns mitnehmen, wenn wir bis dahin den Bescheid deines Vaters haben."

Taowaki atmete erleichtert auf, denn bei dem Gedanken, mit dem großen Vogel bis in die Wolken hinein zu fliegen, war es ihr nicht wohl. Sie meinte, daß das wohl am besten sei, und sie könnten am nächsten Tag ganz früh aufbrechen, um ins Chavantesdorf zu gehen.

Taowakis Flug in die Welt

Schön bemalt kamen sie wieder in das Dorf der Chavantes zurück. Es sah aus, als sei inzwischen nichts Besonderes geschehen. Alle freuten sich über die Rückkehr der beiden, und vor allem waren es die Mädchen Spinne, die kleine Orchidee, Rote Blüte und die anderen, die viele Fragen stellten. Sie wollten alles wissen und wunderten sich obendrein, daß Taowaki mit dem Leben davongekommen war.

Pantherklaue hatte Geschenke bekommen, die er großzügig dem Stamm zur Verfügung stellte. Es waren zwei Buschmesser, Scheren, Ringe und Ketten. Er war an diesem Tag sehr gesprächig, als freue er sich über etwas.

Eisenholz kam in die Häuptlingshütte und fragte die Mächen, ob sie schon weiß geworden wären. Da erzählte Diacui von dem Flugzeug und den Männern. „Sie haben uns eingeladen, mit in die Stadt zu kommen“, schwindelte sie, um bei den anderen Eindruck zu machen. „Wir sagten, daß wir ohne Einwilligung des Häuptlings nicht mitfliegen könnten. In vierzehn Tagen kommen sie wieder.“

„Wann ist das?“ fragte Pantherklaue, da er mit dieser Zeitangabe nichts anfangen konnte.

„Sehr lange ist es nicht“, meinte Diacui.

„Dürfen wir mitfliegen?“ fragte Taowaki.

Das Gesicht des Häuptlings verfinsterte sich. „Es werden viele unnütze Worte gesprochen“, erklärte er und schnitt somit die Unterhaltung ab.

„Eine glatte Absage“, zürnte Diacui, als sie zum Bach gingen, um zu baden.

„Wir haben noch viele Tage Zeit“, meinte Taowaki. „Es wird noch manches besprochen werden.“

So war es auch. Einmal mußten Taowaki und Diacui im Kreis der Männer über ihre Erlebnisse beim Posten Bericht erstatten. Daraufhin führten die Männer lange Gespräche. Alle waren sich einig, und nur Hlé schien anderer Meinung zu sein.

„Ich habe nichts dagegen, wenn ihr mit den weißen Männern gehen wollt“, sagte nach mehreren Tagen Pantherklaue zu den beiden Mädchen. „Wir halten es für ratsam, über das Tun der Weißen etwas mehr zu erfahren. Soviel Finger wir an beiden Händen haben, so oft kann der Mond groß am Himmel stehen, bevor wir diesen Platz verlassen.“

„Das ist fast ein ganzes Jahr!“ staunte Diacui. Mit soviel Freiheit hatte sie gar nicht gerechnet.

Und als sie eines Tages das Lager verließen, wurden sie von Pantherklaue, Jojo, Eisenholz und Pfeilfeder begleitet. Bevor sie zum Posten kamen, wuschen sie ihre Bemalung ab und zogen die Kleider an. Allein gingen sie zu Antonio und den anderen.

Groß und bemalt standen die vier Indianer am Waldesrand unter den Bäumen. Es war das erste Mal in ihrem Leben, daß sie eine Siedlung der Weißen aufsuchten, ohne ihre Waffen zu erheben. Antonio lächelte froh und ging ihnen waffenlos entgegen. Er reichte ihnen die Hand und umarmte sie. Es lag so viel Herzlichkeit in seinem Wesen, daß auch Pantherklaue lächelte und den Druck seiner Hand erwiderte.

„Ihr seid uns herzlich willkommen“, sprach Antonio. „Betrachtet diesen Posten als euer Eigentum und tretet näher!“

Freundlich und zurückhaltend zeigten sich die gefürchteten Chavantes. Donna Rosa zitterte, als sie ihnen die Hand gab.

Antonio ließ das Feuer im Herd schüren und Fleisch aufstellen. Dann schenkte er den Indianern ein großes Stück gerollten Tabak.

„Eure Siedlung ist groß geworden“, sprach der Häuptling, als sie den ungewohnten Kaffee getrunken hatten.

„Offen gestanden, Häuptling, glaubte ich außerhalb eures Bereichs zu bauen“, erwiderte Antonio. „Das kommt davon, daß wir die genaue Grenze eures Gebietes nicht kennen. Auf der anderen Seite ist es auch für euch von Vorteil, wenn wir etwas nähergerückt sind und das Flußufer besser überwachen können, damit kein Fremder den Urwald betritt.“

„Wir sorgen dafür, daß er nicht weit kommt“, meinte Pantherklaue mit spöttischem Lächeln.

Antonio lachte gezwungen.

„Die Chavantes dulden eure Siedlung“, fuhr der Häuptling fort. „Wir raten keinem, uns zu nahe zu kommen. Wenn euch an einer Freundschaft mit uns liegt, werdet ihr uns rechtgeben.“

„Können wir vom Posten euch besuchen?“

„Es wird keine Feindschaft zwischen uns sein.“

Das war für Santa Katharina ein großer Tag. Bedeutete diese Zusammenkunft Sicherheit und beginnende Befriedung der Chavantes? Es war zumindest ein guter Anfang, denn wenn es den Chavantes einfiel, schlugen sie weiterhin alle Fremden tot, die ihr Gebiet betraten. Am Rio Araguaia hatten mehrere Caboclos auf indianischer Seite ihre Hütten erbaut und Plantagen angelegt. Wenn es den Chavantes einfiel, das Amazonasgebiet zu verlassen und wieder südwärts zu wandern, dann war am Araguaia wieder der Teufel los, und ein Dutzend Caboclos wurden von Pfeilen durchbohrt. Jetzt galt es, die Chavantes für sich zu gewinnen und an dieser Stelle festzuhalten. Das war jedoch ein schweres Beginnen.

Als der Abend kam, sollten die Indianer beim Posten bleiben und in einem Bungalow schlafen, aber Pantherklaue lehnte lächelnd ab. Sie gingen auf eine nahegelegene Sandbank, und als der nächste Morgen graute, war auch diese Sandbank leer.

Bald kam der große Augenblick, da Taowaki zum ersten Mal in die Welt hinausfliegen sollte. Sie war sehr aufgeregt und fürchtete sich. Am liebsten wäre sie davongelaufen und in den Wald hinein. Diacui sah das kommen und wich nicht von ihrer Seite.

Die Flieger saßen mit Antonio und einigen anderen Männern am Tisch. Sie hatten viel Zeit, denn der große Vogel mußte ja auf sie warten. Endlich kamen sie heraus. Sie plauderten und blieben wieder stehen. Taowaki wich einige Schritte zurück.

„Wenn du auskneifst, komme ich nie wieder in euer Dorf!" drohte Diacui.

„Kommt, Mädchen!" rief der Kommandant.

Diacui schubste die Freundin den Hang hinab. Sie selber trug einen kleinen Koffer.

Im Flugzeug saß bereits ein Mann in einer unheimlich schwarzen Kleidung. Diacui begrüßte ihn mit ganz ernstem Gesicht und küßte ihm die Hand.

An einem anderen Platz saß eine Frau, die sehr streng aussah und neugierig die beiden Mädchen betrachtete. Diacui ging an ihr vorbei und drückte Taowaki in einen Sessel, wo sie bis an die Ohren zwischen den Polstern verschwand. Nun saßen sie nebeneinander. Taowaki sah durch ein kleines Fenster noch einmal nach Santa Katharina.

Plötzlich setzte ein furchtbarer Lärm ein. Taowaki wollte aufspringen, wurde jedoch von Diacui festgehalten und sogar mit breiten Gurten angeschnallt. Der Vogel raste. Er dröhnte, daß alles erzitterte. Und dann sauste er los. Das Wasser schäumte hoch an den Fenstern vorbei. Taowaki spürte, wie sie gegen den Sessel gedrückt wurde. Der Vogel jagte mit schauderhaftem Gedröhn und vielen Sprüngen dahin, riß sich plötzlich vom Wasser los und brauste wild durch die Luft. Draußen flog der große Wald vorbei. Taowaki wollte schreien und sich wehren, vermochte jedoch nicht einen Finger zu krümmen. Mit entsetzt aufgerissenen Augen gewahrte sie schräg unter sich den grünen Wald und Santa Katharina.

„Wir fliegen!“ jubelte Diacui.

Da fand Taowaki in die Wirklichkeit zurück. Sie sah sich um und in die ruhigen Gesichter der anderen.

„Wohin fliegen wir?“ fragte sie naiv.

„Paß auf! Dort unten ist der Fluß. Siehst du die Häuser? Da wohnt der Händler José. Wir gehen noch viel höher hinauf. Wohin du siehst, ist Wald.“

Allmählich beruhigte sich Taowaki. Die Angst wich von ihr, und sie schaute neugierig in die Tiefe, sah aber nur einen endlosen Wald, den gewundenen Fluß und über sich die Wolkenfetzen.

„Fliegen wir lange?“ fragte sie.

„Ja, sehr lange“, erwiderte Diacui. Sie schnallte die Gurte los und zog Taowaki mit nach vorn, wo die Männer waren. Der große Vogel flog jetzt ganz ruhig.

Es war heiß, obwohl von irgendwoher Luft wehte. Taowaki zog ihre Bluse aus, und da sie keine Unterwäsche besaß, stand sie plötzlich halbnackt da. Die Frau kreischte hinter ihr auf, und der Mann mit der schwarzen Kleidung, der eben eingeschlafen war, riß ganz erschrocken die Augen auf.

Diacui drehte sich um und lachte schallend auf.

„Das kannst du doch unter Weißen nicht machen!“ rief sie und half der Freundin wieder in die Bluse hinein.

„Es ist zu warm“, erwiderte Taowaki.

„Trotzdem mußt du die Kleidung anbehalten“, tadelte die Freundin. „Du ziehst dich erst wieder aus, wenn ich es dir sage. Versprich es mir, Taowaki!“

Taowaki versprach ja alles, doch wußte sie nicht weshalb. Die Weißen sind komische Menschen. Sie müssen alles besser wissen und machen dabei so vieles verkehrt. Taowaki schmollte ein wenig, als sie wieder in ihren Sessel sank.

Die Frau sprach mit Diacui. Taowaki verstand kein Wort. Aber die Frau war auf einmal sehr freundlich. Sie reichte Taowaki eine Tüte mit Gebäck. Taowaki sah erst einmal die Freundin an, und da sie nickte, nahm sie die ganze Tüte an sich. Das war wahrscheinlich nicht richtig, denn Diacui legte ihr ein einziges Stück auf die Hand und gab die Tüte wieder zurück. Taowaki gab es auf, die Weißen zu verstehen.

Auch der schwarze Mann sah sich genötigt, den Mädchen etwas anzubieten. Diacui nannte es Schokolade. Taowaki spie es rasch wieder aus, und zwar so heftig, daß es an der gegenüberliegenden Wand klebenblieb.

Nein, mit Taowaki war kein Staat zu machen. Sie war wie eine Wildkatze, die sich sehr schwer zähmen ließ.

Plötzlich wurde ihr schlecht. Das Flugzeug stieß durch die Wolken nach oben durch und machte dabei einige Hopser. Diacui reichte ihr rasch eine Tüte, aber Taowaki verstand nicht mit dem Ding umzugehen und spuckte auf den Boden. Der eine Flieger sah es und räumte den Unrat weg.

Diacui sank ganz geknickt in ihren Sessel zurück. Sie spürte auf einmal, daß sie trotz ihres Aufenthaltes bei den Chavantes niemals eine echte Indianerin gewesen war. Ein Abgrund lag zwischen ihr und ihrer Freundin Taowaki.

Taowaki fühlte sich schon wieder besser. Sie flogen jetzt über den Wolken und sahen tief unten den dunklen Wald und als ganz schmales Band den großen Strom.

„Ist dir schlecht?" fragte Taowaki und sah besorgt die Freundin an.

„Ja, beinahe", erwiderte seufzend Diacui.

Der eine Mann brachte allen Leuten süßes Wasser. Das mochte Taowaki, aber als sie den Becher an den Mund brachte, holperte die Maschine ein klein wenig, und Taowaki schüttete sich alles auf die Bluse. „Jetzt kann ich sie wohl ausziehen?" fragte sie mit strahlender Unschuldsmiene.

„Wage es!" drohte Diacui. „Wenn du Dummheiten machst, stürzt die Maschine ab!"

„Kann man auf den Wolken aussteigen?" fragte Taowaki.

„Nein, denn sie bestehen aus Nebel."

Da wendete sich Taowaki wieder der Tiefe zu und saß ganz still. Nach einiger Zeit fragte sie Diacui etwas. Die Freundin ging mit ihr durch den Gang nach hinten und schob sie in ein kleines, enges Gemach. Es dauerte nicht lange, und Taowaki fing an zu rumoren. Sie wollte wieder zur Tür heraus und konnte nicht. Da half alles Pochen und Reden nichts, Taowaki war eingesperrt. Sie hätte nur den Riegel zurückzuschieben brauchen, und alles wäre gut gewesen, doch wußte sie nichts mit dem Riegel anzufangen. Im Urwald gibt es keine Riegel.

Ein Flieger kam nach hinten. Auch der Geistliche und die Frau glaubten einen guten Rat geben zu können. Sie redeten auf der einen Seite, auf der anderen pochte Taowaki. Dem Flieger blieb nichts weiter übrig, als die Tür gewaltsam aufzusprengen. Sorglos lachend kam Taowaki aus dem engen Gemach heraus.

Keiner konnte ihr böse sein. Sie war eine Indianerin und glich manchmal einem Tier aus dem großen Walde. Alle lachten und waren froh, daß sie wieder ihre Freiheit besaß.

„Wenn du noch einmal etwas falsch machst, stürzen wir tatsächlich ab", drohte Diacui.

Taowaki wußte gar nicht, was sie falsch gemacht hatte. Sie war vielmehr immer bestrebt gewesen, nicht aufzufallen. Jetzt war sie ganz in die Landschaft unter sich versunken, denn sie entdeckte hier und dort kleine Hütten. Der große Strom lag unter ihnen. So flogen sie eine lange Zeit.

Aber so wie alles einmal ein Ende hat, so auch Taowakis erster Flug. Der große Vogel senkte sich tiefer und immer tiefer, er neigte sich diesmal nicht dem Wasser zu, sondern der Erde, dem Wald, den Häusern und einem freien Platz.

Nein, solche Häuser und so viele hatte Taowaki noch nicht erblickt. Diacui sagte, dies sei die Stadt.

Im nächsten Augenblick rauschte das Flugzeug knapp über die Bäume hinweg, setzte auf und jagte eine lange freie Bahn dahin. Dann wendete es, rollte langsam zurück und stand vor einem großen Haus.

Taowaki fühlte sich ins Freie gezogen, und da stand sie neben Diacui, die wieder ihren kleinen Koffer trug.

Viele Menschen eilten vorbei. Diacui erfaßte Taowakis Hand und zog sie fort. Es ging alles in größter Eile. Die Leute guckten den beiden Indianerinnen nach und lächelten.

„Wo hast du deine Schuhe?" fragte Diacui entsetzt, denn Taowaki stand barfuß in der Flughalle.

Die standen natürlich noch in der Maschine. Diacui rannte zurück, fand die Sandalen, war sehr froh darüber und fiel von einem Schreck in den anderen, als sie die Freundin nicht mehr dort vorfand, wo sie sie verlassen hatte.

Aber dort war sie! Gott sei Dank! Diacui atmete erleichtert auf und zog Taowaki hinter einer Säule hervor, wo sie sich niedergelassen hatte. Das war indianische Art, sich in einen Winkel zu kauern und das Leben der anderen zu beobachten.

Taowaki mußte die Sandalen anziehen und mit auf die Straße gehen. Dort kamen viele Hütten angefahren, dachte Taowaki, ganz kleine Hütten; die Menschen sahen durch die Fenster.

„Das sind Autos", erklärte Diacui. „Komm, wir steigen in dieses große! Halt dich fest!"

Hui, ging es fort! Die Menschen drückten sich, wurden geschüttelt und geschoben. Taowaki umklammerte einen Griff und wußte gar nicht, was mit ihr geschah. Diacui war ganz ruhig und sagte:

„Jetzt bist du in der großen Stadt."

Das andere Leben

In einem Bungalow am Stadtrand wohnte der Pflanzer Julio Valeiro mit seiner Frau Donna Joana und drei Kindern. Längs der Straße erstreckte sich eine große Bananenplantage, und dahinter, von der Straße aus nicht zu sehen, lagen noch einige kleinere Schläge mit Zukkerrohr, Mais und Reis. In einem zweiten Bungalow, der ziemlich versteckt zwischen den Bananenbüschen stand, wohnte eine Negerfamilie, die hier arbeitete. Luis war ein dunkelhäutiger, gutmütiger Riese, und Ana war eine waschechte Mammi, die mindestens einhundert Kilo wog. Fünf krausköpfige Kinder tollten den ganzen Tag über und unter den Bananen, und Maria, eine junge, fast schwarze Negerin, hatte aufzupassen, daß sie keine allzu großen Dummheiten machten.

Es gab da noch einen dritten Bungalow, der etwas kleiner war als die beiden anderen. Dort hatte Julio Valeiro angefangen. Das war schon lange her. Bettelarm kam er damals aus dem Trockengebiet. Sein Vieh war gestorben, seine Pflanzungen verdorrt. Zweimal hielt er trotz einer vernichtenden Dürre im Lande durch, beim drittenmal gab er nach und wanderte aus. So war er in die jetzige Gegend gekommen und hatte in einem Mann, der sich Ernesto nannte und vom Indianerschutzdienst kam, einen guten Freund und Teilhaber gefunden. Sie kauften das Land, rodeten und pflanzten, schufteten jahrelang und ließen eine Fazenda erstehen, die sich immerhin bezahlt machte, obwohl sie nicht zu den größten der Umgebung zählte.

Ernesto setzte sich zur Ruhe, während Julio die Arbeit weiterführte.

Bei Vater Ernesto und Donna Lisa hatte Diacui viele Jahre ihres Lebens verbracht. Sie war natürlich auch bei der Familie Valeiro wie zu Hause gewesen und hatte der schwarzen Ana manchmal geholfen, die Kinder zu bändigen und zu erziehen.

Wie staunten doch die Leute in der kleinen Fazenda, als eines Tages Diacui mit einem anderen Indianermädchen am Tor stand, nach brasilianischer Art sich durch Händeklatschen anmeldete und den Hunden gut zuredete!

Jetzt wohnten sie in dem leerstehenden Bungalow, und Diacui war wieder daheim. Sie schritt durch die vertrauten Räume, öffnete die Fensterläden und trällerte dabei.

„Gott sei Dank, daß du wieder da bist", sprach Donna Joana und atmete erleichtert auf. „Wir haben manche Nacht nicht geschlafen und von dir gesprochen. War es schlimm bei den Indianern?"

„Sie vergessen, Donna Joana, daß ich selbst eine Chavantes bin", erwiderte Diacui. „Die Indianer glauben bessere Menschen zu sein als die Weißen."

„Wie entsetzlich!" stöhnte die Frau.

„Sie haben ganz recht", versetzte Diacui. „Wir sind bessere Menschen. Wir sind die wilden Chavantes!" Sie stampfte mit den Füßen auf und sprang Donna Joana an, als wollte sie sie umbringen. Donna Joana hob abwehrend die Arme und sagte: „Ja, du bist immer wild gewesen, Diacui."

„Das ist gar nichts. Taowaki ist echt! Ha, die ist wild, Donna Joana! Wenn sie will, ißt sie einen ganzen Menschen auf einmal auf."

„Mein Gott, habt ihr großen Hunger? Ich werde euch etwas zurechtmachen. Duscht und zieht euch um!"

„Umziehen ist gut gesagt", lachte Diacui. „Jetzt müssen wir erst mal sehen, was Taowaki paßt. Sie dürfen nicht vergessen, Donna Joana, daß Taowaki bisher niemals ihre Haut gewechselt hat, höchstens die Bemalung. Du, Taowaki, sollen wir uns richtig anmalen und die Leute erschrecken? Das wäre ein Spaß!"

Senhor Julio kam die Stufen herauf, über die Veranda und ins Zimmer. Donna Joana bekreuzigte sich, ging an ihm vorbei und sagte: „Ave Maria, jetzt haben wir zwei Wilde in der Fazenda!"

Der Pflanzer lachte. „Konntest du nicht den ganzen Stamm mitbringen, Diacui?" fragte er in seiner polternden Art. „Ich hätte Arbeit und Platz für alle. Wie heißt du, rote Tochter Tupons?"

Taowaki funkelte ihn böse an. Sie stand geduckt und wie zum Sprung bereit am Fenster.

„Ihr Name ist Taowaki", erwiderte Diacui. „Sie müssen ein wenig nett zu ihr sein, Senhor Julio, denn sie ist zum erstenmal in einer Stadt."

„Als wäre ich nicht immer nett", brummte der Mann. Er ging zu Taowaki, deutete auf seine Jackentasche und forderte sie auf: „Greif mal hinein, Tochter der Chavantes! Na, mach schon!" Aus Taowakis Augen sprach eine ängstliche Abwehr. Er wollte ihre Hand erfassen, aber da war sie mit einem Satz zum Fenster hinaus und unten im Garten gelandet.

„Na, so etwas", wunderte er sich und zog aus der Tasche einen kleinen grünen Papagei, der seit vielen Jahren Diacui gehörte.

„Mein Chici!" rief Diacui und nahm das Vögelchen in ihre Hände.

„Paß lieber auf deine rote Freundin auf!" knurrte Julio und stapfte zur Tür hinaus.

Diacui hatte tatsächlich immer aufzupassen, damit Taowaki nichts verkehrt machte oder etwas Dummes anstellte. Tagelang wagte sie sich nicht mit ihr aus der Fazenda hinaus, denn Taowaki mußte sich erst an alles gewöhnen. Sie kannte ja weder Autos noch Pferde, Omnibusse und Straßenbahnen. Ihr war alles neu, und Diacui konnte sich vorstellen, daß diese neuen Eindrücke für sie überwältigend waren.

Über die Neger war Taowaki furchtbar erschrocken. Sie wollte nicht glauben, daß das Menschen wären. Die Weißen ähnelten den Chavantes, aber die Neger waren ja dunkel wie die Nacht. Nur widerstrebend gewöhnte sie sich an den Anblick dieser anderen Menschen.

Es war ein Glück, daß die Mädchen einen Bungalow für sich bewohnten. Hier fühlte sich Taowaki geborgen. Er war wie eine Höhle, in die sie jederzeit flüchten konnte. Diacui erzählte ihr vom Leben in der Stadt, von der Bedeutung der einzelnen Dinge und der vielfachen Beschäftigung dieser Menschen. Sie lehrte sie die Sprache der Weißen und brachte ihr die Schrift bei.

Als erstes bekam Taowaki einen modernen Haarschnitt, so daß sie in dieser Stadt der verschiedenen Rassen überhaupt nicht mehr auffiel. Kein Mensch drehte sich nach ihr um. Sie war ein Mensch unter hunderttausend anderen. Das Treiben der Stadt flutete an ihr vorbei und zog sie allmählich in seinen Bann. Bald wunderte sie sich über nichts mehr, nicht einmal über sich selbst, da sie doch ganz anders geworden war. Mit großer Selbstverständlichkeit kleidete sie sich an, trug Unterwäsche, Kleider und Sandalen.

Senhor Julio brachte eines Tages einen Mann vom SPI ins Haus, der zu beiden Mädchen sehr freundlich war. Diacui kannte ihn von früher her. Er hieß Amaro.

„Es ist gut, daß ihr den Weg in die Stadt gefunden habt“, sagte er nach der Begrüßung. „Du bist ja bei uns groß geworden, Diacui, aber Taowaki ist fremd. Zeig ihr alles Gute und Schlechte in dieser Stadt! Wenn sie einen gesunden Menschenverstand besitzt, und daran zweifle ich nicht, wird sie bald erkennen, daß die Stadt nichts für die Indianer ist. Hier würden sie kläglich verkommen und zugrunde gehen. Es gibt aber viel Gutes, das man den Indianern bringen könnte. Nicht nur Medikamente und Halsketten, sondern unsere Sprache, Rechnen, Schreiben und Lesen. Die Zeit bleibt nicht stehen. Und wenn der Urwald noch so dicht ist, findet sie die Indianer. Für sie gilt es, mit dieser neuen Zeit fertigzuwerden – oder an ihr kaputtzugehen.

Ich kenne einen jungen Häuptlingssohn. Er lebte ein ganzes Jahr in einer anderen Stadt, nicht etwa um seinem Stamm untreu zu werden, sondern um das Leben der Weißen zu studieren und daraus für seine Leute Nutzen zu ziehen. Heute lebt er wieder bei ihnen, hat zwischen dem Stamm und den Weißen ein freundschaftliches Verhältnis geschaffen und ist dabei ein eifriger Verfechter der Klassenscheidung zwischen Urwald und Stadt, zwischen Rot und Weiß.

Dieselbe Aufgabe fällt euch beiden zu. Die Chavantes sind sehr gefürchtet. Schafft ein gutes Verhältnis zwischen uns und ihnen, aber vergeßt nicht, daß die Stadt nichts für die Indianer ist! Wer hier sein Glück versuchen will, geht zugrunde, denn hier kann man nicht mit Pfeil und Bogen jagen, um sich zu ernähren. Wir werden jeden Indianer unterstützen, der sein Waldleben aufgeben und einen Beruf ergreifen will, aber nicht hier, Diacui, sondern im Inneren, wo der Indianer zu Hause ist. Wenn ihr beide eines Tages zurückgeht, um in diesem

Sinne bei den Chavantes tätig zu sein, wollen wir euch gern unterstützen, damit es euch gutgeht und ihr euch dieser schönen Arbeit widmen könnt."

Oh, das war eine lange Rede! Diacui erklärte sich zu allem bereit, während Taowaki kein Wort verstanden hatte.

„Mach dir nichts daraus!" sagte Diacui, als Senhor Amaro gegangen war. „Die Weißen wirst du nie verstehen, selbst wenn du ihre Sprache sprichst. Ich bin bei ihnen aufgewachsen, aber glaubst du, ich verstehe sie immer? Senhor Julio sagt ganz richtig: Wer ein Indianer ist, der bleibt es zeitlebens. Mir kann es recht sein."

„Tupon ist nicht bei den Weißen", meinte Taowaki.

„Daran liegt es nicht", erwiderte Diacui. „Ich wurde katholisch erzogen und glaube nicht an Tupon."

„Dann bist du keine Chavantes!"

Diacui zuckte mit den Schultern und antwortete: „Das sind ja eben die Widersprüche. Letzten Endes weiß ich selber nicht, was ich bin." –

Nachdem Taowaki den ersten Schrecken überwunden hatte, zeigte sie keinerlei Erschütterungen mehr. Jetzt wußte sie, daß die Weißen anders waren, daß sie sich eine ganz andere Welt errichtet hatten, aber daß es nichts gab, das irgendwie gefährlich werden konnte.

Taowaki ging mit Diacui ins Kino und zur Messe, zum Hafen und durch die Straßen, in die Bars und in die Geschäfte. Ihr Gesicht blieb das gleiche. Durch nichts verriet sie eine innere Erregung. Es war, als pralle alles an ihr ab.

„Gefällt es dir?" wollte Diacui immer wieder wissen.

„Ja, ganz gewiß", antwortete Taowaki.

Nach einiger Zeit sprach sie auch mit Weißen, hatte nicht nur viele Wörter gelernt, sondern konnte sogar ein wenig schreiben. Sie begriff alles sehr rasch, weil ihr Kopf unbeschwert war und sie ja sonst nicht viel zu denken brauchte.

Senhor Amaro kam oft mit kleinen Wünschen. Er erbat sich indianische Halsketten, Bastmatten, Körbchen, Tonkrüge und Figuren. Was Diacui und Taowaki anfertigen konnten, bezahlte er gut und gab es an Kaufleute weiter. Die Arbeiten gefielen und wurden immer öfter verlangt.

„Er will, daß daraus ein indianischer Industriezweig entsteht", sagte Diacui, aber Taowaki verstand das nicht. „Ganz einfach", fuhr sie fort, „wenn Indianer ansässig werden, wollen sie beim Händler doch verschiedenes kaufen. Dazu brauchen sie Geld. Nun gut, so kommen sie zu Geld!"

„Die Chavantes werden das nicht tun", behauptete Taowaki.

„Du bist eine Chavantes und tust es doch", erwiderte Diacui.

„Weil Senhor Amaro darum gebeten hat."

„Er wird eines Tages den ganzen Stamm darum bitten. Wenn die Indianer aber auf diese Weise Geld verdienen können, fallen sie den anderen nicht zur Last."

„Die Chavantes werden keinem zur Last fallen, Diacui!"

„Eisenholz weiß es besser", fuhr Diacui unbeirrt fort. „Amaro und viele andere sagen es: Der Urwald wird kleiner werden. Die Indianer werden zurückgedrängt, und das Wild wird immer weniger. Auch mir ist das nicht ganz klar, Taowaki, doch behaupten es die anderen, die mehr wissen als wir. Um leben zu können, müssen sich die Indianer umstellen."

„Senhor Antonio sagt, alles müsse bleiben, wie es ist."

„Ja, solange es geht. Früher oder später werden auch die Chavantes Außenbordmotoren anschaffen, um mit ihren Kanus schneller zu fahren. Woher wollen sie das Geld nehmen? Du siehst ja selber, wie gut es ist, etwas Geld zu verdienen."

Senhor Amaro stellte hohe Ansprüche. Schlechte Ware nahm er nicht. Taowaki mußte sich alle Mühe geben und immer wieder andere Muster anwenden. Sie arbeitete durchaus nicht den ganzen Tag, nur dann und wann einige Stunden, wie es ihr gerade einfiel. Diacui ging ihr dabei hilfreich zur Hand, doch lernte sie nie, die dünnen Tongefäße zu formen. –

Als Taowaki zum erstenmal das Meer erblickte, glaubte sie am Ende der Welt zu stehen. Wo das Meer aufhörte, war nichts mehr zu sehen. Seltsamerweise fuhren die großen Schiffe in dieses Nichts hinein. „Nun kommen sie nicht mehr wieder", sagte sie, als sie ein Schiff entschwinden sah.

„Die sind bald wieder da", widersprach Diacui. „Es werden höchstens andere Menschen darauf sein. Sie fahren sehr weit. Ich weiß nicht wie weit. Dort sind andere Länder, so groß wie das unsrige."

„Und sind dort auch Indianer?"

„Ich glaube nicht. Nur die Weißen sind überall."

In der Luft brummten Flugzeuge, auf den Straßen hupten Autos. Waren denn die Weißen allmächtig, daß sie alles konnten, alles wußten und die ganze Welt beherrschten? Taowaki stand vor einem großen Rätsel.

Heimweh

Die Weißen waren sehr freundlich zu Taowaki. Sie gewöhnte sich auch an die Neger. Monate vergingen. Die Regenzeit setzte ein, der Fluß stieg von Tag zu Tag.

Taowaki war still geworden. Sie wollte auch nicht mehr arbeiten und streifte durch die Fazenda, als suche sie etwas. Versonnen sah sie der Arbeit in den Feldern zu. Sie vernahm das Zirpen der Grillen und in der Ferne den Ruf des Pfefferfressers. Große Wolkenhaufen standen am Himmel.

„Bei den Chavantes regnet es", sagte Diacui unbekümmert.

„Die Zeit der großen Feste ist vorbei", erwiderte Taowaki. Sie hatte sie diesmal nicht mitgemacht. –

Eines Tages war Diacui mit dem Omnibus in die Stadt gefahren, während Taowaki auf der Veranda gesessen und einige Tonfiguren angemalt hatte. Nun war es dunkel geworden, zwischen den Wolken blinkten die ersten Sterne. Von Valeiros Bungalow herüber erklang Kindergeschrei, während das Negermädchen eine schwermütige Weise sang.

Senhor Julio kam vorbei und rief Taowaki einige scherzhafte Worte zu. Der schwarze Luis lockte die Hunde.

Taowakis feines Gehör vernahm noch etwas anders. Es kam von weither und erinnerte an einen feindlichen Indianerstamm. So dröhnten Trommeln durch die Nacht.

„Hier gibt es weit und breit keine Indianer", hatte Diacui gesagt. „Was sollten sie hier? Zusehen, wie die Plantagen sich in den Urwald hineinfressen und die Tiere aussterben? Du kannst wochenlang laufen, ohne einen einzigen Indianer anzutreffen." Wer schlug also zu nachtdunkler Zeit die Trommel? Schwarze Gestalten huschten zwischen den Bananenbüschen. Die junge Negerin aus dem Hause war dabei.

Lautlos glitt Taowaki von der Veranda herab. An der Ecke des Bungalows blieb sie lauschend stehen. Es war ihr, als entfernten sich leichte Schritte. Rasch schlüpfte sie aus Rock und Bluse, legte alles unter die Treppe und glitt ungehört und ungesehen durch das Bananenfeld. Sie war wieder eine Indianerin, ein wildes Mädchen vom Stamm der Chavantes. Sie wußte dunkle Gestalten vor sich und mußte sie verfolgen, ohne selbst gesehen zu werden.

Sehr dunkel war die Nacht. Taowaki mußte manchmal stehenbleiben, um den leichten Schritten vor ihr lauschen zu können. Sie verrieten ihr immer wieder die einzuschlagende Richtung, lauter erklang die Trommel.

Als sie den Bananenhain verließ, sah sie ein Stück voraus drei verschwommene Schatten. Sie gingen an dem Maisfeld vorbei auf den Urwald zu. Dieser Urwaldstreifen war nicht groß, weil es ringsum zu viele Fazenden gab. Er wurde von Jahr zu Jahr kleiner, um den Plantagen Platz zu machen.

Taowaki brauchte keine Entdeckung zu befürchten. Selbst wenn ein Fremder in dem Maisfeld gewesen wäre, hätte er sie nicht zu fassen bekommen. Sie wäre ihm wie ein Fisch entglitten.

Eigentlich fürchtete sie die Schlangen, da aber die drei Schatten vorauseilten, brauchte sie mit keiner zu rechnen. Es gab in dem bebauten Land sowieso wenig Schlangen, weil sie zu oft gestört wurden und sich in die Einsamkeit verzogen.

Das Trommeln kam aus dem Urwaldstreifen.

Jetzt hatte Taowaki die drei Gestalten verloren. Sie achtete nicht darauf und richtete sich nach dem Trommelschlag. Scheu wie ein Stück Wild verließ sie das Maisfeld, huschte hinter einige Büsche, blieb lauschend stehen und eilte weiter. Ein kühlender Wind umspielte sie. An einem Wassergraben tastete sie die Erde ab. Dann fand sie, was sie suchte, nämlich weiche schwarze Erde. Damit rieb sie ihren ganzen Körper ein und zog auch Erdstreifen durch ihre Gesicht. Nun war sie ein Teil dieser Erde und ein kaum sichtbarer Schatten der dunklen Nacht. So tauchte sie in dem Urwald unter. –

Obwohl Taowaki in der einen Gestalt das Negermädchen erkannt hatte, rechnete sie mit Feinden. Wenn ein Indianerstamm dem anderen begegnet, kommt es meistens zum Kampf, und wenn der einzelne Jäger einen von einem anderen Tribus trifft, bleibt einer zu Tode getroffen liegen. Die Gefahr ist der ständige Begleiter des Indianers, und darum ist er so überaus vorsichtig.

Bei diesem Trommellärm und dem Stimmengewirr, das jetzt noch dazukam, war mit gefährlichen Tieren überhaupt nicht mehr zu rechnen. Taowaki konnte also unbesorgt ihren Lauscherposten beziehen. Sie schlängelte sich von Busch zu Busch, bis sie liegend einen Durchschlupf fand, von wo aus sie viele dunkle Gestalten beobachten konnte, die ein ziemlich großes Feuer umlagerten. Einige tanzten mit seltsamen Gliederverrenkungen, doch taten sie es nur wie nebenbei, hörten zuweilen auf und fingen wieder an.

Es waren Neger. Der eine saß abseits und bearbeitete die Trommel. Sie unterhielten sich und rechneten wahrscheinlich mit neu Dazukommenden. Der große, starke Luis trat plötzlich in den Feuerschein.

Taowaki fühlte sich geborgen. In diesem stachligen Gebüsch vermutete sie kein Neger. Indianer hätten ihr Augenmerk gerade auf die dichtesten Büsche gerichtet, aber diese Neger waren taub und blind. Sie sahen nur ihresgleichen und hörten die Trommel; dazu waren sie auch hergekommen.

Der Trommler ließ die Hände sinken. Nun war es still, nur das Feuer knisterte. Eine dicke Negerin hielt sitzend eine Rede. Sie trug ein weites rotes Gewand. Einige junge Mädchen kamen näher und küßten es. Als sie eine Zeitlang gesprochen hatte, ergriffen auch andere das Wort. Taowaki verstand nichts.

Plötzlich erklangen mehrere Trommeln, Schellen und Rasseln. Fast alle Anwesenden tanzten um das Feuer herum, oder sie umtanzten in Gruppen die rotgekleidete Negerin. Es kam zu den seltsamsten Gliederverrenkungen. Die Gesichter waren verzerrt. Einige lachten, andere kreischten.

Taowaki kroch rückwärts aus dem Gebüsch. Sie fühlte sich unsicher, als drohe eine Gefahr. In halber Höhe eines Baumes schmiegte sie sich an den Stamm und beobachtete von hier aus die Vorgänge am Feuer.

Die Neger tanzten wie besessen. Die Instrumente dröhnten und rasselten. Der Rhythmus peitschte die dunklen Gestalten immer wieder auf.

Was Taowaki hier zu sehen bekam, war eine uralte Überlieferung aus afrikanischen Zeiten. Sie konnte es nicht wissen, denn sie wußte nichts von Afrika, nicht einmal den Namen. Aber ihre anfängliche Furcht vor diesen dunklen Menschen war wieder erwacht. So wild tanzte nicht einmal der indianische Medizinmann, wenn er die Geister beschwor. So tanzten niemals Indianer.

Leise stahl Taowaki sich davon. Der Urwald schwieg,

keine Stimme ertönte. Vielleicht gab es hier überhaupt keine Tiere? Sie setzte sich auf einen Stein, umschlang die hochgezogenen Knie und schaute durch die Baumkronen nach den Sternen.

Wo waren die Chavantes? Weit, weit weg? Eine Träne rollte über Taowakis erdverschmiertes Gesicht. Sie fühlte sich plötzlich von allen Menschen verlassen. Hinter ihr dröhnten die Trommeln, dort tanzten wildfremde Gestalten um das lodernde Feuer. Vielleicht tanzten jetzt auch die Chavantes.

Langsam schritt Taowaki durch die Nacht. Als sie an das Wasser kam, badete sie. Dann ging sie weiter und hörte plötzlich ihren Namen rufen. Diacui lief suchend durch die Bananenpflanzung.

„Bist du verrückt geworden?“ schimpfte sie, als die nackte Freundin endlich vor ihr stand. „Ich suche dich überall und bin ganz verzweifelt. Konntest du nicht auf mich warten, damit wir zusammen baden gehen? So läuft man auch nicht in der Weltgeschichte herum, nackt wie vom Himmel gefallen. Warum sagst du nichts?“

Taowaki ging weiter und überließ es Diacui, zu bleiben oder sich ihr anzuschließen. „Ich will heim“, sagte sie.

„Was denn sonst?“ wunderte sich Diacui. „Wir werden gleich daheim sein.“

Taowaki schüttelte lächelnd den Kopf. „Heim, Diacui, zu den Chavantes! Weißt du noch, wie wir Feste feierten, wie wir tanzten und fröhlich waren?“

„Sind wir hier nicht lustig?“

„Nein, nicht so lustig wie bei uns. Ich möchte die ganze Nacht durchlaufen, um morgen früh daheim zu sein.“

„Seltsam, auch ich denke oft an die Chavantes“, gestand Diacui.

„Wollen wir zurückfliegen, Diacui?“

Diacui nickte und zwickte Taowaki in den Arm. Bereits am nächsten Morgen wollten sie mit Senhor Amaro sprechen und ihn um einen Rückflug bitten.

Eine Sternschnuppe fiel in langer Bahn über den Himmel. Kaum hörbar erklangen von weitem die Trommeln.

Zur großen Regenzeit

Seit etlichen Monaten stiegen die Flüsse Meter um Meter. Sie traten über die Ufer, durchfluteten viele Kilometer weit den Urwald und zwangen Menschen und Tiere zur Flucht. Das war durchaus kein einmaliges Ereignis, sondern die Folge des alljährlich einsetzenden großen Regens.

Der halbjährigen Trockenzeit folgte eine sechsmonatige Nässe.

Wer als Jäger oder Gummisucher eine tiefgelegene Hütte bewohnte, mußte sie eines Tages verlassen, um ein höhergelegenes Haus zu beziehen. Sämtliche Siedlungen sind so hoch gebaut, daß sie wie Inseln aus dem Wasser ragen.

Ebenso waren die indianischen Lagerplätze so günstig angelegt, daß das Wasser der indianischen Lebensweise keine Änderung auferlegte. Nur nach dem Fluß hin war das Jagdgebiet kleiner geworden. Wo die Menschen vor kurzem noch leichtfüßig durch den Urwald huschten, mußten sie jetzt mit Kanus oder Flößen fahren.

Den Chavantes machte das nichts aus; sie kannten

diesen Wechsel und hüteten sich, während der Regenzeit große Streifzüge zu unternehmen. Der tägliche Regen fällt mit einer solchen Wucht zu Boden, daß es kein Vergnügen ist, ihn im Freien zu erleben.

Trotzdem sind die Tage zwischen den mächtigen Regenfällen voller Sonnenschein und Wärme. Die Feuchtigkeit nimmt zu. Schimmel setzt sich überall an. Es ist ringsum ein Wachsen und Gedeihen, ein üppiges Blühen und Reifen, als hätte die Natur auf diese Jahreszeit gewartet.

Sorgfältig hatten die Chavantes ihre Hütten abgedichtet. Die Palmblätter waren so geschickt aufeinandergelegt, daß kein Tropfen in die Räume fiel. Selbst die Feuerstellen waren überdacht.

Nur selten riefen Inću oder Kaiman zum Tanz. Seit Vahanitus Tod ging die Würde des Zeremonienmeisters immer mehr in Kaimans Hände über, denn Inću alterte zusehends.

Jetzt aber planten die Chavantes ein großes Fest, um die glückliche Heimkehr der beiden jungen Indianerinnen zu feiern. Einige Jäger speerten Fische, andere stellten den Hirschen und Rehen nach, und die Mädchen sammelten Früchte.

Taowaki mußte erzählen. Alle wollten hören, was sie bei den Weißen erlebt hatte, und sie selber wußte gar nicht, wo sie beginnen sollte. Vorerst freute sie sich über die Rückkehr, spielte mit dem Äffchen und neckte ihren Arara.

Pantherklaue konnte seine Neugier beherrschen, er stellte nur die eine Frage, was bei den Weißen wohl anders gewesen wäre? Aber gerade diese Frage umfaßte ja alles und war nicht so leicht zu beantworten.

„Dort ist alles anders“, sagte Taowaki. „Es gibt überhaupt nichts, was sich mit unserem Leben vergleichen läßt."

„Sind sie immer noch gegen uns?" wollte der greise Tucre wissen.

„Sie haben anderes im Sinn, als an uns zu denken", erwiderte Taowaki.

Kopfschüttelnd vernahmen es die Indianer. Was gab es denn sonst noch als den Urwald, die Tiere und die Weißen?

Taowaki wunderte sich plötzlich über die Unwissenheit ihres Stammes. Sie hatte vergessen, daß sie genauso unerfahren zu den Weißen gekommen war. Die Welt hatte sich für sie völlig geändert. Sie hatte vom Himmel hinab auf die Erde gesehen und den Schiffen übers Meer nachgeblickt.

Wenn Pantherklaue dabeigewesen wäre, gäbe es von nun an keine Kämpfe mehr. Denn es lohnte nicht, gegen die Weißen anzugehen und mit ihnen zu streiten. Deren Macht war viel zu groß.

„Wollen sie nicht unser Land?" fragte Jojo.

„Sie werden es sich holen, wenn sie es brauchen", meinte Taowaki. „Senhor Amaro sagte, daß die Indianer ein viel zu großes Gebiet besäßen. Er muß es wissen, denn er weiß alles. Einmal sind Indianer mit den Weißen zusammengekommen – ich weiß nicht wo – und haben vereinbart, welches Gebiet den Weißen gehört und welches den Kindern Tupons. Beide Teile sind sehr zufrieden gewesen, und es gibt keinen Streit mehr zwischen ihnen."

„Waren es die Chavantes an dem Fluß, den wir Manso nennen?"

„Vielleicht waren sie dabei. Auch sie haben aufgehört, die Weißen und die Caboclos zu bekriegen."

Pantherklaue wunderte sich über diese seltsame Zeit. Die verschiedenen Indianerstämme hatten nur selten freundschaftlich miteinander verkehrt, doch waren sie alle der einen Meinung, daß der Weiße ein Todfeind der Indianer sei. Auf einmal sollte alles anders sein! Die Weißen hatten Wichtigeres zu tun, als sich mit den Rothäuten zu streiten.

„Warum begreifen sie das nicht?" fragte Taowaki die Freundin.

„Du hast es vor kurzem selber noch nicht geglaubt", lachte Diacui.

Da merkte sie, wie sehr sie sich in der kurzen Zeit ihres Fortseins geändert hatte. Sie spürte selbst, daß sie zwischen ihrem Stamm und den Weißen stand. Bei Diacui war das nicht verwunderlich. Die fernen Städte waren den beiden kein Geheimnis mehr, und aus den donnernden Silbervögeln waren für sie von Menschenhänden erbaute Maschinen geworden. Geradezu lächerlich wirkten jetzt die indianischen Waffen gegen die weittragenden Gewehre der Weißen. Im Urwald schien die Zeit stillzustehen, aber in der Stadt lief sie einem davon, und alle Menschen richteten sich nach der Uhr. Wenn die Sonne sank und die Indianer sich auf ihre Matte legten, wurde es auf den Straßen der Stadt lebendig. Dann kamen die Menschen aus den Häusern heraus, die Arbeiter aus den Fabriken, die vielen Männer und Frauen aus den Geschäften und Büros, und viele strömten in die Kinos, um für einige Stunden etwas anderes zu erleben.

„Ach, ihr seid zwei Indianerinnen?" hatte eines Tages ein Mann gesagt. „Ich denke, Indianer gibt es gar nicht mehr!"

So oder ähnlich dachten viele. Was irgendwo im Urwald geschah, das kümmerte sie nicht. Sie hatten anderes zu tun, als in den großen Wald zu gehen. –

Als das Fest beginnen sollte, stand ein schweres Gewitter am Himmel. In der Ferne zuckten die Blitze. Die Indianer fingen trotzdem mit der Feier an: Kaiman rief sie herbei, und sie kamen aus allen Hütten. Die Kleinen rannten mit viel Geschrei zum Festplatz, Frauen trugen ihre Säuglinge und Männer ihre Waffen. Alle waren bemalt, Taowaki mit den Zeichen des Jaguars, während Diacui in einem schönen Gewand mit vielgezacktem Muster zu stecken schien.

Kaiman begann mit einem Kriegstanz, wobei die Männer mit erhobenen Waffen aufeinander zukamen und mit tiefen Stimmen sangen. Es folgten Jagdbilder, bis Kaiman zum Festtanz rief, an dem sich auch die Frauen und Mädchen beteiligen durften. „Tanzen die Weißen?“ fragte Coniheru, als sie neben Taowaki zu stehen kam.

„Ja, aber ganz anders.“

Taowaki mußte lachen, denn sie dachte an die närrischen Tänze, denen sie zugesehen hatte.

„Auch die Schwarzen tanzen“, sagte sie, weil sie sich plötzlich an die Neger erinnerte. „Es gibt Menschen, die sind so dunkel wie die Nacht“, fuhr sie fort. „Sie können sich waschen, doch geht die Farbe nicht ab. Als ich sie zum erstenmal sah, hatte ich Angst. Sie tanzen so wild, daß ich es nicht beschreiben kann.“

„Schwarze Menschen?“ wunderte sich Coniheru.

Bald wußten es alle Chavantes, daß Taowaki mit schwarzen Menschen zusammengekommen war. Die kleine Orchidee wollte es ganz genau wissen, weshalb sie immer wieder mit Fragen zu Taowaki und Diacui kam.

Die Dunkelheit brach ganz plötzlich herein. Das Gewitter stand drohend am Himmel. Höher loderte das Feuer empor.

Als wieder einmal die Männer tanzten, setzte sich Eisenholz zu Taowaki auf die Matte, zündete eine Pfeife an und fragte: „Wolltest du nicht länger bleiben?"

Sie schüttelte den Kopf.

„Es war das, was die Caboclos und Weißen Heimweh nennen", fuhr er lächelnd fort.

„Vielleicht", gestand sie.

„Möchtest du wieder zu ihnen gehen?"

Sie schwieg eine Zeitlang, als hätte sie die Frage nicht gehört. Aber dann sah sie ihn kurz an und sprach:

„Man kann es nicht wissen, Eisenholz. Es ist dort vieles besser. Allein möchte ich es nicht wagen."

„Es ist nichts für uns", meinte er nachdenklich.

„Senhor Amaro sagte, daß wir für ihn Krüge herstellen sollten, auch Bastmatten und anderes Zeug. Er gibt uns Geld dafür, und für das Geld bekommen wir Buschmesser, Äxte und Ketten."

„Hat er das gesagt?"

„Wir sollten es euch ausrichten. Beim Posten wissen sie Bescheid."

„Dann ist die Zeit nicht mehr fern, daß wir ansässig werden", meinte Eisenholz und blies die Asche aus seiner kurzen Pfeife.

„Ist das schlimm?"

„Es kommt auf den Platz an. Solange es genügend Wild gibt, herrscht keine Not."

„Und wenn es keins mehr gibt?"

„Dann sind wir erbarmungslos auf die Weißen angewiesen. Dann fressen wir ihnen aus der Hand und sind nicht mehr als eine Meute hungriger Hunde."

„Wir können Reis anbauen, Mais, Manioka und Bananen“, mischte sich Diacui ins Gespräch.

„Das könnten wir, doch ist das nur für den eigenen Bedarf. Zum Verkauf reicht es nicht, denn die Chavantes sind keine Pflanzer.“

„Was soll daraus werden, Eisenholz?“

„Es gibt nur zwei Wege“, antwortete der Indianer. „Entweder bleiben wir die wilden Chavantes und brennen und morden alles nieder, was in unser Gebiet eindringt, oder wir freunden uns mit den anderen an und haben aufgehört, den Urwald zu beherrschen.“

„Wie lange können wir noch frei bleiben?“ fragte Taowaki.

„Das solltet ihr besser wissen als wir.“

„Dann ist es nicht mehr lange“, versetzte Diacui.

Kaiman rief wieder zum Tanz. Die Mädchen stellten sich in einer langen Reihe auf und sangen mehrstimmig eine Melodie, während Kaiman die Rassel schwang.

Eisenholz setzte sich ans Feuer und legte große Stücke Holz nach. Er war in Gedanken versunken und merkte kaum, daß der alte Tucre sich zu ihm gesellte. So saßen sie eine lange Zeit.

Die ersten Tropfen fielen vom Himmel. Der Donner grollte, und die Blitze zuckten. Noch tanzten die Indianer. Aber als ein gewaltiger Sturm durch den Urwald tobte und das Wasser wie in Sturzbächen aus den Wolken rann, flohen sie laut kreischend davon und verschwanden in ihren Hütten. Nur Eisenholz blieb zurück. Er sah dem verzischenden Feuer zu und tat, als ginge ihn der Regen, der die anderen verjagt hatte, nichts an.

Nicht umsonst nannten die Chavantes ihren jetzigen Wohnplatz das „Land der Tapire“. Hier kamen die großen Dickhäuter noch häufig vor, paarweise oder einzeln, wie es ihnen gerade einfiel.

Tagsüber blieben sie im Versteck, doch kamen sie in der Dämmerung zum Fluß, um zu baden oder ihn zu durchschwimmen.

Tapire sind kein scheues Wild. Sie trauen anscheinend dem Menschen nichts Schlechtes zu. Tatsächlich kommt ein Indianer leicht an sie heran, doch muß der Pfeil genau ins Leben gehen, um sie zur Strecke zu bringen. Ein leichtverletzter Tapir geht mit Donnergetöse durch, achtet weder auf Dornen noch dichtes Gebüsch, wälzt alles nieder und erreicht das Wasser, wo er kaum noch zu treffen ist.

Indianer kennen keine Schonung. Sie sind fähig, das letzte Tier auszurotten, ohne an die Folgen zu denken. Solange ihnen etwas vor den Bogen kommt, wird geschossen. Glücklicherweise haben auch die meisten Tiere Verstand. Sie lernen die Gefahr kennen und weichen ihr und somit dem Menschen aus – nur die Tapire kaum, so daß dieses uralte Wild rasch auszusterben droht.

Für gewöhnlich dachten die Chavantes, solange sie etwas zu essen hatten, nicht an Jagd. Erst der völlige Fleischmangel machte sie darauf aufmerksam, daß es wieder Zeit zum Jagen sei. Dann nahmen sie Pfeil und Bogen, gingen durch den großen Wald und erlegten, was sie erblickten. Heute konnten es Affen sein und morgen Schildkröten. Auf die Art des Wildes kam es gar nicht so genau an.

Wenn sie einen Tapir zur Strecke gebracht hatten, reichte das Fleisch für etliche Tage. Um es haltbar zu machen, wurde es in der Sonne getrocknet, dann hing es hinter allen Hütten und wurde knochenhart.

Diacui hatte noch keinen Tapir gesehen.

„Das Vergnügen sollst du bald haben", sagte Jojo. „Wenn wir morgen früh ganz zeitig zum Fluß gehen, kann ich dir zwei Stück zeigen. Sie sind dort oft anzutreffen."

Also gingen sie hin. Pantherklaue ging ebenfalls mit, um nach Möglichkeit einen Tapir zu erbeuten. Die Sonne war noch nicht aufgegangen, als sie das Dorf verließen.

Eine schwüle Feuchtigkeit lastete zwischen den Bäumen. Orchideen blühten hoch droben in den Wipfeln. Eine lange grüne Schlange hing wie eine Liane von einem Gebüsch herab. Als sie die Menschen gewahr wurde, hob sie ein wenig den schmalen Kopf und züngelte. Jojo hieb ihr mit einem Schlag den Kopf ab.

Viele Vögel erhoben ihre Stimmen, als wollten sie die aufgehende Sonne begrüßen. Irgendwo quakte ein großer Frosch.

Als sie von einer hohen Stelle her den Fluß erreichten, war nichts zu sehen. Ein kleiner bunter Vogel wippte von Zweig zu Zweig.

Pantherklaue und Jojo benahmen sich gar nicht vorsichtig. Sie rechneten mit der plumpen Vertrautheit der Tapire, die den Menschen kaum beachten. Die beiden Mädchen setzten sich ins feuchtwarme Gras. So verging eine geraume Zeit, in der nichts Außergewöhnliches geschah. Ein Entenschwarm zog keilförmig über den Urwald hinweg.

Plötzlich stutzte Jojo. Er hatte keinen Tapir gehört, wohl aber das unterdrückte Raunzen eines Jaguars. Im nahen Gebüsch raschelte etwas. Auch Pantherklaue drehte sich um.

Taowaki sah einige Ringe auf dunkelgelbem Grund. Im nächsten Augenblick schnellte ein langgestreckter

Körper aus dem Gebüsch. Jojos Pfeil flog ihm entgegen. Er selber sprang zur Seite, fiel über Diacui und lag am Boden.

Pantherklaue duckte sich, stieß mit dem Messer zu und federte zurück.

Kaum hatte der Jaguar den Boden berührt, als er die Pranke nach Jojos Beinen schlug und mit aufgerissenem Rachen vor dem Häuptling zurückschrak, der ihm das Messer zum zweitenmal am Schulterblatt vorbei in die Brust stieß.

Taowaki warf sich zur Seite, riß Diacui mit und rollte ein Stück durchs Gras.

Die beiden Indianer standen mit erhobener Waffe vor dem Raubtier und sahen seinem Todeskampf zu.

„Du blutest", sagte Pantherklaue.

„Ein wenig", bestätigte Jojo. Er hatte einen tiefen Riß im Unterschenkel davongetragen.

Vorsichtig näherten sich die Mädchen. Solange ein Jaguar nicht tot ist, kann er immer noch gefährlich werden. Aber dieser da streckte sich und rührte sich nicht mehr.

Der Überfall war so plötzlich erfolgt, daß die Indianer erst hinterher dazukamen, einen klaren Gedanken zu fassen. Jojo lachte, obwohl er mit seiner Verwundung der Leidtragende war. Taowaki bemühte sich, mit trokkenen Bastfasern die Blutung zu stillen und das Bein zu verbinden.

„So rasch kann es geschehen?" wunderte sich Diacui.

„Manchmal auch noch schneller", erwiderte Pantherklaue.

„Und dort sind die Tapire", sagte Jojo, indem er flußabwärts zeigte.

Dort gingen soeben zwei große Tapire ins Wasser.

Langsam trotteten sie hinein, bis sie den Grund verloren und schwimmen mußten. Ziemlich rasch strebten sie dem anderen Ufer zu.

„Nun sind sie weg“, meinte Diacui, als die Dickhäuter am anderen Ufer verschwanden.

„Die kommen wieder“, antwortete Pantherklaue. „Wir haben jetzt anderes vor, als den Tapiren nachzulaufen.“ Er beugte sich über den Jaguar und schickte sich an, ihm das Fell abzuziehen.

Auf Fischfang

Die sechsmonatige Regenzeit ging ihrem Ende zu. Das Wasser hatte seinen Höchststand erreicht und breitete sich nicht mehr aus. Nur der Amazonas wuchs weiterhin, weil er von allen Seiten die mächtigen Zuflüsse aufnahm.

Von Zeit zu Zeit veranstalteten die Chavantes Fischzüge, die gleichzeitig für alle eine Belustigung waren. Zu diesem Zweck suchten sie ganz ruhig fließendes Wasser aus; es konnten auch stille Buchten sein, wenn sie nicht von Krokodilen verseucht waren. Die Jäger hatten für so etwas einen guten Blick.

Wer Zeit und Lust hatte, beteiligte sich an dem Fang. Auch Kinder wurden mitgenommen.

Der Medizinmann Hlé pflegte nicht nur Heilmittel, sondern auch Gifte und Betäubungsmittel herzustellen. Er gab sie nur ungern aus der Hand und wendete sie lieber selber an. Deswegen war er die Hauptperson beim Fischfang. Er tat sehr wichtig, zog einen Beutel aus seinem Korb, entnahm ihm ein graues Pulver und streute es ins Wasser. Das tat er an mehreren Stellen.

Alle Indianer standen um die Bucht herum und warteten gespannt auf das Hochkommen der Fische. Die kleinen kamen zuerst nach oben. Sie taumelten, schnappten um sich, versuchten wieder nach unten zu kommen und blieben schließlich reglos an der Oberfläche liegen. Bald kamen größere dazu. Jetzt gab Hlé ein Zeichen, und alle sprangen in das Wasser hinein, um die betäubten Fische zu bergen. Jeder versuchte, die größten zu erwischen. Sie spritzten um sich, warfen sich gegenseitig ins Wasser, kraulten mit kräftigen Schlägen zu neuer Beute und waren übermütig wie die Hunde, die bis zum Leib im Wasser standen und ebenfalls einige Fische zu fangen versuchten.

Taowaki und Diacui waren natürlich mittendrin. Sie konnten sich dieses Fest nicht entgehen lassen, zumal es ja ein Vergnügen war, sich im Wasser zu tummeln. Fisch um Fisch legten sie in ihre Körbe, aber als Diacui einmal hinfiel, schwammen alle wieder im Wasser.

Jojo, Kopé und Pfeilfeder schossen mit ihren Pfeilen jene größeren Fische ab, die zu entkommen versuchten. Darunter war auch ein Piracuru von Manneslänge.

Sie hatten jetzt so viele Fische, daß sie sie trocknen mußten. Das gab einen Vorrat für etliche Tage.

„A-uh!"

Von irgendwoher erklang ein lauter Ruf. Die Indianer waren wie erstarrt. Pfeilfeder deutete auf ein Kanu, das den Fluß herabkam. In ihm saß ein Mann, zweifellos ein Indianer, denn er war nackt und bemalt. Als er die vielen Chavantes sah, tauchte er sein Paddel heftig ein und wollte nach der anderen Flußseite hinüber entkommen. Aber Kopé war schneller. Sein Pfeil flog über das Wasser hinweg und traf den Fremden, der das Paddel fallen ließ und zusammensank. Andere Pfeile folgten.

„Schon wieder ein Mord!" zürnte Taowaki, doch sprach sie leise, damit es nur Diacui vernahm.

Von mehreren Pfeilen getroffen, schien der fremde Indianer tot zu sein.

„Wollen wir ihn verfolgen?" fragte Kopé.

Jojo und Pfeilfeder winkten ab.

„Ein Stück weiter unten gerät das Kanu in die Stromschnellen und wird zerschellen. Die Piranhas sorgen dann dafür, daß von dem Mann nichts übrigbleibt."

Langsam entschwand das Kanu in der Ferne. Die

Chavantes wandten sich wieder den wenigen noch im Wasser schwimmenden Fischen zu, aber die fröhliche Stimmung war verschwunden. Einer nach dem anderen verließ den Platz.

„Warum habt ihr den Mann getötet?“ fragte Diacui den jungen Indianer Jojo.

„Er mußte sterben, da er zuviel wußte“, gab er zurück.

„Was wußte er?“

„Er gehörte dem Stamm der Assuri an. Sie sind unsere Feinde. Er wäre heimgekommen und hätte uns verraten.“

„Ihr seid grausam“, versetzte Diacui.

Jojo lachte kurz auf, ergriff die Waffen und verschwand im Gebüsch.

„Das ist das, was wir bekämpfen müssen“, sagte Diacui, als sie mit der Freundin durch den Wald ging.

„Bevor du damit nur anfängst, ist schon wieder etwas geschehen“, erwiderte Taowaki. „Jojo hat recht. Solange die anderen Stämme kriegerisch sind, müssen auch wir auf der Hut sein.“

„Die Befriedung kann nicht überall zu gleicher Zeit einsetzen.“

„Deshalb wird es auch immer wieder zu Totschlägen kommen. Ich glaube, die Freundschaft mit den Weißen und Caboclos ist leichter herzustellen als die mit den anderen Tribus.“

Die Chavantes sahen keinen Grund, diesen neuen Totschlag groß aufzubauschen oder gar zu verherrlichen. Es war eine ruhmlose Tat gewesen, da der einzelne Indianer offenbar nichts Böses beabsichtigt hatte und es nicht zum Kampf gekommen war. Nur ihrer eigenen Sicherheit wegen hatten sie sein Leben ausgelöscht.

Kopé hatte als erster geschossen, um eine alte Rechnung zu begleichen. Bei einem der letzten Kämpfe mit den Ihos war er schwer verwundet worden. Das kränkte ihn, als sei es seine Schuld gewesen. Diesmal wollte und mußte er beweisen, daß er der Schnellere war, obwohl es um einen Assuri und nicht um einen Iho ging.

Pantherklaue schwieg, als er von dem Vorfall hörte. Er war gegen jeden neuen Zwischenfall, mußte aber auch auf die Sicherheit des eigenen Stammes bedacht sein. Schließlich erfuhren weder die Weißen noch die Assuri, wie dieser Mann umgekommen war. Was der Fluß einmal verschlang, das gab er nicht wieder her, und in seiner unergründlichen Tiefe ruhte so manches Geheimnis.

Eine besondere Vorliebe zeigten die Chavantes für Tiere aller Art. Sobald sie ein Jungtier fanden, wurde es mitgenommen und großgezogen.

Das beliebteste Tier war natürlich der Arara. Ganz jung aus dem Nest geholt, wurde er bald zahm und dachte gar nicht daran, seine Flügel zu benützen und die Freiheit aufzusuchen. Im Grunde genommen waren alle Papageien und Araras frei, und nur den erst später Eingefangenen wurden die Flügel verschnitten. Sie gewöhnten sich rasch an die Menschen, kletterten in und auf den Hütten herum und mieden lediglich die ewig hungrigen Hunde.

Es gibt Indianerstämme, bei denen der Besitz von Araras als Zeichen des Wohlstandes gilt. Dem Häuptling stehen fünf und noch mehr zu. Zur Mauserzeit verlieren sie ihre schönen Federn, die als Kopfputz und dergleichen verwendet werden.

Der Arara ist ein kostbares Tauschobjekt, denn der

Indianer trennt sich ungern von ihm und will dafür etwas Wertvolles haben.

Die Araras gibt es in vielen schönen Farben, vom leuchtenden Rot über Goldgelb und Blau bis zum tiefsten Schwarz. Ihnen gegenüber sehen die grünen Papageien geradezu schmucklos aus. Trotzdem gibt es in fast sämtlichen Hütten diese grünen, pfeifenden, schnarrenden und plärrenden Vögel in allen Größen.

Aber auch viele andere Tiere werden gefangen, gezähmt und großgezogen. Beliebt sind Ameisenbär, Stachelschwein und Emu. Der Emu ist der südamerikanische Strauß. Der kleine Ameisenbär gewöhnt sich gar bald an Halsband und Leine, vergißt seine Wildheit und erlernt kleine Kunststückchen. Er geht auf den Hinterbeinen, macht „bitte-bitte" und schlägt Purzelbäume.

Äffchen sind sehr beliebt, machen aber viele Dummheiten. Sie leben angebunden abseits der Hütten auf einem Baum, sind zutraulich oder bissig, wie es ihnen gerade einfällt. Taowakis Jo war harmlos wie ein kleiner Hund.

Eines Tages fanden Taowaki und Diacui einen Ameisenbär, der nicht mehr laufen wollte. Um vor seinen furchtbaren Krallen sicher zu sein, fesselte ihn Taowaki, und sie trugen ihn nach Hause. Dort reichten sie ihm alle möglichen Dinge, doch wollte er nichts annehmen. Taowaki wußte einen Ameisenhaufen. Dorthin schleppten sie ihn, und da er anfing zu wühlen und die Ameiseneier zu suchen, trugen sie ihn immer wieder in den Wald hinein. Aus dem anfänglichen Vergnügen wurde eine unnütze Last. Was sollten sie aber machen? Verhungern lassen konnten sie ihn nicht.

Nach mehreren Tagen stand der Ameisenbär wieder fest auf seinen Beinen. Pfeilfeder liebäugelte mit ihm, denn er hätte ihn gar zu gern in die heiße Asche gelegt und gebraten. Die Mädchen gaben es jedoch nicht zu und lachten ihn aus.

„Mir wird es allmählich zuviel“, gestand Taowaki, als sie ihn wieder einmal durch den Urwald führten und Ameisenhaufen suchten.

„Lassen wir ihn doch laufen!“ schlug Diacui vor.

Sie banden ihn los und rannten davon. Aber genauso schnell war der Ameisenbär. Er wich ihnen nicht von den Fersen, als könnte er ohne die Mädchen nicht mehr leben.

„Da haben wir etwas Schönes aufgelesen“, meinte Taowaki.

„Ich weiß etwas. Wir klettern auf einen Baum und warten, bis er weggegangen ist“, schlug Diacui vor.

Also kletterten sie auf einen Baum und warteten. Der Ameisenbär besaß jedoch eine größere Geduld. Er legte sich unter den Baum und schlief.

Von jetzt an durfte er sich ganz frei bewegen, und alle hofften, daß er eines Tages im Wald verschwinden würde. Statt dessen streunte er im Dorf umher, ärgerte die Hunde, die sich wegen seiner Krallen nicht an ihn heranwagten, und drang in alle Hütten ein. Den Mädchen zuliebe wurde er nicht erschlagen. Wenn er hungrig war, trollte er in den Wald, kam wieder zurück und naschte hier und leckte dort.

Taowaki und Diacui waren heilfroh, ihn auf diese Weise los zu sein. Sie sahen ihn gern kommen, überließen es ihm aber, die Ameisenhügel zu suchen. Kleine Kinder ritten auf ihm. Er ließ sich alles gefallen. Dabei gilt der Ameisenbär sonst als ein äußerst gefährliches Tier, und jeder Jäger hütete sich, seinen vernichtenden Krallen nahe zu kommen.

Als eines Nachts der Vollmond schien, auf dem Festplatz ein großes Feuer brannte und die Indianer tanzten, kam das Tier von den Hütten herüber, geriet den Tanzenden zwischen die Beine und trollte dann fort, um in Richtung des Urwaldes zu verschwinden. Von da an wurde es nicht mehr gesehen.

Taowaki und Diacui werden betriebsam

Die beiden Mädchen hatten sich ernstlich vorgenommen, dem Stamm der Chavantes von Nutzen zu sein. Sie dachten an Senhor Amaros Reden und an seine Vorliebe für indianische Arbeiten. Aber es ist ein weiter Weg vom Denken bis zum Handeln. Indianer arbeiten nur dann, wenn es nötig ist. Und da sie es nur selten nötig haben, arbeiten sie kaum. Jagd, Spiel und Tanz füllen ihr Leben aus.

Als Diacui und Taowaki eines Tages sich in der Sprache der Weißen unterhielten, hörten einige Kinder aufmerksam zu. Sie wollten Genaueres erfahren und diese Sprache erlernen. Es machte ihnen Spaß, die fremden Laute nachzuahmen und die Worte der Weißen anzuwenden. Zuerst lernten sie die Bedeutung der einzelnen Gegenstände, dann ganze Sätze. Von Tag zu Tag wurde es mehr. Es war wie ein Spiel, das alle ergriffen hatte. Oft hockten die beiden Mädchen im Kreis vieler Kinder, um ihnen neue Sätze beizubringen.

Wie im Spiel zeichneten sie einzelne Buchstaben in den Sand. So lernten die Kinder auch allmählich schreiben. Das Ganze war eine anregende Unterhaltung, und keiner merkte, daß sie auf dem besten Wege waren, den Weißen etwas nachzuahmen.

Die Kinder begriffen viel rascher als die Erwachsenen, denn auch die Großen kamen manchmal dazu, versuchten die fremden Worte zu sprechen und die Buchstaben zu schreiben.

Ohne es zu zeigen, lernte Pantherklaue jedes Wort, das er aus dem Munde der Mädchen vernahm. Er ahnte, daß die Sprache der Weißen für ihn eine Waffe war, die in Zukunft nützlicher und gefährlicher sein würde als Pfeil und Bogen. Jojo hatte es sich in den Kopf gesetzt, bei den Leuten vom Posten ein Gewehr einzutauschen. Diacui sagte, das sei viele Felle wert. Jetzt stellte er dem Jaguar ebenso nach wie Fischotter, Ameisenbär und Ozelot.

Männer und Frauen webten aus Palmfasern sehr schöne Matten mit verschiedenen Mustern. Kinder fertigten Tanzrasseln an und behängten sie in üblicher Weise mit bunten Federn. Nur die keramischen Arbeiten ließen sich während der Regenzeit schlecht durchführen, weil der Ton zu langsam trocknete.

„Wollen die Weißen so leben wie wir?“ wunderten sich die Indianer.

„Nein, aber sie kaufen unsere Arbeiten, um sie in ihr Zimmer zu legen. Das finden sie schön“, erklärte Diacui.

Den Chavantes konnte es recht sein. Ihre anfängliche Begeisterung legte sich jedoch bald, und sie hatten keine Lust, die angefangenen Matten fertigzumachen.

„Wir müssen zum Posten gehen und etwas eintauschen, damit sie wieder Lust bekommen“, schlug Taowaki vor.

„Das Wasser zwingt uns zu großen Umwegen“, meinte Jojo. „Wir brauchen jetzt zwei Tage, um die Station zu erreichen. Wenn es regnet, sind zwei Tage lang."

Trotzdem machten sie sich eines Tages auf den Weg. Es waren Taowaki, Diacui, Coniheru, Jojo, Pfeilfeder, Eisenholz und Kopé. Sie gingen auf höher gelegenen Hügelwellen und mieden die überschwemmten Gebiete. Immerhin mußten sie manchmal durch metertiefes Wasser waten und ihre Körbe auf den Köpfen balancieren. Jojo ging voraus und trieb mit Stockschlägen Kaimane und Stachelrochen davon. Regen überraschte sie. Aber sie waren ja nackt und bald wieder trocken wie die Tiere.

Als es dunkelte, regnete es schon wieder, so daß sie kein Feuer machen konnten. Sie hockten im Kreis um einen Baum herum und froren die lange Nacht. An Schlafen war nicht zu denken. Manchmal raschelte es im Gebüsch. Diacui fürchtete sich. Sie gab es unumwunden zu. Die anderen schienen sich ebenfalls zu fürchten, doch sagten sie es nicht. Jojo sorgte endlich für Feuer, das ihnen Wärme und Sicherheit gab.

„Es wäre besser, ein Motorboot zu besitzen", meinte Diacui. „Mit dem Motor ist es eine kleine Sache, bis zum Posten zu fahren."

„Noch besser ist ein Flugzeug", erwiderte Taowaki.

„Warum habt ihr keins mitgebracht?" fragte Jojo.

Diacui erzählte von Taowakis erstem Flug und den kleinen Zwischenfällen, worüber die anderen lachten. Kopé meinte, er wäre nicht mitgeflogen. So verging die Nacht, und endlich graute der Morgen.

Sie liefen noch den ganzen Tag. Aber als der Abend kam, waren sie beim Posten. Taowaki und Diacui trugen ihre Kleider, denn sie wollten den Weißen gegenüber nicht nackt erscheinen.

„Hallo! Unsere Freunde, die Chavantes!“ rief Senhor Antonio erfreut, als er die Rothäute erblickte. Er kam ihnen entgegen und umarmte sie. „Ihr werdet den einen Bungalow beziehen, denn er ist sowieso leer und wartet auf Gäste.“

„Ein Dach über dem Kopf und einen Kaffee in den Magen wäre gerade das richtige!“ erwiderte Diacui.

„Du solltest lieber bei uns bleiben“, sagte Donna Rosa, nachdem sie alle begrüßt hatte. „Du bist es nicht gewöhnt, bei dieser Nässe im Urwald zu liegen, und wirst noch krank werden.“

„Wir Chavantes vertragen alles“, lachte Diacui.

„Du bist keine Chavantes!“

„Natürlich bin ich eine! Etwas muß man ja schließlich sein, Donna Rosa. Als Kind mußte ich immer hören, daß ich eine Indianerin sei. Das war nicht immer angenehm für mich, und jetzt, da ich eine bin, soll ich es nicht mehr sein.“

Antonio führte die Indianer in den leerstehenden Bungalow. Er fragte nicht nach dem Inhalt ihrer Bündel und auch nicht nach dem Grund ihres Besuches. Taowaki und Diacui gingen mit Donna Rosa in das Wohnhaus.

„Was gibt es Neues bei den Chavantes?“ fragte Carlos.

„Im Urwald spielt sich wenig ab“, versetzte Diacui.

„Vor einiger Zeit trieb ein Kanu kieloben im Fluß. Die Chavantes haben doch sonst ihre Augen überall.“

Diacui hob die Schultern und schwieg.

„Ich habe immer Angst vor den Chavantes“, gestand Donna Rosa.

„Der Stamm hat sich mit dem Posten abgefunden und wird nichts gegen ihn unternehmen. Wir haben diesmal einige Kleinigkeiten mitgebracht und möchten sie gern eintauschen.“

„Ich will alles aufkaufen und in die Ecke stellen, wenn uns die Indianer dafür in Ruhe lassen“, beteuerte Donna Rosa in ihrer Ängstlichkeit.

Die Mädchen lachten, und Diacui sagte: „So ist es nicht gemeint, Donna Rosa. Senhor Amaro will die Dinge haben; und Sie sind vor den Chavantes so sicher wie in der großen Stadt.“ Und mit einem Seufzer fuhr sie fort: „Ich wünschte, die Weißen wären alle so ehrlich wie die Indianer.“

„Glaubst du, Kind, daß es so ist?“

„Die Chavantes lügen nicht“, versicherte Taowaki.

Donna Rosa war sehr aufgeregt. Sie wußte nicht, was sie alles kochen sollte, um so viele Gäste satt zu kriegen. Statt in einem großen Kübel Fische zu kochen, lief sie hin und her und erreichte gar nichts. Die Mädchen übernahmen schließlich die Kocherei, weil sie am besten wußten, was den Indianern schmeckt. –

Am nächsten Tag packten die Chavantes ihre Gegenstände aus: bemalte Figuren und Tongefäße, sauber geflochtene Matten, Taschen aus Palmfasern, Halsketten aus Samenkapseln, Tanzrasseln und Federschmuck. Die Indianer wußten nicht, was sie dafür nehmen sollten, denn im Grunde genommen hatten sie keine besonderen Wünsche. Antonio gab ihnen billigen Stoff, damit sie, wenn sie ihr Lager verließen, einen Lendenschurz tragen konnten, außerdem Mais, Tabak und gepreßten Rohzucker. Als besonderes Geschenk legte er zwei Buschmesser dazu.

Jojo zeigte seine Felle. Sie waren schlecht abgezogen und unsachgemäß getrocknet. Antonio zeigte den Männern, wie sie die Felle behandeln mußten, um damit etwas zu verdienen.

„Gibst du mir dafür ein Gewehr?“ fragte Jojo.

Antonio war überrascht. „Wozu denn das?“ wunderte er sich.

„Ich möchte eins haben“, beharrte Jojo.

„Die Gewehre gehen manchmal in verkehrter Richtung los“, meinte der Postenführer. „Ich bin nicht dafür, daß ihr euch welche anschafft.“

In Jojos Augen glomm ein böser Funke. Antonio sah ihn und überlegte.

„Man könnte ja darüber sprechen“, sagte er schließlich, „doch sind Gewehre teuer. Könntest du damit Krokodile schießen?“

„Krokodile?“ wunderte sich Jojo.

„Ja, wir brauchen sie für die Lederverarbeitung. Das verstehst du nicht. Die weißen Frauen sind ganz wild danach. Ich könnte dir ein Gewehr leihen, bis du genügend Häute beisammen hast. Dann gehört dir das Gewehr. Aber eine Bedingung stelle ich. Du mußt versprechen, mit ihm auf keinen Menschen zu schießen! Auch auf keinen feindlichen Indianer.“

„Zeig erst das Gewehr!“ meinte Jojo.

Antonio holte ein Gewehr, einen erbärmlichen Schießprügel mit kleinem Kaliber. Es sah aus, als würde es beim nächsten Schuß auseinanderfallen.

Vorm Haus versuchte der Indianer seine ersten Schüsse. Sie gingen an dem gesteckten Ziel vorbei, worüber die anderen unbändig lachten. Daraufhin wollte jeder einmal schießen. Eisenholz traf die ausgemachte Stelle eines Baumes und behauptete, das Gewehr sei nicht schlecht. Nun wollte es Jojo besitzen. „Gib mir erst das Versprechen, auf keinen Menschen zu schießen!“ sagte der Postenführer.

„Das will ich gern tun“, antwortete Jojo mit hinterlistigem Lächeln. „Der Pfeil ist lautlos und besser.“

„Und vergiß die Krokodilhäute nicht! Es müssen eine ganze Menge sein.“ –

Drei Tage blieben die Indianer. Sie fielen dem Posten nicht zur Last, denn was sie zum Leben brauchten, das holten sie aus dem Wald herbei, und in dem Bungalow schliefen sie auf den Dielen. Sie trugen jetzt einen kurzen Lendenschurz und keine Bemalung. Dadurch wirkten sie auch viel friedlicher, und Donna Rosa hörte auf, sich vor ihnen zu fürchten. Um nicht untätig herumzusitzen, fertigten sie für den Haushalt Kalebassen aus hartschaligen großen Früchten an und Handwedel zum Anblasen des Feuers. Taowaki und Coniheru zeigten Donna Rosa Heilkräuter und Baumrinde gegen Nierenschmerzen.

Dank ihrer angeborenen Zurückhaltung machten sie sich niemals unbeliebt. Nur wenn sie dazu aufgefordert wurden, betraten sie das Wohnhaus. Vom ersten Augenblick an besaßen sie das Zutrauen und die Herzen der Kinder, eines zehnjährigen Jungen und eines kleineren Mädchens, die mit dem Bogen schießen und mit der Rassel tanzen wollten.

Senhor Antonio plante inzwischen einen geheimen, aber friedlichen Feldzug gegen die Chavantes. Er, der die Chavantes befrieden und betreuen sollte, wollte ihr Dorf kennenlernen und sagen können, als Gast bei diesem gefürchteten Stamm gewesen zu sein.

„Der Weg ist bei diesem hohen Wasserstand weit und beschwerlich“, sagte er, als sie am letzten Abend unter dem Mangobaum beisammensaßen. „Ich will euch mit dem Motorboot flußaufwärts fahren. Für uns ist es eine kleine Mühe.“

Eisenholz nickte, denn er war damit einverstanden; aber Jojo dachte weiter und schüttelte den Kopf.

„Wir können laufen“, meinte er, „und uns bei dieser Gelegenheit nach Krokodilen umsehen.“

„Das hat Zeit.“

Schon wieder glomm in den Augen des jungen Indianers der gefährliche Funke. Antonio ahnte, daß Jojo keinen Widerspruch vertrug, und hütete sich, sein Mißfallen zu erregen. Ihm lag daran, das freundschaftliche Verhältnis zu festigen und keinesfalls zu trüben. Er lenkte das Gespräch auf andere Dinge.

Als sie aufstanden, um sich zur Ruhe zu begeben, sagte Jojo wie nebenbei: „Die Mädchen werden sich freuen, wenn du sie ein Stück den Fluß hinauffährst.“

Antonio zog ein saures Gesicht, was in der Dunkelheit nicht auffiel. „Hast du es gehört?“ wandte er sich an seinen Helfer Carlos. „Mach morgen früh das kleinere Kanu flott und bring sie hinauf!“

Jojo nahm ein wenig später seine Schwester beiseite und sprach: „Ihr werdet dort aussteigen, wo wir kürzlich die große Schildkröte fingen. Von dort findet ihr den Weg. Paßt auf, daß der Weiße euch nicht folgt.“

Taowaki nickte nur und folgte Diacui.

Große Aufregung verursachte Jojos Gewehr. Alle wollten diese furchtbare Waffe sehen, die den Blitz ausspie und wie Donner grollte. Wenn Jojo schoß, rissen alle Kinder aus. Die Frauen wagten sich sowieso nicht heran.

Pantherklaue war von großem Mißtrauen erfüllt. Was die Weißen stark und mächtig machte, brauchte für die Indianer noch lange nicht von Nutzen zu sein. Er sagte es unumwunden. Als Jojo auf Jagd ging, blieb er daheim. Tatsächlich kam Jojo ohne Beute heim.

„Woran liegt es?“ fragte der Häuptling.

Jojo wußte es, doch gab er es nicht zu. Es lag einfach daran, daß die Tiere nach dem ersten Fehlschuß die Flucht ergriffen. Der Knall erschreckte sie, was bei einem fliegenden Pfeil nicht der Fall war. Nach mehreren Jagdtagen mußten die Indianer feststellen, daß die Tiere abzogen, um das ganze Gebiet zu meiden.

Da nahm Jojo auch wieder Pfeil und Bogen und wollte nur die Krokodile mit dem Gewehr erlegen. Die Krokodile abzuhäuten, war jedoch eine schwere Arbeit. Sollte er sich plagen, um eine Waffe zu besitzen, mit der er im Grunde genommen nichts anfangen konnte? Das Gewehr blieb schließlich in der Hüttenecke stehen, als hätte es seinen Zweck erfüllt.

So war es auch mit dem Flechten, Weben und Töpfern. Die verkauften Gegenstände hatten ja doch nichts eingebracht, denn Mais und Zucker waren rasch gegessen, und den Stoff brauchten sie nicht. Keiner dachte daran, etwas Neues anzufertigen. Sie fielen wieder in ihren alten Trott und steckten damit auch die beiden Mädchen an.

Diacui lehnte sich noch eine Zeitlang dagegen auf, bis auch sie es aufgab.

Jetzt glaubte keiner mehr an eine neue Zeit. Die Alten sprachen vielmehr davon, das Amazonasgebiet zu verlassen, um im Sertão zu leben. Dort sei es besser, meinten sie, obwohl sie dann wieder das Gegenteil behaupteten, wenn sie erst mal außerhalb des großen Waldes lebten. Ihr unsteter Geist brach immer wieder durch, packte sie und trieb sie weiter, vom Norden nach Süden und wieder zurück. Sie blieben die Chavantes, gefürchtete, flinke und überall auftauchende Kinder des großen Gottes Tupon.

Die weiße Forscherin

Eines Tages war sie da, eine hochgewachsene blonde Frau in Buschhemd, Hosen und Stiefeln, mit drei Caboclos, vielen Kisten, Gewehren und Colts. Sie kam mit einem motorisierten Kanu den Fluß herauf und suchte die Chavantes. Pfeilfeder verwehrte ihr das Gebiet, indem er ihr einige Pfeile vor die Füße setzte.

Ein Caboclo versuchte, sich auf Indianisch verständlich zu machen, aber Pfeilfeder winkte ab und sagte nur: „Kehrt um!"

Die Frau dachte gar nicht daran. Sie blieb mit ihren Caboclos im Boot sitzen, als hätte sie eine Unmenge Zeit mitgebracht. Die Indianer hielten jedoch ebenfalls aus. Sie blieben unsichtbar im Gebüsch und vereitelten jeden Landungsversuch mit einigen gutgezielten Pfeilen.

„Holt den Häuptling herbei!" ließ die weiße Frau durch den Caboclo sagen.

Pantherklaue wußte längst Bescheid, sah aber keinen Grund, sich wegen einer weißen Frau zu beeilen. Er hatte sie nicht hergebeten.

Ohne sich um die Chavantes zu kümmern, errichteten die Fremden auf der Insel ihr Lager, wo sie die erste Nacht verbrachten. Um vor feindlichen Überfällen sicher zu sein, teilten sie eine Wache ein. Die Indianer dachten jedoch nicht daran, sie auf der Insel zu behelligen.

Am nächsten Morgen kam die Frau mit einem Caboclo zum Festland herüber, um erneut mit den Indianern zu verhandeln. Bevor sie jedoch den Boden betrat, bohrte sich vor ihr wieder ein Pfeil in den Sand. Das war eine erneute deutliche Warnung, die sie wohl beachtete. Nun versuchte sie es mit einigen Geschenken, die sie vom Boot aus ans Ufer warf. Danach kehrte sie zu der Insel zurück.

„Man kann auf diese Weise vielleicht die Assuri überlisten, aber nicht die Chavantes", sagte Jojo verächtlich, der mit Pfeilfeder und einigen anderen auf der Lauer lag.

Aber auch die Chavantes-Mädchen waren nicht weit entfernt. Sie sammelten Früchte, suchten hinter der Flußbiegung nach Schildkröteneiern oder badeten zuweilen. Jedenfalls blieben sie in der Nähe, um sofort da zu sein, wenn irgend etwas Außergewöhnliches geschah.

Am Nachmittag desselben Tages kam die Frau abermals herüber und rief laut Diacuis Namen in den Wald hinein. Ein Junge lief daraufhin zu den Mädchen und gab Diacui Bescheid. „Ich habe keine Lust, mich in diese Sache einzumischen", sagte sie mit gerunzelter Stirn.

„Sprich mit Jojo!" riet Taowaki.

Jojo wußte aber auch nicht, was sie machen sollte. Eisenholz meinte, Diacui könne hinabgehen und ihr sagen, daß ihr Besuch den Chavantes unerwünscht wäre. Etwas anderes gäbe es wohl kaum zu besprechen. Da gingen Taowaki und Diacui zu der weißen Frau, ohne ihr die Hand zu reichen. Sie konnten unmöglich eine Freundschaft schließen, die dem Stamm mißfiel. Deswegen blieben sie in angemessener Entfernung stehen und warteten auf eine Anrede.

„Welche von euch beiden ist Diacui?" fragte die weiße Frau.

Die Mädchen schwiegen.

„Hat Diacui vergessen, daß sie bei den Weißen groß

geworden ist?“ fragte die Frau unwillig, und als keine Antwort folgte, fuhr sie fort: „Ich bitte nur um eine kleine Hilfeleistung. Holt den Häuptling, damit ich mit ihm sprechen kann!“

„Der Häuptling ist nicht zu sprechen“, erwiderte Diacui.

„Oder sein Stellvertreter.“

„Kein Chavantes ist für die weiße Frau zu sprechen. Es wurde mit dem Posten vereinbart, daß kein Fremder dieses Gebiet zu betreten hat.“

„Der Posten gab die Erlaubnis“, erklärte die Frau.

Diacui schüttelte den Kopf. „Senhor Antonio hält sein Wort.“

„Laßt ihr mich an Land kommen?“

„Wir haben nicht zu bestimmen, doch ist es nicht ratsam, das Land zu betreten.“

„Ich fürchte mich nicht!“

„Die Chavantes wollen den Frieden, aber ihre Pfeile werden treffen, wenn andere die getroffenen Vereinbarungen brechen“, warnte Diacui. Sie drehte sich rasch um und ging mit Taowaki in den Wald hinein.

Unschlüssig blieb die weiße Frau im Kanu stehen. Plötzlich setzte sie sich hastig, tauchte das Paddel ein und fuhr zur Insel hinüber.

„Es sieht aus, als wäre den Weißen die Welt zu klein geworden“, meinte Hlé, der mit Pantherklaue und Tucre am Feuer saß und die Pfeife rauchte. „Von allen Seiten kommen Caboclos und Weiße, um die Chavantes zu besuchen. Der Posten scheint kein Schutz für die Indianer, sondern ein Treffpunkt der Fremden zu sein.“

„Du hast recht, doch ist es nicht Antonios Schuld“, versetzte der Häuptling. „Während er sein Gesicht dem

Wald zuwendet, huschen hinter seinem Rücken die anderen vorbei."

„Also nützt er uns nichts."

„Das Wachehalten wollen wir nicht auf ihn abwälzen. Wir sind stark genug, um uns zu schützen."

„Nimmst du auch die weiße Frau in Schutz?" fragte der Medizinmann lauernd.

„Sie geht uns nichts an, solange sie unser Gebiet nicht betritt."

„Und wenn sie es trotz der Warnung tut?"

„Du fragst wie ein altes Weib", erwiderte der Häuptling ungehalten. „Die Männer, die drüben am Fluß sind, wissen Bescheid. Wir haben keine Kinder hingeschickt. Auch Jojo ist dabei."

„Das ist gut", meinte Hlé, indem er die Pfeife ausklopfte und sich erhob. Langsam ging er seiner Hütte zu.

Was plante nun wieder dieser undurchsichtige Alte? Er stellte nie grundlos eine Frage, so wie er überhaupt nur mit Hintergedanken umherzugehen pflegte. Jeder Besuch, jede Frage konnte eine geschickt gestellte Falle sein. Sein Haß gegen die Weißen glomm unter einer dünnen Schicht von Freundlichkeit, hinter seinem verzerrten Lächeln steckte Verrat. Seine dünnen Hände, die mit vielen Giften umzugehen wußten, waren Werkzeuge eines teuflischen Hirns.

Seit vielen Jahren kämpfte Pantherklaue nun schon gegen diesen Mann, obwohl er immer freundlich zu ihm war und eine Maske tragen mußte. Die Stammessitte verlangte Freundschaft und Verträglichkeit, Nachsicht und Ruhe. Statt sich zu hassen oder gar umzubringen, saßen sie miteinander an einem Feuer. Dem greisen Tucre mochte es genauso ergangen sein, doch schwieg er ebenso wie Pantherklaue.

Nun saß Hlé vor seiner Hütte, schürte die Glut und sah unverwandt den züngelnden Flammen zu. Die Nacht brach herein. Es kamen viele Chavantes vom Fluß zurück, weil in der Dunkelheit ja doch nichts geschah. Die Mädchen kamen mit Früchten, gaben auch dem Medizinmann ein ganzes Körbchen voll, und Taowaki legte ihm viele Schildkröteneier an den Hütteneingang.

Diacui freute sich über Hunderte von Samenkapseln, die sie als lange Kette aufreihen wollte, um wirklich echten indianischen Schmuck zu besitzen. Es waren ovale weiße Hülsen mit bläulichen Tupfen.

Maikäfer hatte Maniokafladen gebacken. Diacui streute ein wenig Salz darauf, weil sie – im Gegensatz zu den anderen – ohne Salz, Zucker und Kaffee nicht mehr leben konnte. Es waren kleine Gewohnheiten, die sie nicht abzulegen vermochte. Nach dem Essen lagen die beiden Mädchen auf ihren Matten und schliefen. Die Zikaden sirrten, doch war es sonst ganz still.

Einmal trat Diacui vor die Hütte. Es war ganz hell, denn der Mond stand fast kreisrund am Himmel. Die Zikaden und Grillen geigten immer noch.

Wer huschte dort zum Wald hinüber? Diacui rieb sich den Schlaf aus den Augen und glaubte den Medizinmann zu erkennen. Was trieb der um diese Zeit, statt auf der Matte zu liegen und zu schlafen? Hlé war kein Jäger, und auch die Jäger pflegten viel später aufzubrechen. Um diese Stunde ging überhaupt kein Indianer durch den Wald.

Sie legte sich auf ihre Matte, rüttelte die Freundin wach und flüsterte: „Du, Hlé ist zum Fluß gegangen!“

Taowaki drehte sich zur Seite und murmelte: „Ach, laß mich doch schlafen!“

So lagen sie eine Weile. Plötzlich schlug Taowaki die Augen auf und fragte: „Hast du ihn gesehen?“

„Ja, ganz gewiß. Was hat er vor?“

Sie erhoben sich und schlichen zur Tür hinaus.

„Was willst du?“ fragte Diacui leise, als die beiden draußen standen und den Mond über sich sahen.

„Nein, ich traue mich nicht in den Wald hinein“, flüsterte Taowaki.

„Bis zum Fluß ist es nicht weit.“

„Weit genug, um von einer Schlange gebissen zu werden. Sie jagen jetzt um diese Zeit und sind überall.“

„Hlé fürchtet sich nicht?“

„Er steht mit dem bösen Geist Yurupari im Bunde.“

Das Dorf war wie ausgestorben, kein Feuer brannte. Nur wenige Indianer lagen schlafend vor ihren Hütten, die meisten zogen es vor, in den Räumen der nächtlichen Kühle zu entgehen.

„Sobald es hell wird, gehen wir zum Fluß“, entschied Taowaki. Diacui war damit einverstanden, denn auch sie fürchtete sich vor dem nächtlichen Urwald. Dann lagen sie wieder auf ihren Matten, versuchten zu schlafen, doch gelang es ihnen nicht, weil ihre Gedanken um den Medizinmann kreisten, der, sicher nichts Gutes planend, die Furcht vor der Dunkelheit überwunden hatte, um den verhaßten Weißen aufzulauern.

Lautlos wie ein Tier schlich Hlé unter den Bäumen dahin. Im Wald war es dunkel, aber doch nicht finster genug, um den Pfad nicht zu finden. Geschmeidig wie ein Junger wich er den herabhängenden Lianen aus, ebenso den Dornen und dürren Ästen. Seine Augen waren überall, denn er kannte nur zu gut die nächtlichen Gefahren des großen Waldes. Um diese Zeit gingen die

Raubtiere auf Jagd; alles Böse, das den Tag scheute, trieb sich jetzt umher.

Hlé trug Pfeil und Bogen, die gefährlichsten Waffen der Indianer. Obwohl er zu den Ältesten des Stammes zählte, glaubte er, sich auf seine Augen verlassen zu können. Noch sah er mit der Schärfe des Jaguars.

Der Medizinmann war zeitlebens ein furchtloser Chavantes gewesen. Er hatte nicht nur wie viele andere seines Standes Gift hergestellt und Kranke geheilt, sondern war mit der Keule in der Faust im dichtesten Kampfgetümmel gewesen und hatte die Caboclos und feindliche Indianer mit ungeheurer Wucht zusammenschlagen helfen. Keiner konnte von ihm sagen, daß er jemals feig den Rückzug angetreten hätte.

Trotzdem liebte er die List, denn er betrachtete sie als Waffe. Er brach immer aus dem Hinterhalt hervor und überraschte den Gegner. Die offene Kampfweise liegt keinem Indianer, weil er sich durch die Tarnung schützt, um erst einmal beobachten zu können, bevor er sich zum Angriff entschließt.

Auch jetzt wollte er sehen, was es zu tun gäbe. Er hatte die weiße Frau nicht gesehen und wußte nur, daß sie mit den drei Caboclos auf der Insel lagerte, nachdem ihre Annäherungsversuche gescheitert waren. Was lag näher, als daß sie das Ganze aufgab und zurückfuhr? Wahrscheinlich würde sie den Posten anlaufen, um sich dort Rat zu holen.

Hlé glaubte die Weißen zu kennen. Sie fielen gar leicht auf einen kleinen Trick herein. Wenn die weiße Frau das Land betrat, war ihr der Tod gewiß. Die Chavantes waren sich einig, den Posten zu dulden und alle anderen Weißen zu töten. Pantherklaue hatte es niemals ausgesprochen, aber so ungefähr lautete sein Grundsatz. Der erste Pfeil sollte eine Warnung sein, denn er traf nicht und bohrte sich in die Erde, während der zweite den Tod bringen mußte. Es galt also, den zweiten Pfeil von der Sehne schnellen zu lassen.

Der Medizinmann war viel zu schlau, um es selbst zu tun. Er wollte anscheinend unbeteiligt bleiben und die anderen handeln lassen. Pfeil und Bogen nahm er nur mit, um nicht waffenlos dem Jaguar gegenüberzustehen.

Glühwürmchen flogen vor ihm her. Er runzelte die Stirn und gedachte der Toten. Hoch in den Bäumen wachte mit ängstlichem Gezwitscher ein Äffchen auf.

Hlé blieb einen Augenblick stehen. Nichts rührte sich. In dieser hellen Nacht schienen sogar die Tiere im Versteck zu bleiben.

Dort zog der Fluß silberhell in die Ferne. Sein Wasser gluckste leise, ein Kaiman fing an zu jammern, gurgelte wie im Ertrinken, schluchzte laut auf und war wieder still.

Der Mond spiegelte sich in dem Wasser. Die Sterne wollten in dieser Nacht nicht scheinen.

Lange suchte der Medizinmann Hlé. Dann fand er endlich, was er brauchte, nämlich einen erhöhten, gut sichtbaren Uferplatz, der nach dem Walde hin gegen die eigenen Leute Deckung bot. Hier wollte er stehen und die weiße Frau anlocken, damit sie das Land betrat und dem Tod in die Arme lief. Keiner konnte sagen, daß er es gewesen sei, denn die Frau würde für immer schweigen, und die Caboclos würden angstgepeitscht das Weite suchen oder ebenfalls an Land verbluten.

Haha! Das war eine Tat nach Hlés Sinn, eine Tat voll List und Tücke! Er brauchte weiter nichts zu tun, als freundlich zu winken, als zu lachen und wieder einmal falsch zu sein.

Ganz langsam kroch die Nacht dahin. Der Mond senkte sich zum Urwald herab, um in ihm einzutauchen. Dann war es dunkel, aber bald graute der Morgen. Er kam den Fluß herauf und überzog den großen Wald mit rasch einsetzender Helligkeit. Es ging alles sehr schnell, und die Tiere schienen erschreckt zu sein. Sie zeterten, grunzten und murrten, bis auch das allmählich vorüberging.

Als die Sonne über die Bäume lugte, kam ein Kanu von der Insel her den Fluß herab. Es trieb weit drüben in der Strömung.

Da stand plötzlich ein Indianer mit flatternden Haaren freundlich winkend auf dem hohen Ufer: Es sah aus, als erwarte er geradezu die Fremden. Das dachte wohl auch die weiße Frau, die eben den Rückzug antreten wollte. –

„Was ist los?" rief Jojo überrascht, als er das davonschießende Boot plötzlich wenden sah. Die Caboclos paddelten aus Leibeskräften gegen die Strömung und versuchten zweifellos das Ufer zu erreichen. Überrascht sahen sich die Indianer an. Hlé konnten sie ja nicht sehen. Auch Taowaki und Diacui, die noch im Morgengrauen zum Fluß gekommen waren, ahnten nicht, was das zu bedeuten hatte. Sie setzten sich alle in Bewegung und rannten der Stelle zu, wo das Kanu zu landen schien.

Also doch eine List! Die weiße Frau glaubte vielleicht, so rasch die Chavantes abgeschüttelt zu haben. Jetzt betrat sie das Ufer, um das Dorf zu suchen.

Pfeilfeder setzte ihr so haargenau einen Pfeil vor die Füße, daß sie stolperte. Aber dessenungeachtet hastete sie weiter und den Hang hinauf.

Blitzschnell hob Jojo den Bogen. Er visierte über den

Pfeil hinweg, spannte mit großer Kraft – und wurde plötzlich zurückgerissen. Statt daß der Pfeil geradeaus geflogen wäre, schoß er durch das Astgewirr über die Wipfel hinaus.

Wütend fuhr der junge Indianer herum.

Taowaki duckte sich wie unter einem Schlag, sah den Bruder von unten herauf an und bat: „Tu es nicht, Jojo!"

Da mußte er lachen, denn er konnte Taowaki nicht böse sein.

Unschlüssig stand die weiße Frau auf der Uferwand, denn der freundliche Indianer war plötzlich verschwunden. Sollte es gar eine Falle gewesen sein? Langsam ging sie den Hang hinab, um das Boot wieder zu besteigen.

Der Abschied vom großen Wald

Fast betäubt vor Schmerzen lag Hlé in einer Bodensenke, wo er sich hingeschleppt hatte und zusammengebrochen war. Große Ameisen krochen auf ihm herum, als könnten sie sein Ende nicht abwarten. Aber er wehrte sich nicht, denn er spürte sie kaum. Viel schlimmer waren die Bisse im Gesicht und am ganzen Körper. Unzählige Messerstiche quälten ihn, obwohl es nur nadelfeine Stiche, winzige, kaum sichtbare Bisse waren, mit kleinen roten Punkten.

Vogelspinnen hatten hier ihr Werk vollbracht!

Als Hlé vom Uferrand zurücksprang, um der heraufhastenden Frau auszuweichen, stürzte er in ein Loch. Mit langen, behaarten braunen Beinen flohen mehrere große Vogelspinnen davon, aber nicht ohne ihm vorher ihr Gift eingespritzt zu haben. Dann saßen sie im Umkreis um ihn herum, erhoben abwehrend ihre Vorderbeine und packten noch einmal blitzschnell zu.

Unter Höllenqualen schleppte sich Hlé davon. Er wußte, daß er diesmal dem Tod nicht mehr entkam. Noch einmal versuchte er sich fortzuwälzen, denn die großen Ameisen kamen jetzt in Scharen. Sie krochen ihm in Nase, Mund und Ohren, spritzten das Gift in seine Augen und plagten ihn, als hätte er noch nicht genug von den Vogelspinnen abbekommen. Oh, es war ein langsames Sterben! Die Sonne brannte auf Hlé herab. Hätte er laut geschrien, wären wahrscheinlich seine Stammesbrüder herbeigekommen, doch wollte er ihnen diesen grauenhaften Anblick nicht gönnen. Haßerfüllt biß er die Zähne aufeinander und wand sich wie eine sterbende Schlange.

Die Sonne stieg immer höher. Sie senkte sich aber auch wieder, neigte sich hinter den großen Wald und kam am nächsten Morgen abermals im Osten herauf, und was sie da noch von dem Medizinmann beschien, sah keinem Menschen mehr ähnlich, es war nur noch ein von Ameisen blankgenagtes Skelett. Pfeilfeder und Ono-onoh, die den Toten fanden, hatten leicht an dieser Last zu tragen.

Der Stamm wollte keinen neuen Medizinmann ernennen, da sich keiner dazu eignete. Vielleicht später, dachten sie und überließen es dem Schicksal, einen zu finden oder die Sache zu belassen, wie sie war.

Obwohl Hlé nicht viele Freunde mehr besessen hatte, wurde er beweint, auch bekam er ein geräumiges Grab, in dem alle seine Geräte und Heilmittel beigesetzt wurden. Seine Hütte wurde nach altem Brauch verbrannt. Nichts blieb von ihm übrig, denn was den Medizinmann im Leben auszeichnete, war nach seinem Tode für andere nicht gut.

Kaum befand sich Hlé unter der Erde, da brach abermals die Krankheit aus, die damals Diacui mit ihren Mitteln heilen konnte. Sie tat es auch diesmal, aber Pantherklaue runzelte tagelang die Stirn und sagte zu den Stammesältesten:

„Dieser Platz ist nicht gut. Wir haben bessere Wohnstätten besessen. Wenn ich an den Sertão denke, kommt er mir günstiger vor."

„Es gab eine Zeit, da wir ungestört lebten", ließ sich ein älterer Indianer vernehmen.

Der greise Tucre wiegte sein Haupt und erwiderte: „Etwas war immer los. Es gibt keinen Platz, wo wir in Ruhe leben könnten. Einmal sind es fremde Tribus, dann wieder die Caboclos und Weißen. Das wird auch immer so bleiben."

„Ich denke an die Krankheit", meinte Pantherklaue.

„Auch davon blieben wir nicht verschont", antwortete der greise Häuptling. „Die Krankheiten kommen zu ihrer Zeit. Wir haben mehrmals den Wohnplatz gewechselt, um ihnen zu entgehen."

„Meinst du nicht, daß wir es auch diesmal tun sollten?" fragte Pantherklaue.

„Ich bin dafür."

„Wozu haben wir den Posten?" fragte Pfeilfeder.

„Sollen wir von ihm abhängig sein?"

Tagelang berieten die Chavantes. Schließlich faßten sie den Entschluß, den großen Wald zu verlassen und südwärts zu ziehen, um wieder alte Jagdgebiete aufzusuchen.

Diacui erschrak. Wenn sie den Urwald verließen, verlor sie die letzte Verbindung mit den Weißen. Die Gewißheit, den Posten in der Nähe zu haben und jederzeit das indianische Leben aufgeben zu können, gab ihr einen starken Halt. Sobald sie die Wanderung antraten, war sie eine Chavantes-Indianerin wie jede andere, die weiter nichts besaß als ihr nacktes Leben.

Pantherklaue wollte nicht heimlich verschwinden, sondern dem Posten Bescheid geben und Senhor Antonio ein Geschenk überbringen. Es war ein schönes Jaguarfell. Zusammen mit Eisenholz und den beiden Mädchen begab er sich zur Station.

Dort waren sie überrascht und fast erschrocken. Was nützte denn der Posten, wenn es weit und breit keinen Indianer mehr gab? Antonio versuchte alles, um die Chavantes zum Bleiben zu veranlassen. Er schlug sogar vor, in unmittelbarer Nähe des Postens ein schönes Dorf zu errichten, Bananen- und Maisfelder anzulegen und Vieh zu halten. Der Staat wollte es sich etwas kosten lassen, um die Chavantes zu gewinnen.

Die beiden Indianer schüttelten ihre Köpfe. Was der Stamm beschlossen hatte, stand unwiderruflich fest.

„Bleibt ihr wenigstens hier!“ bat Donna Rosa die beiden Mädchen.

Taowaki schüttelte energisch den Kopf.

„Was soll ich hier?“ fragte Diacui. „Wir werden irgendwo wieder ein Dorf erbauen, und ich kann dort das tun, was man von mir erwartet.“

Antonio hielt es für richtig, daß Diacui bei den Chavantes blieb.

„Vielleicht kommen wir nach“, meinte er. „Gib uns Bescheid, sobald ihr euch festgesetzt habt! Dann schicken wir dir deine Sachen zu. Vergiß nicht, daß ein großer Teil der Befriedungsarbeit in deinen Händen liegt!“

Als sich die Chavantes verabschiedeten, weinten Donna Rosa und die Kinder. Noch lange winkten sie sich gegenseitig zu, und es war wohl das erste Mal, daß Pantherklaue sagte: „Diese Weißen sind gut.“

Diesmal blieb nichts von dem Chavantesdorf zurück. Die Hütten brannten nieder, und alles wurde zerstört, was an die Indianer erinnerte. Nun konnte der Urwald kommen und von dem Platz wieder Besitz ergreifen.

In langer Reihe zogen die braunen Gestalten durch den großen Wald. Sie umgingen die dichtesten Gebiete, mieden Sümpfe und suchten Höhen. Taowaki trug ihren Arara und Diacui das Äffchen Jo. Sonst hatten sie weiter nichts bei sich, denn was sie zum Leben brauchten, das gab ihnen die Natur.

Maikäfer trug am Stirnband eine geflochtene Tasche mit Kleinigkeiten, Jojo auf den Schultern ein Kind. Voraus gingen einige bewaffnete Männer. Bald zog sich der Stamm in die Länge. Es war nicht so, daß sie wie ein Rudel zusammenblieben; es kamen hier und dort kleine Zwischenfälle vor, Alte blieben zurück, und Jüngere eilten voraus, um den besten Weg zu suchen.

Taowaki und Diacui blieben immer an der Spitze. Sie wollten zuerst sehen, wohin es ging und was es Neues zu erleben gab. Nach wenigen Tagen waren sie die einzigen Frauen unter einem Dutzend flinker Jäger. Sie waren alles junge Leute, die von Pfeilfeder geführt wurden. Pantherklaue blieb zurück, um mit den Nachfolgenden in Verbindung zu bleiben.

Auch Ono-onoh war dabei. Er war den Mädchen gegenüber sehr freundlich und schien Taowaki nichts mehr nachzutragen.

Während der Wanderung wurde die hauptsächlichste Arbeit von den Männern verrichtet. Sie suchten die Lagerplätze, sorgten für Frischfleisch und übernahmen sogar die Zubereitung der Speisen. Es war so, als befänden sie sich auf der Jagd. Dadurch besaßen Taowaki und Diacui viel freie Zeit. Das Leben gefiel ihnen; auf diese Weise hielten sie es eine Ewigkeit aus.

„Ist das immer so?“ wollte Diacui wissen.

„O nein!“ lachte Taowaki, „denn wo die Kinder sind, gibt es für die Mütter allerlei zu tun. Wir haben dagegen für Fleisch, einen guten Weg und für die Sicherheit zu sorgen.“

Es regnete kaum noch, das Wasser verlief sich, aber zurück blieben Moräste und viele Moskitos. Sie fielen in Scharen über die Indianer her und plagten sie bei Tag und Nacht.

„Laßt uns erst mal aus dem Wald heraus sein, dann hört die Stecherei auf", versprach Pfeilfeder.

Sobald sie einen Fluß oder irgendein Gewässer erreichten, vertrieben sie die Kaimane, Krokodile und Stachelrochen, um baden zu können. Jede Gelegenheit benützten sie zu einer Erfrischung.

Von Raubtieren war nicht viel zu sehen. Selbst der schwarze Panther floh vor so vielen Menschen. Einmal schien eine ungeheuer große Anakonda nicht zu wissen, ob sie angreifen oder flüchten sollte. Die Burschen standen mit Pfeilen und Buschmessern bereit, sie zu empfangen. Da sie sich zur Flucht entschloß, jagte ihr Onoonoh als erster einen Pfeil ins Genick. Sie warf sich blitzschnell herum und wurde gleichzeitig von mehreren Pfeilen getroffen. Hochauf bäumte sich ihr mächtiger Leib. Pfeilfeder sprang hin und hieb ihr mit mehreren Schlägen den Kopf ab. Als sie endlich tot war, hatten fünf Männer schwer an ihr zu tragen. Ihr Fleisch war zart und wohlschmeckend. –

Eines Tages stießen sie unverhofft auf die alleinstehende Hütte eines Gummisuchers. Sie konnten beobachten, daß ein bärtiger Mann im Rauch des Feuers saß und einen Gummiballen drehte, während eine ganz junge Frau oder ein Mädchen in einem Kessel rührte.

Pfeilfeder war für einen Überfall.

„Wozu schon wieder einen neuen Mord?" fragte Diacui. „Diese beiden sind froh, wenn wir sie in Ruhe lassen. Ihr habt den gummisuchenden Caboclos nie etwas getan."

„Diesmal ist es anders", erwiderte der Indianer. „Die Leute brauchen nicht zu wissen, daß wir hier vorbeigekommen sind."

„Dann umgehen wir sie eben."

„Dazu ist es zu spät. Ein Caboclo läßt sich nicht so leicht täuschen wie ein Weißer."

„Tu ihnen nichts!" bat auch Taowaki.

Ein Hund schien die fremden Menschen zu wittern, denn er kam vor die Hütte und fing an zu bellen. Sofort stellte der bärtige Caboclo die Arbeit ein. Als er die Chavantes erblickte, griff er zum Gewehr und stellte sich breitbeinig vor die Tür.

Die indianischen Hunde freundeten sich zuerst mit dem des Gummisuchers an. Pfeilfeder ging mit einer beruhigenden Handbewegung auf die Hütte zu. Er sprach etwas auf Indianisch, was der Caboclo nicht verstand.

Auf seinen Ruf hin kamen die Mädchen zu Hilfe. Sie blickten lächelnd auf die junge Frau, die zitternd in der Hütte kauerte.

„Wir kommen als Freunde", sagte Diacui in der Sprache der Weißen.

Da stellte der Caboclo das Gewehr beiseite und gab Pfeilfeder die Hand. Nun kamen auch die anderen herbei und setzten sich nieder.

„Auf Besuch sind wir nicht eingerichtet", erklärte der Bärtige. „Ich kann nichts anbieten, da wir selber nicht viel besitzen."

„Wir brauchen nichts", erwiderte Diacui.

Pfeilfeder stellte einige Fragen, die Diacui übersetzte. Er wollte wissen, seit wann sie hier hausten und ob auch die Weißen oder andere Caboclos hier ansässig wären.

„Der Händler José kommt von Zeit zu Zeit den Fluß herauf und holt meinen Gummi", antwortete der Mann. „Sonst wohnt hier keine andere Menschenseele."

„Waren in der letzten Zeit Indianer hier?"

„Wir sahen keine."

Pfeilfeder zeigte sich zufrieden. Die Chavantes legten

ein Feuer an, brieten Fleisch und luden den Caboclo mit seiner Frau zum Essen ein. Die Frau setzte sich etwas ängstlich neben Diacui, denn sie fürchtete sich vor den Indianern.

„Es werden noch andere vorbeikommen", sagte Diacui freundlich zu ihr. „Sie tun euch nichts. Wenn ihr wollt, bleibe ich hier, um mit den anderen zu sprechen."

„Bitte, bleibt!" bat die junge Frau.

Nun richteten sich Taowaki und Diacui in der Hütte häuslich ein, um eine Zeitlang hierzubleiben. Auf diese Weise verhüteten sie womöglich ein Unglück, denn den Chavantes liegt der Pfeil nur locker auf dem Bogen.

Als Pantherklaue kam, mußte er lachen. Er nannte die Mädchen gute Geister der Caboclos und Weißen und drohte ihnen scherzhaft, sie als deren Beschützer zurückzulassen.

„Wäre dir ein Überfall lieber gewesen?" fragte Taowaki.

„Es ist schon besser so", gab er lächelnd zu. „Wir sind es Antonio schuldig."

Die Mädchen sahen keinen Grund, noch länger an diesem Platz zu bleiben. Sie eilten wieder voraus, um ihren Trupp zu erreichen. Diacui war sehr fröhlich und sagte zu Taowaki:

„Ich glaube, wir sind doch zu etwas nützlich. Wären wir nicht gewesen, gäbe es einen rauchenden Trümmerhaufen und zwei Glühwürmchen mehr. Die Chavantes sind bald besser als ihr Ruf."

Taowaki lachte hellauf. Es sah lustig aus, wie sie flink durch den Urwald lief und auf der Schulter einen Stock trug, auf dem der bunte Arara saß.

Das neue Dorf am Rio Manso

Seit langem herrschte Trockenzeit. Die Flüsse waren sehr gefallen und zeigten an ihren Rändern breite Sandbänke. Das Land glühte unter der sengenden Sonne.

Aber die Chavantes waren fröhlich. Sie lebten wieder im Sertão, im großen Galeriewald, wo der Blick weit in die Ferne schweifte. Hier war es nicht so feuchtheiß wie im Urwald, überhaupt war das Leben hier freundlicher und heller. Sie hatten ein großes Dorf errichtet und beherrschten ihr altes Gebiet, das an den Bereich anderer Chavantes grenzte. Mit feindlichen Tribus war kaum noch zu rechnen, denn die Karajá, die früher stärker waren als die Chavantes, waren längst befriedet und zerfallen, so wie auch die Tapirapé weniger und friedlicher geworden waren.

Flugzeuge donnerten von Osten her über die Wildnis, landeten in unmittelbarer Nähe einiger Indianerstämme und versorgten diese mit Lebensmitteln und allerlei Gebrauchsgegenständen. Der Staat hatte mit einer großangelegten Befriedungsaktion begonnen, überall entstanden neue Posten des Indianerschutzdienstes. Nur wenige Stämme hielten sich noch abseits, um unberührt zu bleiben.

„Es scheint doch eine neue Zeit zu kommen", meinte der Häuptling Pantherklaue.

Der greise Tucre lebte nicht mehr.

Die neue Zeit war nicht aufzuhalten. Mit großen Motorbooten kam sie den Fluß herauf, den früher kein Weißer zu befahren wagte. Der gefürchtete Rio Manso, den sie den Fluß des Todes nannten, war nicht mehr Besitz der Chavantes, sondern der Tummelplatz der Caboclos und Weißen. Sie fischten hier, trieben Handel und schossen das Wild.

Pantherklaue hatte eine Zeitlang schweigend zugesehen. Dann war er mit seinem Stamm nordwärts gezogen und hatte an einem Nebenfluß des Manso das Dorf errichtet. Hier hoffte er ungestört zu bleiben. Jetzt waren die Chavantes selber wie die Tiere, die vor Jojos Gewehr geflohen waren, um in der Einsamkeit zu leben.

Der Häuptling des Nachbarstammes war eines Tages zu ihnen gekommen und hatte viele Neuigkeiten erzählt. Nein, die Fremden hätten kein Recht, das Land zu betreten oder gar zu jagen. Was den Chavantes gehörte, konnte nicht angetastet werden, und den Chavantes gehörte das Land bis zum Araguaia hinüber, bis zum Xingu und weit nach dem Norden hin. Sie blieben weiterhin eine gefürchtete Macht, der kein Weißer ohne besonderen Grund zu nahe kommen konnte. „Aber die alten Zeiten sind vorbei“, sagte auch dieser Häuptling. „Wir haben Gewehre und könnten damit das ganze Wild ausrotten. Aber sie sind nicht gut, sie erschrecken die Tiere. Deswegen jagen wir lieber mit dem Bogen. Mit dem Posten verkehren wir in Freundschaft, denn er ist uns von Nutzen.“

„Sie sprechen immer nur vom Nutzen“, ärgerte sich Pantherklaue, als der Häuptling gegangen war. Er suchte weder Vorteile noch Bündnisse. Die Chavantes wollten weiter nichts, als frei leben und ihre Lebensart selbst bestimmen.

Vorerst näherte sich ihnen kein Fremder. Es sah aus, als wäre dieser zugewanderte Stamm unsichtbar geblieben. Pantherklaue hütete sich aber auch, durch Gewaltstreiche aufzufallen. Sehr weit entfernt gab es eine Hütte, die nicht in dieses Gebiet gehörte und die er eigentlich hätte zerstören müssen, doch hielt er den rechten Zeitpunkt noch nicht für gekommen.

Das Leben verlief in altgewohnter Weise. Die Männer jagten, und die Frauen hatten zu tun, um die Hütten mit Matten und Krügen zu versehen. Noch waren nicht sämtliche Hütten erbaut.

Auch Taowaki und Diacui halfen, alles wohnlich zu gestalten. Sie nahmen auch wieder das Sprachenspiel mit den Kindern auf, denn gerade hier kam es darauf an, die Sprache der Weißen zu beherrschen. In der Nähe gab es Händler und andere Leute, die den Fluß befuhren.

Da sie keine Kleider besaßen, verarbeiteten sie die innere Schicht der Baumrinde zu einem weichen, lederartigen Stoff. Den gedachten sie als Schurz zu tragen, wenn eines Tages die Fremden kämen. Innerhalb des Stammes gingen sie weiterhin nackt und pflegten ihre Bemalung.

Maikäfer meinte, die Zeit sei längst gekommen, daß Taowaki sich nach einem Mann umsehen müßte. Indianerinnen heiraten sehr früh. Aber Taowaki wollte nicht.

Als sie eines Tages mit Diacui badete, saß Ono-onoh am Ufer und sah ihnen zu. Auch er war noch unverheiratet.

„Es wäre an der Zeit, eine eigene Hütte zu beziehen“, sagte er plötzlich mit freundlichem Lächeln.

„O ja, für dich schon“, gab Taowaki lachend zurück.

„Es gehören immer zwei dazu“, meinte er.

„Soll das vielleicht eine Werbung sein?“ wunderte sich Taowaki. Sie warf sich prustend ins Wasser, tauchte auf und fragte: „Möchtest du es mit mir versuchen, Ono-onoh?“

„Es gibt Schlimmeres als das“, versetzte er.

„Nur der Jaguar schlägt seine Zähne tiefer ein“, rief sie belustigt.

„Mußt du immer daran denken?“

„Wenn ich dich sehe, ja.“

Mit verlegenem Lächeln stocherte er in der Erde herum. „Man könnte es trotzdem versuchen“, meinte er.

„Der Jaguar läßt das Beißen nicht, Ono-onoh! Nimm eine Schildkröte, die tut dir nichts!“

Da erhob sich der Bursche und ging schweigend davon.

„Jetzt geht er hin und sinnt auf Rache“, sagte Diacui.

„Soll er mich doch in Ruhe lassen“, erwiderte Taowaki heftig. „Er ist der letzte, den ich heiraten würde.“

„Und wen möchtest du heiraten?“

„Ich weiß es nicht.“

„Du lügst.“

Taowaki kraulte zu Diacui, sah sich um und sagte: „Wenn du schweigen kannst, will ich es dir verraten.“ Sie fischte plötzlich eine kleine bunte Vogelfeder auf, zeigte sie der Freundin und fuhr fort: „Setze einen Pfeil daran, dann hast du es erraten!“ Sie lachte, warf sich in das Wasser und kraulte davon.

Nun ist es bei diesem Indianerstamm Sitte, daß die Mädchen den Mann erwählen und ihre Eltern bitten, mit ihm Rücksprache zu nehmen. Wenn Taowaki ein Auge auf Pfeilfeder geworfen hatte, war die Ehe so gut wie beschlossen. Aber Pfeilfeder wußte von nichts. Er führte noch sorglos sein Jägerleben und überließ es der Zeit, was dereinst mit ihm geschähe.

Die Zeit der großen Feste war gekommen. Nun tanzten die Indianer wieder bis tief in die Nacht hinein. Hoch loderten die Flammen empor. Die Wildnis schwieg, denn im Gegensatz zu dem Urwald ist der Sertão ganz still, kaum daß ein Pfefferfresser schreit oder ein Arara schnarrt.

Mehrere Indianer bauten Einbäume. Sie wollten damit den Fluß befahren und Fische fangen. Eisenholz war ebenfalls beim Bau und kam dabei auf einen neuen Gedanken. Er ließ alles stehen und liegen, um mit Pantherklaue zu sprechen.

Der Nachbarstamm lebte nicht nur von der Jagd, sondern hatte angefangen, Mais auszusäen und Bananen zu pflanzen. Sie verließen sich also nicht mehr auf die freie Natur und auf den Zufall der Jagd, wie es bei den Indianern üblich war.

„Den Mais bekommen wir beim nächsten Posten", sagte Eisenholz. „Ich schlage vor, mit dem Kanu hinabzufahren. Es könnte uns von Nutzen sein."

Der Häuptling überlegte lange, und es vergingen viele Tage. Dann bestieg er seinen großen Einbaum, nahm Eisenholz, Pfeilfeder, Taowaki und Diacui mit und paddelte mit der Strömung. Sie fuhren zwei Tage. Da erreichten sie eine kleine Siedlung am jenseitigen Ufer. Viele Kanus lagen am Strand unter Wasser, damit sie die Sonne nicht austrocknen konnte, Caboclos standen herum und besahen sich die ankommenden und unbekannten Indianer.

„Wo ist der Postenführer?" fragte Pantherklaue. Die ihm fremde Sprache klang in seinem Munde rauh und hart. „Sagt ihm, daß wir ihn zu sprechen wünschen!"

Die Leute wunderten sich über diesen befehlenden Ton. Ein Junge lief rasch den Hang hinauf und einem flachen Bungalow zu. Bald darauf kam ein weißer Mann in Khakihosen und Buschhemd den Weg herab.

Diacui riß die Augen weit auf und schrie laut: „Senhor Antonio!"

Der Mann blieb überrascht stehen. Er lachte plötzlich laut auf und schloß die Rothäute überschwenglich in seine Arme.

„Ist das eine Freude!“ rief er begeistert. „Seit Wochen sitze ich hier und frage jeden Vorüberkommenden, ob er nichts weiß von einem zugezogenen Indianerstamm. Keiner weiß es, es war, als hätte euch die Wildnis geschluckt. Kommt an Land, Freunde!“

Die herumstehenden Caboclos gaben erstaunt den Weg frei, denn so war noch kein Indianerstamm empfangen worden. Die sonst so schweigsamen Indianer waren lustig und ganz aus dem Häuschen.

Donna Rosa drückte die beiden Mädchen an sich und wollte sie gar nicht wieder loslassen. Sie weinte und lachte in einem Atemzug.

„Wo steckt ihr?“ wollte Antonio wissen.

Pantherklaue hatte sich vorgenommen, den jetzigen Wohnplatz der Chavantes nicht zu verraten, doch warf er dem freundlichen Antonio gegenüber alle guten Vorsätze um.

„Gott sei Dank, es ist in meinem Gebiet“, sagte Antonio aufatmend, als er den Platz erfahren hatte.

„Aber wie kommen Sie hierher?“ fragte Diacui nach der ersten stürmischen Begrüßung.

„Das ist doch nicht verwunderlich“, erklärte er. „Unser Posten war nach eurem Abzug überflüssig geworden. Der SPI machte eine Fazenda daraus, aber ich bewarb mich um einen neuen Posten bei den Chavantes, und den bekam ich. So sitzen wir also hier und sind mit den anderen Tribus gut in Kontakt gekommen. Wir beliefern sie mit allem Nötigen und sehen es gern, wenn sie uns besuchen. Habt ihr gewußt, daß wir hier sind?“

„Keine Ahnung“, versetzte Diacui. „Das war eine

Überraschung. Der Häuptling wird euch sagen, was uns hergetrieben hat."

Pantherklaue bekam alles, was er sich wünschte, nämlich Reis, Mais und andere Dinge. Sie beluden das Kanu und wollten heimwärts fahren, doch war es zu schwer beladen.

Antonio lachte und legte zum Spaß noch einen großen Stein dazu. Er meinte, jetzt müßten die Mädchen beim Posten bleiben, und er brächte sie bestimmt in allernächster Zeit mit dem Motorboot nachgefahren. Pantherklaue und seine Männer schieden in herzlicher Freundschaft.

Fast wäre es zu Ende gewesen

Zusammen mit Senhor Antonio und dem Helfer Carlos besuchten Taowaki und Diacui einen befriedeten Indianerstamm. Sie gaben sich nicht als Chavantes-Indianerinnen aus, und keiner konnte es merken, da sie Kleider trugen und sich in der Sprache der Weißen unterhielten. Ihr indianisches Aussehen fiel in dieser Gegend überhaupt nicht auf.

Antonio wollte mit diesem Besuch erreichen, daß die Mädchen einmal einen Einblick bekamen in das Leben eines befriedeten Stammes, der zwar sein altes Leben weiterführte, mit den Weißen jedoch freundschaftlich verkehrte.

Das Dorf lag unter hohen Palmen am Ufer und bestand aus vielen Palmhütten. Die Indianer gingen fast nackt und trugen nur einen Lendenschurz. Mit Fremden kamen sie kaum in Berührung. Senhor Pedro, der dortige Postenführer, zeigte seinen Gästen das Dorf, ein kleines Hospital, in dem glücklicherweise nicht ein Kranker lag, eine Bananenpflanzung, Maisfelder und zuletzt eine Schule, in der die Kinder erst einmal spielen sollten, bevor sie einen regelrechten Unterricht bekamen. Sie lernten die Sprache und vieles andere dazu, ohne daß ein Zwang dahintersteckte.

„Was wollt ihr damit?“ fragte Diacui.

„Wir möchten nicht, daß die Indianer dereinst zurückgesetzt werden, nur weil sie nicht lesen und nicht schreiben können und nichts gelernt haben“, erklärte Pedro. „Die Kinder begreifen sehr rasch. Sie sprechen fast alle zwei Sprachen und wissen mit einem Bootsmotor umzugehen wie ein Maschinenschlosser. Das verträgt sich alles sehr gut mit ihrer bisherigen Lebensweise. Glaubt mir, die Zivilisation greift immer mehr um sich und bleibt auch vor der Wildnis nicht stehen! Nun gilt es, den Indianern keine falschen Errungenschaften der Zivilisation beizubringen. Der Indianer muß als solcher weiterbestehen und eine eigene Kultur pflegen. Für den Posten ist das eine sehr schöne Aufgabe, wenn er sie ernst nimmt und richtig betreibt.“

Antonio kniff Diacui in den Arm. Sie nickte und sah sich alles an.

Am Nachmittag nahmen sie ein kleines Kanu und stakten stromauf, um allein zu sein und zu baden. „Was hältst du von dieser sogenannten Erziehungsarbeit?“ fragte Taowaki.

„Es ist viel Gutes und Wahres daran“, erwiderte Diacui. „Wir Chavantes leben anders und brauchen von diesen Indianern nichts abzugucken. Aber du, das mit der Kindererziehung ist richtig! Wir brauchen kein

Hospital und keine Lichtmaschine, dafür aber eine Schule. Ich meine, wie wir diese Schule errichten, ist unsere Sache."

„Man muß uns eine eigene Hütte bauen."

„Das ist doch keine Frage!"

„Und auch die Erwachsenen können kommen, wenn sie etwas lernen wollen."

Die Mädchen sprachen sich so in ihren Eifer hinein, daß sie die Landschaft gar nicht mehr beachteten. Sie stakten am Ufer, denn in der Flußmitte gab es steinigen Grund und Stromschnellen.

Aber einen Posten wollten sie nicht haben. Sie lebten ohne ihn viel freier und waren wie eine große Familie.

„Wann fahren wir zurück?" fragte Taowaki.

„Am liebsten gleich. Du, ich freue mich auf die Arbeit!"

Sie wendeten das Kanu und schossen plötzlich in die Strömung hinein. Es war ein kleines, leichtes Boot. Taowaki saß im Heck und steuerte mit dem Paddel.

„Was wird Pantherklaue dazu sagen?" fragte Diacui.

„Er ist immer friedlich gewesen und versuchte, Überfälle zu vermeiden. Daß auch für die Chavantes eine neue Zeit kommt, hat er längst eingesehen."

Das Kanu wurde von der Strömung gepackt und fortgerissen. Taowaki wurde unsicher. Plötzlich liefen sie auf, das Boot wurde aufgehoben, drehte sich, kam quer zu liegen und kenterte.

Im Nu tauchten beide Mädchen auf und versuchten das Kanu zu fassen. Taowaki blutete am Kopf. Sie achtete nicht darauf, doch bekam sie keinen Grund zu fassen und wurde weggerissen. Diacui gab das Boot auf, um stolpernd und schwimmend das Ufer zu erreichen. Ein Stück unterhalb trieb Taowaki.

Diacui kam zuerst an Land. Plötzlich erstarrte sie für einen Augenblick, dann preßte sie die Fäuste auf die Brust und schrie aus Leibeskräften Taowakis Namen.

Taowaki drehte sich um. Die Strudel hatte sie hinter sich, aber was da schäumte und quirlte, waren keine Steine, sondern die raubgierigen Piranhas!

Ah, die Bestien hatten ihr Blut wahrgenommen und rasten nun heran. In wahnwitziger Angst kraulte sie um ihr Leben. Sie schluckte Wasser, wurde unsicher und riß die Augen weit auf. Immer näher quoll es heran. Sie sah einzelne Silberrücken und glotzende Augen.

Am Ufer kam Diacui angerannt und warf alles ins Wasser, was sie am Strand aufraffen konnte. Sie wollte die Piranhas verjagen, doch kümmerten die sich nicht darum.

Wenige Meter trennten Taowaki vom rettenden Ufer. Es war an dieser Stelle steil und tief.

„Mach rasch!" schrie Diacui. Sie warf sich hin und streckte der Freundin die Hand entgegen.

Jetzt waren sie da! Taowaki schrie laut auf und bekam Diacuis Hand zu packen. Was weiter geschah, merkte sie nicht mehr. Diacui hatte sie mit übermenschlicher Kraft aus dem Wasser gerissen und zwei Piranhas mit an Land geschleudert. Das Kleid hing Taowaki in Fetzen am Leibe.

Als sie die Augen aufschlug, sah sie angsterfüllt umher. Diacui warf sich über sie und weinte und lachte in einem Atemzug. „Die Bestien!" rief sie keuchend. „Sie gönnten uns nicht unser Leben, aber ich bringe sie alle um!"

Sie sprang auf, ergriff einen Stock und schlug auf die beiden an Land liegenden Piranhas ein, als trügen sie allein die Schuld an dem Überfall.

Als Taowaki die wütende Freundin sah, richtete sie sich auf und lachte. Die Tränen rollten ihr aus den Augen, doch mußte sie lachen, weil es zu komisch aussah.

„Haben sie dir weh getan?“ fragte Diacui, als sie ihren Stock zerschlagen hatte.

Taowaki schüttelte den Kopf. „Eine Chavantes-Indianerin bekommen sie nicht so leicht“, gab sie zurück und versuchte tapfer zu sein.

„Diesmal fehlte nicht viel“, meinte Diacui. „Aber unser Kanu ist hin.“

„Wozu haben wir die Beine?“

Sie lachten sich an und gingen am Ufer entlang. Die Sonne sank im Westen. Glutrote Wolken türmten sich über der Wildnis. Araras flogen auf. Allmählich senkte sich die stille Nacht über das einsame Land der Indianer.

Wie ich zu den Indianern kam

In den Jahren 1955/56 unternahm ich eine vierzehnmonatige Reise durch Brasilien, Bolivien und Peru. Dabei legte ich innerhalb Südamerikas 36 000 Kilometer zurück. Ich benützte Flugzeuge, Autos, Reittiere und Kanus und habe den Süden Brasiliens ebenso kennengelernt wie alle anderen Staaten dieses unermeßlichen Landes.

Über meine Expedition zu verschiedenen Indianerstämmen berichte ich ausführlich in meinen Büchern: „Weiter Weg in Tropenglut" und „Crao, Indianer der roten Berge". Mit meinen beiden Begleitern, Frau Dr. Ingeborg und Günther Müller aus São Paulo, lernte ich die indianischen Stämme der Carajá und Crao eingehend kennen; auch nahmen wir Fühlung mit den Chavantes, Javahé, Caiopé und einigen Indianern vom oberen Rio Negro auf. Wochenlang lebten wir mit den Indianern zusammen, und ich kann sagen: Seit ich die Indianer kenne, liebe ich sie.

Gewiß, viele Stämme sind unberechenbar, und so mancher Weiße ist für immer in den Urwäldern des Amazonas geblieben. Die Indianer haben jedoch mit den Weißen so schlechte Erfahrungen gemacht, daß ihr Haß berechtigt ist. Der brasilianische Indianerschutzdienst (SPI) ist bestrebt, die Indianer vor den verderblichen Einflüssen der Zivilisation zu schützen, ihre naturgegebenen Landrechte zu wahren und blutige Auseinandersetzungen zu unterbinden.

In Zusammenarbeit mit dem Indianerschutzdienst und dem feierlichen Versprechen des SPI getreu, sich lieber töten zu lassen, als selbst zu töten, traten wir unsere Expedition an, die uns 11 000 Kilometer durch Mato Grosso zum Amazonas und Rio Negro führte. Im Einbaum kamen wir die Flüsse herab, mit dem Floß ging es durch die Urwälder, im Sattel erlebten wir die Höllenglut Zentralbrasiliens. Wir waren braun wie die Indianer und lebten fast nackt wie sie. Ich filmte ihr Leben, nahm ihre seltsam schönen, wilden Gesänge auf und ging völkerkundlichen Arbeiten nach.

Bei den Indianern entstand mein Buch „Taowaki, das Mädchen vom Amazonas". Ich schrieb es unter einem Palmdach, sah um mich herum die bemalten Rothäute und das indianische Leben in seiner Wirklichkeit. So lernte ich sie kennen: Taowaki, Vahanitu, Coniheru und die kleine Orchidee. Diacui, die bei den Weißen aufgewachsen war, denn sie war als kleines Kind gestohlen worden, war mein besonderer Liebling.

In dem vorliegenden Buch brauchte ich nichts zu erfinden. Die Begebenheiten sind alle wahr, auch wenn sie unwahrscheinlich anmuten. Ich brauchte das Gehörte und Gesehene nur zusammenzufügen und das Ganze etwas anschaulicher zu gestalten. Mir lag jedoch nichts daran, das Leben eines einzelnen Stammes zu beschreiben, sondern das indianische Leben der südamerikanischen Indianer im allgemeinen zu schildern. Deswegen treffen einige in diesem Buch beschriebenen Bräuche, ebenso mehrere Zeichnungen, nicht auf den Stamm der Chavantes zu.

Eines Tages nahm ich heimlich mit dem Tonbandgerät die Totenklage einer Mutter auf, die ihre Tochter beweinte. Es war ein Mädchen wie Vahanitu, das einer Schlange zum Opfer gefallen war. Auch ich lag eines Tages todkrank in der Gluthitze am Rio Negro, sah um mich den geheimnisvollen grünen Wald und glaubte, zum letztenmal das Raunzen des schwarzen Panthers und das Gebrüll der Affen zu vernehmen. Bevor ich das Bewußtsein verlor, sah ich meine indianischen Freunde vor mir. Sie begleiteten mich sanft lächelnd in eine Welt hinein, in der es keine Schmerzen mehr gab. Ein Wasserflugzeug flog mich nach Manaus. Nach sechswöchiger Krankheit ging es wieder in den Urwald hinein. Dort beendete ich mein Buch „Taowaki“.

Erich Wustmann